Valerie Blum

L'enfant du samedi

Traduit par
Colette Vlérick

Libre Expression

Données de catalogage avant publication (Canada)
Blumenthal, Valerie
L'enfant du samedi
Traduction de : Saturday's child.
ISBN 2-89111-915-0
I. Vlérick, Colette. II. Titre.
PR6052.L835S2814 2000 823'.914 C00-941642-0

Titre original
SATURDAY'S CHILD

Traduit de l'anglais par
COLETTE VLÉRICK

Éditions Libre Expression
2016, rue Saint-Hubert
Montréal (Québec) H2L 3Z5

Dépôt légal :
3e trimestre 2000

ISBN 2-89111-915-0

À tous les enfants nés sous une mauvaise étoile,
passés aux pertes et profits
d'une espèce appelée *homo sapiens*
(du latin *sapere* : savoir).

Remerciements

Nigel R. Merrett, D. Sc.
Graham Irons, Listing Officer, Truro Crown Court
Inspecteur Andy Matthews, Truro Police Station
Jo Jamieson, HMP Bullingdon
Irving D. Stone, conseiller juridique
Medina Marks, avocate
Gareth Gwenlan, directeur de production,
BBC Television

1

Des mouches. Des mensonges. Des mouches et des mensonges qui produisent d'autres mouches, d'autres mensonges.

– Pourquoi avez-vous fait cela ? lui demande-t-il.
– Parce que... Connaissez-vous le mot français *éclat* ?
– Pas vraiment. Je ne suis pas très doué pour les langues.
– En particulier l'expression *éclat de soleil* ? C'est exactement ce que j'ai ressenti en voyant son visage. Cela m'a... Elle m'a éblouie. Je ne peux pas l'expliquer. Désolée, mais je ne peux pas vous dire mieux.
– Mais cela vous ressemble tellement peu !
– Qu'y puis-je ? Je n'avais jamais commis la moindre excentricité, jusque-là. Ma vie était parfaitement organisée.

Pourtant, des signes avant-coureurs étaient apparus, et elle aurait pu les reconnaître si elle avait pris la peine de s'interroger sur elle-même. Un ensemble de facteurs complexes menaient à cet acte, ils avaient pris une importance croissante au fil des années. Les psychologues les auraient repérés avec gourmandise.

– Et vous regrettez votre geste, bien sûr, reprend-il d'un ton convaincu.

Elle enroule les bras autour de ses épaules. Son regard fatigué fait le tour de la pièce : cet homme, puis le vernis de ses ongles qui s'écaille, la fenêtre d'où l'on ne voit rien et son image reflétée par les vitres...

– Isabella ? Je suis sûr que...

Elle ramène son regard sur lui. Une fois de plus, il s'émerveille de la façon dont son regard transforme son visage, le fait passer de la banalité à la vraie beauté. Elle secoue la tête, avec son geste habituel, si éloquent : elle tend la main, paume en avant.

– Que dire ? Comment pourrais-je avoir le moindre regret ?

C'est la nuit, la nuit d'avant son acte. La voici dans son appartement, sur son lit à la courtepointe de soie chinoise très ancienne. Elle se livre à une frénétique activité sexuelle avec Peter, son amant depuis un an et demi. Il aura bientôt vingt-sept ans, treize de moins qu'elle, mais leur anniversaire tombe le même jour. Plus tôt dans la soirée, il lui a dit qu'elle a grossi. Il a pris de l'assurance depuis qu'elle le connaît. Elle y a sans doute contribué et, maintenant qu'elle l'a aidé à se faire une place au soleil, il n'a plus besoin d'elle. Tout à l'heure, elle a également découvert deux marques en croissant de lune de chaque côté de sa propre bouche et une minuscule poche sur la commissure droite. Ils font l'amour et, tout en étant bien décidée à lui prouver qu'il ne trouvera personne qui la vaille, elle est consciente de son visage penché sur celui de Peter, consciente du poids de sa chair devenue moins ferme (ce qu'elle appelle les conséquences de la gravitation universelle). Peter est comédien. Quand ils se sont rencontrés, il était timide et ambitieux. Il avait besoin de son réalisme, de son attention. En échange, il avait le talent – il l'a toujours – de la faire rire par ses imitations. Mais à présent, ses capacités d'attention à l'égard d'Isabella ont beaucoup baissé. Autrement dit, il n'est pas question d'amour. Il n'est jamais question d'amour dans ses histoires et elle ne le cherche pas. De toute façon, cela se termine. Or, en femme intelligente, Isabella sait qu'il vaut mieux prendre les devants.

– Je te verrai à mon retour de Nottingham, dit-il.

Mais quand, il ne le précise pas.

Il lui donne une tape affectueuse sur les cuisses en partant, à six heures du matin. Quelques caresses plus insistantes : « Tiens, tiens, qu'est-ce qu'il y a, là ? » Il empoigne ses fesses nues. Elle lui jette un oreiller. Celui-là même que, durant la nuit, elle a glissé sous ses reins.

Elle roule sur elle-même pour se remettre sur le ventre au milieu du lit dévasté. Il règne une odeur mélangée de sexe et de cuisine à l'ail. Les rideaux de mousseline laissent filtrer une lumière grise. Elle se sent les membres lourds et douloureux. Un sentiment de vide l'envahit. Depuis quelque temps, elle fait de plus en plus souvent l'expérience de cette sensation ambiguë, difficile à préciser. C'est perturbant pour une femme qui s'est toujours sentie sûre d'elle, pleinement maîtresse de sa vie, certaine de ce qu'elle veut et ne veut pas.

On est samedi et la journée s'étend devant elle. Samedi 31 août. Isabella se souviendra de cette date. Elle fait les gestes routiniers – allumer la bouilloire électrique, moudre le café puis tirer les rideaux car le soleil s'est mis à briller. La rosée des géraniums dans les pots d'argile sur la terrasse s'évapore. Elle se sent la bouche d'autant plus parcheminée et la peau du visage qui tire. L'approche de la quarantaine dessèche le corps. Isabella se baisse pour prendre Garibaldi dans ses bras et le câliner.

– Toi aussi, tu prends de l'âge, mon vieux.

Il se dresse contre la poitrine d'Isabella et frotte sa tête rayée contre son cou.

– Non, pas ça, dit-elle quand il commence à se faire les griffes sur sa robe de chambre en soie.

Elle parle au chat, à elle-même, à sa voiture, aux meubles qu'elle n'arrête pas de changer de place. « Tu es mieux ici », dit-elle à la chaise ou à la table qu'elle vient de bouger. Une vieille fille. C'est ainsi qu'on la qualifiera, un jour. Peut-être le fait-on déjà. Pourtant, elle a été mariée : une tentative juvénile pour oublier une enfance désastreuse en prononçant ce mot d'adulte par excellence, « oui ».

Elle boit son café, mange une orange parce que les oranges ont un effet diurétique et sont donc bonnes pour la ligne, tout en écoutant *Today* sur Radio 4. En même temps, elle lit la plaquette de promotion du dernier modèle de camion d'un constructeur automobile. Elle doit la traduire en italien et en français. Puis elle fait la vaisselle, prend son bain, s'habille, arrose les plantes, met quelques vêtements dans son sac de week-end, remplit les bols de Garibaldi avec suffisamment de nourriture et de lait pour vingt-quatre heures, et sort de chez elle. Isabella est une femme comme des milliers d'autres au moment où elle verrouille la porte de son appartement et se dirige vers sa voiture : elle a des amis, elle est indépendante, séduisante, elle peut se targuer d'une réussite professionnelle et d'une vie sociale enviables. Elle est compétente, vive d'esprit et a choisi de ne pas avoir d'enfants. Elle ne présente aucune trace de comportement irrationnel ou de névrose.

Ce matin, elle se sent pourtant fatiguée, elle n'a pas tout à fait le moral. Mais elle ne se soucie pas d'analyser ses sentiments tandis qu'elle s'installe dans sa MGB GT vieille de dix-sept ans. Son problème, c'est plutôt de la faire démarrer. « Allons, je te préviens que je vais te vendre si tu ne fais pas attention. Cela me dédommagera de tout ce que tu m'as coûté. » Quand le moteur démarre enfin, elle rit de soulagement. « Tu as gagné une nouvelle batterie », dit-elle en mettant une cassette dans le lecteur. Sa voiture est sa seule fantaisie. Quand on lui dit qu'elle devrait acheter un modèle plus fiable, elle répond que sa MG a une allure désinvolte qui lui convient. Elle, Isabella, a beaucoup d'allure.

Elle se glisse dans la circulation de Hampstead High Street qui s'éveillera à la vie vers dix heures du matin, et prend la direction du boulevard circulaire nord. Le soleil qui frappe le pare-brise lui fait mal aux yeux. Elle recherche ses lunettes noires posées au pied du levier de vitesse. Pendant ce temps, Domingo chante l'angoisse de Paillasse. Et sa relation avec Peter ? Quelle est la date de péremption ? Ils réussiraient sans doute à durer jusqu'à leurs anniversaires, dans deux mois, mais elle ne supporte pas les relations fausses. Il vaut mieux arrêter maintenant. Je pense que tu as besoin de ton propre espace, lui dira-t-elle. Elle l'a déjà dit. Non. Je pense que *nous* avons besoin d'avoir *chacun* notre espace. Cli-ché ! chante une petite voix dans sa tête. C'est un cli-ché !

Une vague d'insatisfaction la parcourt mais elle n'a pas envie de s'y attarder. Isabella est devenue la femme qu'elle est en évitant de se poser des questions sur le passé, le présent ou l'avenir.

Il y a peu de circulation. À mi-chemin du périphérique, elle se rend compte qu'elle n'a rien acheté pour son amie. Elle s'arrête et se gare sur le parking de la première galerie commerciale venue. Elle passe devant plusieurs magasins : un marchand de fruits et légumes, une laverie, un pharmacien, un kiosque à journaux, un restaurant indien, un libre-service, une boucherie, un salon de coiffure avec une rangée de sèche-cheveux démodés en forme de tulipes fanées. Une poussette se trouve devant le marchand de journaux, avec un enfant maintenu par le harnais. Isabella décide d'acheter une bouteille et peut-être une boîte de chocolats. Elle entre chez le caviste, où elle refuse l'aide d'un jeune vendeur empressé. Elle préfère choisir elle-même. Elle a tout son temps – elle ne pensait pas rencontrer si peu de circulation. On ne l'attend dans les Cotswolds que dans deux heures. Il n'y a pas d'autres clients dans le magasin. En fait, le centre est assez mort. Un lieu de passage sans âme, où les panneaux « À louer » ont envahi les façades de plusieurs bâtiments.

Elle prend son temps et finit par choisir un chardonnay du Chili.

– Vous ne vendez pas aussi du chocolat ? Des boîtes de chocolats ? demande-t-elle au vendeur.

Il est en train d'emballer la bouteille dans un papier vert, qu'il fixe avec du ruban adhésif.

– Non. Vous devriez en trouver au supermarché ou chez le marchand de journaux.

Elle dit merci, sort du magasin, son sac d'une main, la bouteille de l'autre, et se dirige vers le marchand de journaux, deux portes plus loin. L'enfant est toujours là, dans sa poussette.

– Bonjour, lui dit Isabella en poussant la porte du magasin.

C'est une petite fille, qui lui retourne son regard. Elle a des yeux sérieux, cernés, un frêle visage de lutin. Isabella se rend compte, choquée, que l'enfant a été laissée seule depuis un long moment. Elle a passé au moins dix minutes à choisir son vin. Qui sait depuis quand la fillette se trouve là ? Isabella prend encore une dizaine de minutes pour acheter une boîte de chocolats, le dernier numéro de *Vogue* et remplir un bulletin de loto, un caprice soudain.

Cela ne va pas – laisser une si petite fille toute seule pendant si longtemps. Aucun signe de la mère parmi les passants indifférents. Isabella hésite, se demande si elle ne devrait pas se renseigner dans les magasins. La mère se trouve peut-être chez le coiffeur, après tout ! Elle entre donc dans le salon. Une bouffée de chaleur humide l'accueille, avec le ronflement des sèche-cheveux et un concert de voix féminines.

– Je cherche la mère d'une petite fille qui est devant le marchand de journaux, annonce-t-elle à une coiffeuse occupée à terminer la permanente d'une cliente.

– Alors, vous voyez, là, j'en avais assez...

La coiffeuse s'interrompt et jette un coup d'œil vers Isabella.

– Oh ! non. Vous savez, il n'y a que des grand-mères ici !

Et elle reprend aussitôt sa conversation.

– Alors je lui ai dit : « Si jamais tu me parles encore une fois de cette façon... »

Autre possibilité : la laverie. On y est assourdi par la musique qui hurle. Les machines tournent, s'arrêtent, repartent dans de grands mouvements d'eau savonneuse. On aperçoit des éclats de couleur par le hublot. Trois hommes se tiennent assis là, ainsi qu'une adolescente, une blonde fanée et une femme âgée. Une employée aux cheveux platinés plie des draps d'un geste machinal.

– Excusez-moi !

Isabella doit crier pour se faire entendre.

– Est-ce que quelqu'un n'aurait pas laissé une petite fille devant le marchand de journaux ?

Des yeux vides la dévisagent.

– Non, mais je veux bien te ramener chez toi, chérie, riposte l'un des hommes.

Il la déshabille du regard.

Elle sort rapidement – quel endroit déprimant ! – et retourne auprès de l'enfant. Elle s'accroupit pour se mettre à sa hauteur.

– Eh bien, où est ta maman ?

L'enfant laisse tomber son jouet. Isabella le ramasse et le lui donne.

– Tiens, ton lapin.

C'est à ce moment précis que cela se produit. L'*éclat*. Le sourire de l'enfant brille comme un soudain rayon de soleil. Son visage s'illumine, resplendissant de lumière, tandis qu'elle serre son lapin tricoté contre elle. Isabella est foudroyée, immobilisée dans sa position telle une des victimes de Pompéi, brûlée par l'émotion. Elle se redresse avec lenteur et appuie le coude sur la poignée de la poussette. Il a suffi de quelques secondes, la transformation s'est opérée. Isabella est devenue une autre femme. L'ancienne n'existe plus. Il n'y a plus en elle que cette incompréhensible envie, d'une intensité presque douloureuse.

Elle attend quelques minutes encore. L'enfant est silencieuse, solennelle, accrochée à son lapin. Plusieurs personnes passent à côté d'elles, puis une pause se produit. Isabella est consciente de l'accélération de son cœur et, à un moment, se rend compte qu'elle retient sa respiration comme si elle avait la tête sous l'eau. Elle hésite pendant quelques minutes supplémentaires, luttant contre l'impérieux besoin qui s'est emparé d'elle. La petite fille laisse de nouveau tomber son jouet. Délibérément, semble-t-il. Isabella le ramasse une nouvelle fois.

– Pauvre lapin.

Elle caresse la main de l'enfant. À voir cette main si petite, si douce, pleine de fossettes, sa gorge se serre. Cette fois, l'enfant ne sourit pas. Elle fixe Isabella avec une expression indéchiffrable. Et soudain, comme si quelqu'un la poussait dans le dos, lui donnait l'énergie d'aller de l'avant, cette femme qui est Isabella mais n'est plus elle-même s'éloigne à pas rapides, passe devant la vitrine du pharmacien, de la laverie et du marchand de légumes, poussant l'enfant vers l'endroit où est garée sa voiture. Elle s'attend à tout instant à ce qu'on lui tape sur l'épaule : « Excusez-moi, madame, mais où croyez-vous aller comme ça ? » Et une femme se met à crier... « Elle a volé mon enfant ! Elle m'a pris mon enfant ! »

Ce n'est pas possible. Ce n'est pas moi qui suis en train de faire une chose pareille...

Elle accélère l'allure.

Elle arrive à sa voiture, ouvre la porte. Ses mains tremblent si fort qu'elle a dû s'y reprendre à deux fois pour faire entrer la clé dans la serrure. Elle se rend compte qu'elle n'a plus le sac avec la bouteille de vin, les chocolats et *Vogue*. Dans sa précipitation, elle les a oubliés.

Pas question de retourner les chercher. Elle défait le harnais de la poussette et s'apprête à installer l'enfant dans la voiture quand elle s'aperçoit qu'elle n'a pas de siège adapté. Ensuite, elle a beau essayer dans tous les sens, elle n'arrive pas à plier la poussette. De la main gauche, elle maintient fermement l'enfant qui se laisse faire sans un mot, tandis que de la main droite elle tire sur différents leviers, mais sans résultat.

– Vous avez un problème ? demande quelqu'un derrière elle.

Elle se retourne brusquement.

– Excusez-moi, je ne voulais pas vous faire peur. Je vous demandais seulement si vous vouliez de l'aide.

Un jeune homme. Il lui sourit.

– J'ai l'impression que c'est coincé.

Elle secoue la tête pour faire tomber ses cheveux vers l'avant, cacher son visage, le rouge qui lui monte aux joues.

– Je vois que vous ne maîtrisez pas encore cet engin ! Nous avons le même. C'est très pratique quand vous avez compris comment ça marche. Vous permettez ?

Elle accepte d'un signe de tête et l'observe avec attention, soulevant du bout du pied la barre inférieure de la poussette, appuyant sur les poignées et décoinçant le verrou de sécurité derrière le siège. La poussette s'aplatit, se repliant comme un parapluie.

– *Madre !* dit Isabella. C'est formidable.

Elle se reprend aussitôt.

– Vous êtes formidable. Je n'y arrivais pas.

Elle souligne l'explication d'un de ses gestes de la main.

– Pas de problème, répond-il.

– En tout cas, merci.

Il sourit toujours, sans faire mine de s'en aller. Pourquoi s'attarde-t-il ? Elle s'inquiète à l'idée qu'il puisse remarquer l'absence d'un siège pour enfant dans sa voiture.

– J'adore les vieilles MG. C'est la Jubilee, non ? Elle est à vendre ?

– Non. Excusez-moi, je suis très en retard...

– Oh ! désolé. Je ne voulais pas...

– Non, non, je vous en prie. Encore mille mercis. Vous avez été très aimable.

Elle en rajoute pour compenser sa brusquerie.

Elle le suit du regard pendant qu'il entre dans le supermarché. Elle soulève l'enfant et l'assoit dans la voiture. À l'arrière, sur son sac, est posé un cardigan. Elle le roule et le pose contre la fillette comme un rembourrage avant de boucler la ceinture de sécurité. Elle ferme la portière et vérifie le tout.

– Ça devrait aller. Il faudra bien, de toute façon. Oh, *madre* !

Elle se sent poisseuse de transpiration. Son odeur la gêne. Âcre, antiféminine. Il fait une chaleur étouffante. Une vague de chaleur qui dure depuis plusieurs jours. Son pare-brise est constellé de restes d'insectes suicidaires. Le cœur d'Isabella bat dans sa poitrine à lui faire mal.

Elle s'installe derrière le volant – la MG démarre du premier coup – et reprend la route de Hampstead. Son imagination lui fait voir des gyrophares bleus dans son rétroviseur, des sirènes qui hurlent pour l'obliger à s'arrêter. Chaque feu rouge, chaque ralentissement est une épreuve pour ses nerfs. Si quelqu'un s'apercevait de son installation improvisée... Elle a peur.

... Elle a de longs cheveux roux et une robe blanche – Isabella entend dans sa tête le jeune homme si aimable en train de donner son signalement –, elle conduit une MG verte, modèle Jubilee. Elle avait l'air nerveuse...

À intervalles réguliers, Isabella quitte des yeux la route pour jeter un regard à sa petite passagère – si étrangement calme, en train de tout observer, le lapin en tricot sur les genoux.

– On est presque à la maison, dit-elle.

Elle tend la main pour caresser ses cheveux, qui moussent légèrement.

– Tu ne parles pas ? Quel âge as-tu ? Deux ans ? Trois ans ?

Elle se gare à quelques mètres du bâtiment victorien, en brique rouge, où elle a son appartement avec jardin, et laisse passer quelques minutes, effondrée sur son siège, le front appuyé contre le volant. Ici, dans son environnement familier, la raison reprend ses droits. Elle sait qu'elle doit amener l'enfant à la police. Elle éprouve une sensation de perte profonde, comme si elle venait de faire une fausse couche.

– On va à la maison pour l'instant. Il faut d'abord que je me détende un peu.

La petite semble apprécier son bavardage. Une étincelle de curiosité s'allume dans son regard atone. Elle a un morceau de sparadrap sur le front. Isabella le remarque à présent qu'elle lui a ébouriffé la frange.

– On dirait que tu t'es bagarrée, non ?

Oh, *madre* ! Elle doit appeler Sally pour annuler son séjour. Impossible d'y aller, maintenant. Elle prend l'enfant dans ses bras pour l'extraire de la voiture, mais laisse la poussette. Tenant la fillette par la main – quelle étrange et merveilleuse sensation : comme une petite brioche tiède dans sa grande main à elle ! –, elle lui fait parcourir les quelques mètres qui les séparent du portillon.

Il faut monter quatre marches pour arriver à la porte d'entrée. L'enfant se crispe brusquement et commence à hurler.

– Qu'y a-t-il ? Hein ? Chut, chut ! Qu'est-ce qui t'arrive ?

Isabella est bouleversée, ne sait pas quoi faire. Si les voisins entendaient... Oh ! c'est la fille de ma sœur... L'explication est déjà toute prête.

À côté d'elle, l'enfant devient toute rouge, le visage déformé. Isabella la soulève.

– Eh bien, *cara* ? Tu n'as rien à craindre, tu sais.

Elle a une voix très douce, une voix grave et douce qui attire les gens autant que ses cheveux roux et ses yeux noirs. Elle doit ce contraste au mélange de gènes de sa mère écossaise et de son père italien.

Les sanglots de l'enfant s'apaisent. Elle se détend peu à peu dans les bras d'Isabella, mais elle a fait pipi. Son jean est trempé.

– Tu vois, tout va bien, tu es en sécurité. Regarde. Je vais te porter, il n'y a pas de problème. Ce sont les marches qui t'ont fait peur ? Regarde – une, deux, trois –, ça y est ! Il ne nous est rien arrivé. C'est ici que j'habite.

Isabella la repose avec précaution et déverrouille la porte.

Garibaldi les accueille, la queue dressée vers le ciel, avec le petit bout tout blanc qui ondule.

– A ! crie l'enfant en pointant le doigt. A !

– Mais tu parles !

Isabella se penche pour l'embrasser en riant.

– Mais oui, c'est un chat. Il s'appelle Garibaldi.

Elle le prononce à l'italienne. Elle caresse le chat qui se frotte contre elles et enroule sa queue autour des jambes de la petite.

L'enfant rit de plaisir et saute d'un pied sur l'autre en répétant :

– A ! A !

Isabella la laisse dans le salon pour aller téléphoner dans la cuisine. Son amie répond après une interminable série de sonneries.

– Sally ? C'est Isabella.

– Oh, salut ! J'étais dans le jardin en train de cueillir des tomates pour la salade.

– *Cara,* je ne peux pas venir.

– Tu plaisantes ! Pourquoi ?

– Je...

Sally est sa plus vieille amie. Elles étaient ensemble à Bristol et elles ont fondé un groupe de rock féminin.

Isabella s'apprêtait à lui dire la vérité : qu'elle a ramassé une petite fille apparemment abandonnée et qu'elle doit l'amener à la police.

– Je crois que j'ai la grippe.

Voilà ce qu'elle dit, elle qui ne ment jamais.

– Oh, zut ! Je suis vraiment désolée.

– Moi aussi !

– J'avais tellement envie de te voir ! On se réjouissait tous. Cela fait si longtemps ! Tais-toi, Geoff !

Geoff, c'est son mari.

– Il me crie quelque chose. Attends... Quoi ? Oh ! il dit qu'il avait l'intention de te flanquer une raclée au ping-pong... Quoi ?... Oh ! et il te fait un bisou sur ton adorable fesse droite !

– Dis-lui de ne pas être trop sûr de lui pour la première chose. Quant à la seconde, je tiens beaucoup trop à notre amitié pour cela ! Je suis vraiment désolée de vous laisser tomber.

– Mais non, tu n'y peux rien. Soigne-toi bien. Et bourre-toi de médicaments.

– Compte sur moi !

Elle raccroche enfin. Son premier mensonge.

Dans le salon, l'enfant est à quatre pattes près du fauteuil derrière lequel Garibaldi s'est réfugié.

– Bon, qu'est-ce qu'on va faire de toi, à ton avis ?

Isabella lui parle depuis le seuil de la pièce. Au son de sa voix, la petite lève les yeux.

– A ! dit-elle d'une voix décidée.

– Tu n'as pas un vocabulaire très varié, dis-moi ! As-tu soif ? Tu connais le mot « soif » ?

Isabella ne lui parle pas « bébé », elle se sentirait idiote. Elle lui parle doucement, mais comme à un adulte. Elle lui tend la main. L'enfant lui jette un regard sans expression. Isabella va vers elle et la soulève. Elle la sent se crisper contre elle.

C'est étrange : Isabella ne connaît rien aux enfants, elle a toujours été très claire sur son choix. Elle trouve qu'ils dérangent tout, désorganisent la vie, qu'il faut sans arrêt s'en occuper et qu'ils se prennent pour le centre du monde. Il suffit de s'aventurer dans un supermarché pour en être rapidement dégoûté. Pourtant, elle agit naturellement. Elle sait d'instinct ce qu'il faut faire. Et Isabella, qui aura bientôt quarante ans sans jamais avoir aimé ou été aimée plus que tout, découvre que cela lui manque terriblement. Elle est fascinée par cette mystérieuse petite personne. Une vague de bien-être l'envahit peu à peu, remplissant un vide dont elle n'avait pas conscience.

Dans la cuisine, elle donne à l'enfant quelques ustensiles pour s'amuser tandis qu'elle verse du jus d'orange dans un gobelet. La petite reste assise par terre sans le moindre geste pour jouer. Isabella sent son regard posé sur elle, surveillant chacun de ses mouvements.

– Alors, tu ne veux pas jouer ? Ce n'est pas grave. Tiens, voilà ton jus d'orange.

Elle s'assoit par terre à côté d'elle.

– Je vais t'aider, tu veux ?

Elle tient le gobelet pendant que l'enfant boit à petites gorgées sans cesser de l'observer, les sourcils légèrement froncés et les doigts posés sur ceux d'Isabella. Les yeux d'Isabella, qui ne pleure presque jamais, qui ne peut pas se souvenir de la dernière fois où elle a pleuré – ni à la mort de sa mère ni après –, ses yeux se brouillent.

Arrivée à la moitié du gobelet, l'enfant se désintéresse du jus d'orange et le repousse. Le liquide se renverse sur ses vêtements et sur le carrelage. Elle regarde les éclaboussures d'un air terrifié puis son visage s'assombrit, et elle recommence à crier.

Isabella l'entoure aussitôt de ses bras mais la fillette lui donne des coups de pied. Effrayée, Isabella la serre encore plus fort contre elle.

– Allons, allons, qu'y a-t-il ? *Cara*, c'est juste du jus d'orange qui s'est renversé. Chut, chut, allons. Tout va bien, chérie, tout va bien. Tu sais ce qu'on va faire ?

Elle l'emporte dans le salon, où sa guitare espagnole est appuyée au mur à côté du bureau. Elle s'assoit, perche l'enfant sur son genou et se met à chanter en s'accompagnant.

– Puff, le dragon magique vivait au bord de la mer ; il gambadait dans la brume de l'automne...

Une petite joue brûlante contre la sienne, un petit torse tremblant contre sa poitrine... Le doux parfum des cheveux si fins... L'enfant s'apaise et arrête de sangloter. Mais elle s'est de nouveau mouillée. L'urine a coulé jusque dans ses chaussures. Isabella décide de laver ses vêtements et de les passer dans le sèche-linge avant d'aller à la police. Une demi-heure de plus ou de moins, cela ne fera aucune différence.

– Et maintenant, on va nettoyer tout ça. Qu'en dis-tu ?

Elle n'a jamais déshabillé un enfant. Un souvenir lui revient brusquement : elle est seule, en train de jouer à la poupée dans l'appartement au-dessus du restaurant. Les cris de ses parents qui se disputent dans la cuisine lui parviennent à travers le plancher. « Arrêtez ! » hurle-t-elle en tapant du pied. « Arrêtez, arrêtez, arrêtez ! » Personne ne l'a entendue et Isabella a méthodiquement mis sa poupée en pièces, arrachant chaque membre avant de s'attaquer aux cheveux. Elle devait avoir environ sept ans.

L'enfant se lève docilement. Elle est minuscule et toute maigre. Isabella lui ôte d'abord son pantalon. La taille est montée sur élastique et il ne faut qu'un instant pour le descendre jusqu'aux chevilles.

Isabella, qui s'est agenouillée, suspend son geste, effarée. Les jambes de la fillette sont couvertes de bleus.

– *Madre mia, madre mia !* répète-t-elle, la main pressée sur la bouche.

Elle en a des nausées. Elle ne peut rien faire d'autre qu'attirer l'enfant – qui se laisse faire à présent – et la bercer contre elle sans rien dire. Elle se force à se contrôler et achève de la déshabiller. Elle lui enlève avec précaution sa culotte trempée – encore des bleus sur les fesses si menues – et lui ôte enfin chaussettes et chaussures. Comment peut-elle être aussi frêle ! Elle a des jambes comme des allumettes. Et si calme ! Isabella reconnaît à présent l'expression de ces yeux qui ne la quittent pas : c'est de la méfiance. C'est bouleversant à voir chez une si jeune enfant. Isabella sent son cœur battre avec violence jusque dans ses tempes, comme si sa peau allait éclater. Elle déboutonne le cardigan avec douceur. Les bras sont dans le même état que le reste du corps.

– Ma pauvre chérie ! Pauvre petite *carina*.

Isabella ne peut plus se retenir. D'un bras elle tient l'enfant contre elle, de l'autre elle se cache le visage pour pleurer. Elle garde ses sanglots à l'intérieur d'elle-même, ne laissant échapper qu'un gémissement à peine audible. Elle fait de tels efforts pour se maîtriser qu'elle en a mal à la poitrine.

Elle réussit enfin à se contrôler.

– Bon, ce n'est pas comme ça qu'on va y arriver, pas vrai ? dit-elle.

C'est alors qu'elle remarque le papier attaché au T-shirt avec une épingle à nourrice. Elle le déplie. C'est un papier à lignes, assez sale. Le message, écrit d'une main malhabile avec un crayon mal taillé, dit ceci : « À qui la trouvra. je peut pas fère autremant. J'ai peur de se que je vé fère. elle sapele hana. me chercher pas. »

Cette fois, quand elle décide de garder l'enfant, ce n'est plus sous l'effet d'une impulsion irrationnelle comme tout à l'heure. Sa résolution lui paraît inévitable et elle la prend avec lucidité. Même si cela lui fait peur. Isabella est parfaitement saine d'esprit. Elle sait que, du point de vue légal, elle agit mal. Elle sait aussi que son geste défie toute explication logique, qu'il va bouleverser sa vie et qu'il détruit sa tranquillité d'esprit. À partir de maintenant, elle vivra dans le mensonge. Et tout cela ne tient pas compte du fait qu'elle a sur les bras une enfant visiblement traumatisée.

Quelques minutes plus tard, c'est sa raison qui a repris le dessus. Elle est allée chercher son Polaroïd et photographie l'enfant nue sous toutes les coutures. Elle fait des gros plans de ses bleus. Elle pleure de rage en elle-même : *Qui* a pu faire une chose pareille ? Comment peut-on faire une chose pareille... ?

Le soir, tandis que l'enfant dort dans le grand lit qui servait la nuit précédente aux exploits sexuels d'Isabella, celle-ci est assise à son bureau. Garibaldi, boule de fourrure soyeuse et brillante, s'est lové sur ses genoux. Elle écrit dans un cahier à reliure cartonnée : « Aujourd'hui, il est arrivé quelque chose d'extraordinaire. Je dois tenir le journal des faits, à la fois pour moi et pour servir éventuellement de témoignage dans l'avenir.

« Ce matin, vers dix heures, samedi 31 août, je me suis arrêtée dans une galerie marchande non loin du périphérique nord (en direction du sud et de l'A40). Devant la vitrine d'un marchand de journaux... »

Elle dit la vérité sur son impulsion première ; sur le sourire de l'enfant comme un soleil ; sur son irrépressible envie, inhabituelle chez elle. (Ce n'est pas d'un vol à l'étalage que nous parlons – un procureur en grande tenue vient d'apparaître dans son esprit – mais du vol de l'enfant d'une autre femme !) Il est important de mentionner cet élan instinctif pour montrer comment elle a ensuite changé d'avis et voulu amener l'enfant à la police.

« J'ai finalement pris la décision de garder l'enfant pour plusieurs raisons... »

Lesquelles ? Le choc qu'elle a eu en découvrant ce corps brutalisé ? Le fait que la police pourrait l'accuser de l'avoir fait elle-même ? Le puissant instinct protecteur que l'enfant a éveillé en elle ? Une attirance inexplicable ? L'impression d'avoir rencontré son destin ? Par-dessus tout, ce qu'elle craint pour l'enfant : que, dans le meilleur des cas, elle soit placée, ballottée de foyer d'accueil en foyer d'accueil ; et, dans le pire des cas, qu'elle soit rendue à des parents violents, un autre dossier à passer dans les pertes et profits de l'administration. Isabella est résolue à éviter à tout prix l'une et l'autre de ces possibilités.

Et puis, l'enfant a un nom, maintenant. Hana. Hannah.

Ne me cherchez pas, a demandé la mère.

Isabella, que le destin a fait s'arrêter ce matin précis dans un centre commercial précis, a reçu la permission de la mère.

2

– Isabella, *cara* Isabella, murmure son père d'une voix rauque.

Il fait nuit. Elle a bientôt treize ans.

– *Che cosa fai, papa ?* Qu'est-ce que tu fais ? Non, ne fais pas ça...

– *Scusi. Mi scusi... Sono spiacente, cara...*

Il s'écarte d'elle en trébuchant. Une sorte de sanglot s'échappe de sa gorge.

– *Non facevo niente*. Je ne faisais rien.

Elle n'eut pas à affronter son regard le lendemain matin. Il avait quitté la maison. Pour toujours.

Sa mère, cette femme colérique aux traits anguleux, resta seule pour faire marcher le restaurant. Sa mère à la langue acérée d'Écossaise, qui travaillait et faisait travailler sa fille jusqu'au bout de leurs forces. *Montre-moi ce que tu as fait à l'école... Non, il n'est pas question que tu sortes...* Les lumières de la ville que les rideaux non doublés de leur appartement laissent passer à l'heure où elle fait ses devoirs. La machine à coudre de sa mère, sur la table à côté du globe terrestre. Le globe qu'elle hait. Sa mère lui fait entrer la géographie dans la tête coûte que coûte. Elle a l'habitude de tester ses connaissances en cachant le nom des villes avec la pointe d'un crayon.

– Tu veux avoir la même vie que moi ? dit-elle quand Isabella proteste. Si tu crois que je ne sais pas comment ça marche : la même situation qui se répète, génération après génération. Je l'ai trop vu.

Du restaurant au rez-de-chaussée montent d'anciennes mélodies napolitaines qui offrent des rêves impossibles. À partir de l'année suivante, après avoir fait ses devoirs et appris ses leçons, Isabella passera ses soirées dans la cuisine carrelée, au milieu des ustensiles en acier inoxydable, à éplucher des oignons et des pommes de terre, couper des courgettes en fins bâtonnets, farcir des aubergines, ouvrir des boîtes géantes de tomates olivettes, récurer des casseroles grandes comme des chaudrons et rendues orange par la sauce bolonaise. Et ce sera la même chose pendant les week-ends et les vacances. Elle entend les rires des dîneurs et le bourdonnement des conversations tandis qu'elle devine l'image floue des femmes aux cheveux tirés à travers la partie vitrée de la porte de séparation.

Qui fut cette femme, sa mère ? Pourquoi a-t-elle eu Isabella alors que, de toute évidence, la maternité n'était qu'une charge de travail supplémentaire ? Pourquoi a-t-elle épousé le père d'Isabella ? Pourquoi, lui, l'a-t-il épousée ? Un mariage qui mettait aux prises une presbytérienne et un catholique. Son père s'est-il agenouillé dans le confessionnal pour avouer son égarement d'une nuit ?

– Pauvre taré ! avait dit sa mère quand il était parti. Ne t'en fais pas, Isabella. On se débrouillera très bien sans lui.

Et, comme pour le prouver, elle portait ce matin-là du rouge à lèvres pour la première fois depuis des années. Un bref baiser à sa fille qui partait pour l'école comme d'habitude. Une vérification rapide mais soignée de la correction de son uniforme (le blazer rouge cerise jurait avec ses cheveux) ; une pichenette à la cravate pour rectifier sa position, bien au milieu du chemisier.

– Tu es prête, ma chérie ?

– Oui.

– On s'en sortira très bien, tu vas voir.

L'enfant ne paraît pas inquiète de ne pas voir sa mère. Isabella essaye de s'en faire une idée. Elle n'arrive pas à imaginer autre chose qu'une image assez stéréotypée : celle d'une femme fatiguée, jeune – peut-être même moins de vingt ans – que son mari a laissée tomber. Pas d'argent. Une chambre humide dans une rue pouilleuse, un immeuble dont la moitié des fenêtres sont condamnées par des planches. À moins qu'elle ne vive dans une tour d'un quartier pourri, aux murs couverts de graffiti. Pas une mauvaise fille, à en juger par le petit mot – on y devine de l'amour pour son enfant –, simplement quelqu'un de perdu. Que l'on puisse frapper une si petite créature – elle serait aussi choquée s'il s'agissait d'un animal – dépasse la compréhension d'Isabella. Elle éprouve pourtant de la sympathie pour cette femme qui n'a pas pu échapper à la répétition. Peut-être souffre-t-elle de dépression. Peut-être a-t-elle des crises incontrôlables. Peut-être est-elle mentalement retardée. Une certitude : on ne lui a donné aucune éducation. Il est clair qu'elle a besoin d'aide.

Isabella l'imagine avec de longs cheveux emmêlés et des yeux si creusés au-dessus des pommettes saillantes qu'on les croirait absents. L'enfant a des yeux turquoise ou gris, selon la lumière. Des yeux inquiets. Avec le recul, sa mère regrette-t-elle de l'avoir abandonnée ? Elle doit au moins éprouver une certaine ambivalence. On ne peut accomplir un tel geste sans un minimum de chagrin. Hannah, l'agneau sacrificiel. En ce moment même où Isabella s'interroge, la mère s'interroge-t-elle aussi : où est mon enfant ? Qui s'occupe de mon enfant ?

Isabella communique en silence avec sa bienfaitrice, la femme à qui elle doit son cadeau du ciel. C'est le nom qu'en elle-même elle donne à Hannah : « Ma chérie, mon petit cadeau du ciel. » Mais la télépathie ne marche pas. Et si la mère est consciente de la gravité de son acte, Isabella l'est aussi de ce qu'elle a fait. Pour l'une comme pour l'autre, il n'y a pas de retour.

Il n'y a rien eu aux informations que, depuis un jour et demi, Isabella écoute d'heure en heure. Pas de mère suppliante, repentante (que ferait Isabella, en ce cas ?). Pas d'appel à témoins lancé par la police. Aucun article dans les journaux sur la disparition d'une petite fille.

Lundi. Ce matin, la balance lui a appris qu'elle avait perdu un peu plus d'un kilo et demi. L'angoisse a toujours des effets positifs sur sa ligne. En revanche, elle fait une crise d'eczéma au bras, à la pliure du coude et à l'intérieur du poignet. D'un bout à l'autre de l'appartement, on entend avec netteté l'émission de télévision du matin *Breakfast Extra*. Elles ont passé le week-end à faire connaissance. Tout, absolument tout est nouveau pour Isabella. Pourtant, elle s'est glissée naturellement dans ce rôle étrange : nourrir une enfant, l'habiller, la tenir sur la cuvette des toilettes, essuyer son petit derrière, mettre de la pommade à l'arnica sur ses bleus. Ceux-ci sont en train de changer de couleur. Ils passent à l'ocre terne et se fondent les uns dans les autres. Elle lui parle sans arrêt, de sa voix douce et profonde, mais tout ce qu'Hannah peut dire, c'est « A » dès qu'elle aperçoit Garibaldi. Elle répond à Isabella avec un hochement de tête, une lueur dans les yeux ou une expression de méfiance inquiète. Deux fois, Isabella a eu droit à ce sourire éclatant qui a scellé leur destin. Elle découvre en elle-même des trésors de patience qu'elle ne soupçonnait pas. L'empathie particulière qu'elle éprouve à l'égard de l'enfant la rend sensible à ses besoins, à ses humeurs et à ses terreurs. Sa pâleur, ses yeux cernés, sa peau marquée lui interdisent d'oublier par quoi elle a dû passer, mais qu'Isabella n'arrive pas à imaginer. Elle réagit selon son instinct face aux situations qui se présentent. Elle est de nature assez flegmatique – rapide à s'énerver mais lente à la colère. Elle possède un sens aigu de l'humour, en découvre là où les autres n'en voient pas. On la trouve parfois trop cérébrale, trop indépendante, mais elle dégage un calme qui semble se communiquer à l'enfant. Hannah ne sursaute plus quand Isabella la touche.

Pourtant, la nuit, elle gémit et parfois se réveille en pleurant. Lui donner un bain pose aussi un problème. Hannah est terrorisée par la baignoire et la douche. La première fois qu'Isabella l'a emmenée dans la salle de bains et a commencé à faire couler l'eau, l'enfant s'est recroquevillée sur elle-même. Elle s'est remise à pousser ses terribles hurlements et, toute nue, s'est enfuie dans le couloir où elle est restée à crier en agitant les bras.

Cela n'a pas raté. Isabella a reçu la visite d'une voisine inquiète.

– Je m'occupe de la petite fille de ma sœur. Sa maison doit lui manquer, a-t-elle expliqué.

Une explication assez plausible, en fait, s'est-elle dit.

La petite pleure également quand elle se mouille ou quand elle renverse du liquide. Isabella se rend compte que cela a dû être considéré comme des fautes graves entraînant de lourdes corrections. Compte tenu de la terreur d'Hannah devant les marches du perron, Isabella se doute de la forme que prenait le châtiment. Mais d'autres choses encore déclenchent une réaction hystérique chez Hannah : le sèche-cheveux, un bruit soudain, une voix un peu forte à la radio ou à la télévision, l'obscurité, les cigarettes – jusque-là, Isabella fumait modérément, cinq à dix cigarettes par jour. À présent, c'est fini. Tous ces éléments dessinent peu à peu une image de la vie d'Hannah, et Isabella les note soigneusement dans son journal.

La nuit dernière, en conclusion du récit des événements de la journée, elle a écrit : « Tout ce que j'ai fait, je l'ai fait pour protéger Hannah de la bureaucratie. » Elle pense à l'avenir et prépare déjà sa défense, plaidant les circonstances atténuantes.

« ... Cette femme n'a aucune conscience », accusait le

personnage en perruque dans le cauchemar d'Isabella, pointant vers elle un doigt accusateur. « Aucun sens du bien et du mal. Il n'y a aucune circonstance atténuante. Elle a exploité la situation à son avantage afin de satisfaire un caprice, pour l'unique raison – selon l'expression à la mode – que son horloge biologique arrivait en bout de course. »

Juste après : un rêve où elle a légalement demandé d'accueillir un enfant, mais ce n'est pas Hannah. C'est un adolescent trisomique. Au bout d'un an, on rend l'enfant à sa mère, qui, entre-temps, a suivi une thérapie et a emménagé dans un château à pont-levis, entouré de douves. En fait, c'est le campus de l'université de Bristol. On sépare de force Isabella et le jeune garçon. Tous deux sanglotent.

Ce pourrait être la réalité. Cela aurait pu être la réalité. À condition de passer par des circuits normaux.

Isabella s'assoit dans le lit, les bras serrés sur la poitrine, mains sur les épaules. Elle fait un effort de volonté pour calmer sa respiration. À côté d'elle, l'enfant respire profondément et calmement. Elle a une haleine légère qui sent le miel. La lumière du couloir est allumée et la porte entrebâillée. De cette façon, il ne fait pas complètement noir dans la chambre. Isabella devine ainsi le contour du visage d'Hannah sur l'oreiller, les cheveux aux boucles fines où une main reste entortillée, la courbe du corps enfantin blotti sous la couette, dans une chemise blanche d'Isabella. C'est un spectacle adorable ! Vraiment adorable. Isabella se sent comme la louve du *Livre de la jungle*, pleine d'un instinct de protection très tendre. C'était le nom de son groupe de rock à l'université : les She-Wolves – les Louves. Isabella était lead-guitare. Elle se rallonge dans le lit, se love autour de l'enfant sans la toucher. Elle respire l'odeur de sa peau.

Au matin, le soleil illumine la cuisine, fait briller la tête blonde de l'enfant et la tête cuivrée d'Isabella, qui tient Hannah assise sur ses genoux. Elle la fait manger à la cuillère, du muesli avec du lait chaud et du sucre brun. Hannah est trop petite pour s'asseoir à côté d'elle sur une autre chaise. De toute façon, avec sa tendance à s'agiter, si on lui met plus d'un coussin sous les fesses, elle risque de glisser et de tomber. Isabella est obsédée par la sécurité de l'enfant.

Le téléphone a sonné plusieurs fois, les deux premiers jours, mais Isabella n'a pas répondu. Elle s'est contentée de noter les messages laissés sur le répondeur : quelques amis – dont Sally qui demande si elle va mieux ; un homme qu'elle a rencontré deux ou trois fois en se promenant à cheval dans le parc de Hampstead Heath. Il est banquier, ou quelque chose de ce genre. La dernière fois, elle lui a donné son numéro de téléphone. Cela peut être utile de le garder en réserve, quoiqu'il soit très « british ». Ils n'avaient rien pour écrire, ni l'un ni l'autre. « Ce n'est pas grave », a-t-il dit avant de répéter son numéro plusieurs fois. Elle est étonnée qu'il s'en soit souvenu. Autre message : le garçon à qui elle donne des cours de français a attrapé la varicelle, ce qui l'arrange tout à fait. Enfin, son agent a appelé quelques minutes plus tôt. Il lui a lu un fax qu'il envoyait à un éditeur français avec lequel il est en train de négocier un contrat. Si cela marche, Isabella encaissera quelques milliers de livres et aura du travail pour plusieurs mois. Il s'agit d'un ouvrage de six cents pages sur l'évolution de la France rurale au cours des siècles. D'après son agent, cela pourrait avoir des suites intéressantes.

L'ennui, avec le travail d'Isabella, c'est qu'il implique parfois beaucoup de solitude et même de la frustration. Parfois, aussi, c'est très ennuyeux. Elle écrit des livres qui ne sont pas les siens. Elle écrit sans en tirer la renommée d'un auteur, et le lecteur se souvient rarement de son nom. En revanche, certains livres représentent des défis ou se révèlent passionnants. Surtout, le travail ne manque pas. Les bons traducteurs trilingues capables de se montrer fidèles à l'original tout en restant discrets sont assez rares. Enfin, elle peut travailler aux heures qui lui conviennent, le soir ou même la nuit si elle a été occupée dans la journée. À côté de cela, il y a les conférences de presse, les réunions politiques ou d'affaires, parfois une demi-douzaine de fois dans l'année. Elle sert d'interprète à l'un des participants, à tout instant prête à traduire les discours, les questions et les réponses. C'est parfois amusant et elle est bien payée. De plus, on ne sait jamais qui on peut rencontrer. Au fil des ans, elle a fait la connaissance de quelques hommes de cette façon-là. Plus prosaïquement, elle a eu quelques aventures d'une nuit, dont une ou deux ont abouti à une relation brève mais intense.

Les témoignages de sa vie indépendante et active sont exposés sur la cheminée : invitations à des réceptions, des lancements de livres, des premières, des projections privées, des projections en avant-première, un dîner dans une ambassade. Isabella pourvoit elle-même à ses besoins, qu'il s'agisse de sa vie sociale, de sa carrière ou de son bien-être. Une femme forte. Qui a appris à se battre pour survivre. Sa garde-robe comprend plusieurs tenues de stylistes réputés. Elle a des abonnements au théâtre et à l'opéra. Et voilà qu'elle renonce à tout cela. Elle n'a pas de projet défini, aucune autre idée que la nécessité d'avancer.

D'abord, un certain nombre de choses à faire.

Il faut dix minutes pour aller à pied chez le garagiste. Elles rencontrent en chemin une femme qui tient un labrador en laisse.

– Hien, dit Hannah depuis sa poussette.

Elle tend la main pour le caresser et Isabella se penche pour la serrer contre elle. Puis elle se souvient qu'elle connaît cette femme. Elles fréquentent le même cours de danse latino-américaine le lundi soir. Pas moyen d'éviter la conversation. Son premier test sérieux.

– Oh, bonjour ! Je ne vous avais pas reconnue tout de suite, sortie du contexte.

Elle essaye de ne pas laisser paraître son trouble mais elle vient de se rappeler que cette femme est psychologue pour enfants. Cela l'inquiète profondément et elle ne quitte pas le regard de son interlocutrice, posé sur Hannah.

– Vous, vous êtes reconnaissable partout. Avec des cheveux comme les vôtres !

Les mots résonnent un instant dans son esprit : reconnaissable partout. Reconnaissable instantanément.

– Quel beau chien ! dit-elle en se baissant pour lui tapoter le dos.

– C'est une chienne, elle est adorable.

– Hien, dit Hannah.

– J'ignorais que vous aviez un enfant.

Elle sourit à Hannah, qui se penche dans sa poussette, la main tendue vers le nez du labrador.

– C'est ma filleule.

L'explication est venue facilement aux lèvres d'Isabella, trop facilement. À présent, dopée par ce début de confiance en soi, elle tend à en rajouter.

– Je l'ai pour un petit moment. D'ailleurs, je ne pourrai pas venir au cours, ce soir.

Elle vient juste de se rappeler que c'est ce soir. Les jours ont perdu leur sens habituel.

Dave, son garagiste et vendeur d'accessoires auto, la connaît bien. Elle passe souvent chez lui, à la recherche de telle ou telle pièce.

– J'aimerais être cette sacrée voiture quand je vois comment vous la bichonnez, lui a-t-il déclaré un jour.

Isabella n'est pas femme à prendre ombrage d'un peu de drague innocente. Elle accepte l'existence d'une différence fondamentale entre les hommes et les femmes. Elle-même, elle aime flirter, séduire. Loin de trouver cela dégradant, elle en retire un sentiment de pouvoir. De toute façon, il y a toujours eu des hommes comme

Dave, il y en aura toujours, et ils ne changeront jamais. Ce n'est pas la peine de rêver ! Ils sont presque toujours d'une fidélité absolue envers leur femme, ont un caractère très prévisible, travaillent dur et lisent la presse à scandale. Elle ne voit pas où est le mal ; c'est dit gentiment, sans aucune intention agressive. Elle a eu des discussions mouvementées avec d'autres femmes à ce sujet. Pour elles, il s'agit d'un comportement dévalorisant, sexiste et insultant. Isabella leur reproche de se prendre trop au sérieux. Elles se disputent toujours là-dessus au groupe de réflexion « Femmes du monde », auquel elle appartient. Elles se réunissent tous les quinze jours chez les unes et les autres, à tour de rôle. Elle s'amuse chaque fois de voir la soirée systématiquement dégénérer. Tout le monde s'échauffe et le ton monte. La dernière fois, on lui a reproché de flatter bassement l'ego masculin. Elle a répliqué avec exaspération :

– Pourquoi ne gardez-vous pas votre venin pour les questions importantes ? La vraie exploitation, la discrimination, le harcèlement, l'asservissement, la violence, la mutilation dans les pays du tiers monde. C'est cela, le combat pour les droits des femmes dans les années 90, ce sont ces questions auxquelles il faut répondre. Le fait que l'une ou l'autre d'entre nous fasse de l'œil à un homme est au niveau zéro sur l'échelle de Richter en ce domaine !

Elle se souvient de faire des mines à son père pour avoir ce qu'elle voulait. Elle n'aurait jamais imaginé...

– Bonjour, tout le monde !

C'est Dave qui lui sourit de toutes ses dents cassées tandis qu'elle entre, à moitié coincée dans la porte avec la poussette.

– Ben dites donc, vous avez été rapide !

Dave désigne Hannah d'un même geste de la main et de la tête.

– Je ne savais pas qu'ils naissaient à cet âge-là, de nos jours, ajoute-t-il.

Hannah le fixe d'un air impavide.

– C'est ma filleule, explique Isabella. Dave, j'ai besoin d'un siège enfant pour la voiture. Et d'une batterie neuve.

Elle a failli oublier. Heureusement, elle en a aperçu une sur une étagère.

– Et vous allez l'installer toute seule, hein ?

– Eh bien, je me disais que vous pourriez...

– Mais oui ! Ah, les femmes ! Vous nous faites marcher comme des pantins ! Des pauvres types ! Voilà ce qu'on est. Pas vrai ?

Il a posé la dernière question à Hannah.

– Mignonne, cette petite. Mais quel drôle de regard, vous ne trouvez pas ? On dirait qu'elle a déjà tout vu. Bon, si on s'occupait de ce siège pour enfant, hein ? Et il vous le faut tout de suite, je suppose ?

– Oui.

– Vous avez des ceintures de sécurité avec une ventrale et une diagonale ou juste la ventrale ?

– Diagonale et ventrale.

– Alors, ça va. Un Euroseat devrait être bien. Ils s'adaptent partout. Le principe, c'est que vous les posez sur le siège de la voiture, à l'avant ou à l'arrière – dans votre cas à l'avant – et vous avez juste à passer la ceinture de sécurité normale par-dessus. Ils ont en plus leur propre système de sécurité.

– Vous n'en avez pas un en stock ?

– Et pourquoi pas, tant qu'à faire ! Bon, allez. Mon fils ne devrait pas tarder. J'ai comme dans l'idée que je pourrais bien vous en trouver un et faire un saut vers midi pour vous l'installer. Et je m'occuperai aussi de votre batterie, du coup. Mais il faudra me le demander gentiment, hé ?

Il lui adresse une œillade qui se veut égrillarde.

– Vous êtes formidable.

– Ça, vous pouvez le dire ! Mais vous voyez où ça me mène...

Avec une grimace de désespoir exagéré, il fait mine de se trancher la gorge.

Isabella, telle Alice au pays des merveilles, se promène dans les allées du magasin. Hannah est assise dans le chariot, les jambes passées de chaque côté du siège. Pour l'instant, personne ne les a dévisagées. Elle est au coude à coude avec d'autres mères et personne ne se demande si c'est bien sa fille. D'ailleurs, qui aurait jamais pu l'imaginer en train de faire des courses pour une petite fille ? Dans le chariot s'entassent une chaise pliante et un pot ; une barrière de lit amovible – Isabella s'émerveille de tout ce qu'on a inventé pour les petits –, et enfin des boîtes d'assiettes et de gobelets assortis. Elle se laisse emporter par la nouveauté de tout cela, transfère Hannah sur un second chariot qu'elle remplit de vêtements, de livres et de jouets, toutes choses qui n'existaient pas de son temps. De toute façon, eussent-elles existé, elle n'y aurait pas eu droit. Elle ajoute un porte-brosse à dents à l'effigie de Snoopy, un bain moussant *101 Dalmatiens*, quelques gants de toilette Wallace et Gromit et un petit bateau, dans l'espoir que cela aidera Hannah à mieux supporter la salle de bains. Elle ne peut plus s'arrêter d'acheter, sûre de ne jamais s'être autant amusée. Elle a les joues roses d'excitation, à voir le second chariot déborder à son tour.

– Eh bien ! on dirait que vous avez fait des folies, lui dit la caissière.

– Elle est bosniaque, je viens juste de l'adopter, répond Isabella sans une seconde d'hésitation. Nous partons de zéro !

Elle s'étonne de sa capacité à mentir. Elle n'aurait jamais cru posséder autant d'imagination.

– Pauvre petit bout de chou ! Elle a dû en voir de toutes les couleurs !

À ce moment précis retentit un bruit violent. C'est une

vendeuse qui a laissé tomber une grande boîte, entraînant une pyramide d'autres boîtes. Hannah se met aussitôt à hurler. Tout le monde se tourne vers elle pour regarder.

– Les bombes, explique Isabella.

Elle la retire du chariot et la berce contre elle en essayant de calmer ses mouvements convulsifs.

– Elle se souvient du bruit des bombes, ajoute-t-elle.

Quelques magasins plus loin, chez le pharmacien, elle se fait aider par une vendeuse dans le choix d'un colorant capillaire.

– J'aurais pourtant parié que vous êtes une rousse naturelle, remarque la femme avec un regard appuyé.

– Oh ! c'est juste pour camoufler les cheveux gris.

Isabella désigne ses racines d'un geste vague.

– Eh oui, ça arrive même aux meilleures d'entre nous, soupire l'autre en tapotant sa frange blond platiné.

– On va au nord ou au sud ? demande Isabella à l'enfant.

Hannah se balance sur le cheval recouvert de velours, en produisant une sorte de roucoulement qui ne s'adresse qu'à elle-même. C'est la première fois qu'Isabella entend cela. Un son satisfait qui fait chaud au cœur. Au début, elle a eu l'air de ne pas savoir à quoi servaient les jouets. Elle s'est assise, entourée par les animaux de plastique, les poupées et leurs maisons, sans montrer beaucoup de curiosité. Encouragée par Isabella, elle a commencé à prendre les miniatures et les a placées dans un certain ordre. Mais le déclic s'est produit quand Isabella a déballé le cheval, provoquant un cri de ravissement spontané, accompagné du merveilleux sourire « éclat de soleil ». Ensuite, le rire. Un vrai rire qui est monté dans la pièce avec la légèreté des bulles de savon.

– On m'a proposé un travail en Italie. Je serai partie

au moins pendant un mois, a expliqué Isabella par téléphone à plusieurs de ses amis.

– Envoyez-moi un petit mot, a dit le banquier, qui s'est révélé être avocat.

– En Cornouaille, a dit Isabella à son agent en lui donnant le numéro de son téléphone portable.

– Je crois que ça va marcher, lui a-t-il annoncé avant de lui lire le fax de l'éditeur français.

Sud-ouest.

La Risée du temps, de Thomas Hardy. Elle a dévoré Hardy. Comme beaucoup d'adolescentes de sa génération, elle s'était totalement identifiée à Tess.

« Je veux aller au sud, là où il n'y a pas d'automne, où le froid ne vous guette pas comme un léopard des neiges qui se prépare à bondir sur sa proie... » C'est Tom qui lui a lu des extraits de la correspondance de D. H. Lawrence. Il lui a aussi fait découvrir « Isabella ou le pot de basilic », de Keats. Ce poème, inspiré par un conte du *Décaméron* de Boccace, évoque une femme dont les frères ont tué l'amant. Elle cache la tête de son bien-aimé dans un pot de basilic mais ses frères s'en aperçoivent et lui volent son basilic.

Ainsi donc elle languit, ainsi mourut abandonnée,
Réclamant son basilic jusqu'au bout.
Il n'était cœur à Florence qui ne pleurât
Par pitié pour ses amours ainsi traversées.
Une triste complainte née de cette histoire
Passait de bouche en bouche à travers le pays.
Le refrain s'en chante toujours : « Ô cruauté
De m'avoir dérobé mon pot de basilic[1] ».

1. John Keats (1795-1821) : *Isabella or the Pot of Basil*, long poème de soixante-trois strophes daté de février-avril 1818. C'est la dernière strophe qui est donnée ici. Traduction d'Albert Lafflay, *in* Keats, *Poèmes choisis*, Éd. bilingue Aubier-Flammarion. *(N.d.T.)*

Tom le lui a lu avec son accent de la haute société. Quand ils se sont rencontrés, elle a cru qu'il parlait ainsi par snobisme. Par la suite, elle a découvert que ses parents étaient en réalité des intellectuels très distingués. Son père était professeur à l'université d'Oxford et sa mère, une lointaine parente des Rothschild, spécialiste de l'histoire russe et écrivain.

– Je n'aime pas ce poème. C'est sinistre, a-t-elle dit. Je ne trouve même pas que ce soit très bien écrit.

– Essaye donc d'écrire soixante-trois strophes en octosyllabes.

– Je m'en fiche. Je trouve ça simpliste. Et sinistre, a-t-elle répété.

– En fait, tu es en bonne compagnie. Keats lui-même était très critique à ce sujet. Pourtant, je ne pense pas que le mot de sinistre soit justifié. On ne peut pas se contenter de voir le bon côté des choses.

– Moi, si !

– Vous avez la peau bien fragile, ma chère ! À propos de peau...

Si jeunes ! Elle se revoit avec lui, en train de fumer un joint au lit, la couverture tirée jusqu'aux oreilles, durant cet hiver glacial qui a précédé son départ vers la toute nouvelle République socialiste du Vietnam.

Elle se souvient d'une semaine passée avec lui en Cornouaille – leur lune de miel –, dans un minuscule village de pêcheurs de la péninsule de Roseland. Il pleuvait mais Tom avait pris des centaines de photos. Comment s'appelait cet endroit ? Elle pourrait retrouver son nom sur la carte. Elle se remémore aussi de courtes vacances à Falmouth avec sa mère. Elle a pourtant plus de souvenirs de l'Écosse. Sa grand-mère écossaise vit-elle toujours ? Si c'est le cas, elle est sans doute restée agressive, se servant de sa puissance vocale pour user les nerfs des pensionnaires de la maison de retraite où elle finit ses jours. À moins que la sénilité ne l'ait réduite au silence. Isabella n'a aucune pitié pour elle. Elle ne lui doit rien. Autrefois, sa grand-mère a fait un choix, quand elle a décidé du destin de sa petite-fille. Les grands-parents paternels d'Isabella, eux, sont morts quand elle était encore toute petite. Il lui reste l'image floue d'une femme en noir, bien en chair, avec un « poireau » sur la joue, un regard passionné et une voix pleine de tendresse. Et le fils de cette femme, le père d'Isabella ? Elle préfère ne pas y penser. Si, par hasard, un souvenir, un souvenir heureux surgit dans sa mémoire, elle le balaye aussitôt.

Isabella essaie de persuader Hannah de la rejoindre dans la baignoire. Elle lui montre comment les jouets remontent à la surface en bondissant quand on les enfonce dans l'eau. L'enfant finit par s'approcher, un demi-sourire sur les lèvres, les mains crispées sur le rebord. Isabella fait gicler quelques gouttes d'eau vers elle, ce qui la fait rire.

– C'est très amusant ! Tu rates vraiment quelque chose, tu sais, Hannah.

Pour souligner son affirmation, Isabella s'allonge dans la baignoire avec un grand « Ahh » de satisfaction.

À présent, l'enfant saute sur place d'un air très excité. Elle trouve visiblement très drôle de voir Isabella dans l'eau. Elle tient à la main le gant de toilette Gromit. Pour une raison connue d'elle seule, elle a détesté Wallace au premier coup d'œil. Isabella se demande si ce n'est pas à cause des grandes dents du personnage... Enfin, l'enfant tend les bras pour rejoindre Isabella dans l'eau. C'est gagné ! Cela lui a pris presque une demi-heure, mais elle a gagné ! Elle relatera fidèlement l'épisode dans son rapport, tout à l'heure. Dans l'immédiat, elle ouvre le flacon posé sur le bord de la baignoire et en renverse le contenu sur la tête d'Hannah. Elle étale soigneusement le produit et rassemble les cheveux si fins en pointe sur le dessus du crâne. Au bout de trente minutes, Hannah est de la même teinte auburn clair qu'Isabella.

Un peu plus tard, après avoir endormi l'enfant, Isabella commence à préparer leurs affaires pour le lendemain matin, entassant vêtements et jouets dans deux grands fourre-tout achetés le jour même. Puis elle étudie la carte pour repérer sa route – estuaires, criques, avancées et promontoires donnent l'impression qu'un rat a voulu croquer la côte de Cornouaille. Elle consacre encore une heure à son travail : la traduction en anglais de la plaquette de présentation d'une entreprise italienne, un texte farci d'expressions idiomatiques censées lui conférer un parfum d'originalité. Elle en profite pour trier le contenu de son bureau. Enfin, exténuée, elle se verse un verre de vin rouge et allume la télévision. Elle se sent trop fatiguée pour dîner. N'a-t-elle pas présumé de ses forces ? Comment va-t-elle s'organiser pour son métier ? Cette enfant représente un travail à plein temps. Une lourde responsabilité. Quand elle sera installée... quand elle sera installée...

Les émotions et les pensées dansent la sarabande dans son esprit. *Moto perpetuo* – le mouvement perpétuel. Il lui faudra un certain temps pour s'adapter à sa nouvelle vie, pour passer de l'absence de responsabilité à une surcharge de responsabilités. Elle qui s'était soigneusement attachée à supprimer de sa vie toutes les sources d'ennuis !

Par moments, elle a l'impression d'être entrée dans la maison de quelqu'un d'autre, ou de jouer dans une pièce où elle se voit de l'extérieur, comme une étrangère. Tout s'inversera quand exploseront les applaudissements. À d'autres moments, une douloureuse lucidité lui montre le poids du rôle qu'elle a choisi et l'étrangeté de son acte la frappe avec violence.

Elle regarde encore les informations puis un émouvant documentaire sur la relation entre un paraplégique et la personne qui s'occupe de lui. Le film la touche si fort qu'au lieu d'éteindre la télévision, à la fin, elle attend le générique.

Le générique arrive enfin : le film est écrit, produit et réalisé par Tom.

3

– Ne te glorifie pas du lendemain car tu ne sais pas ce qu'un jour peut enfanter[1].

Sa mère lui citait volontiers cette phrase de la Bible.

En effet, qui aurait pu imaginer la surprise apportée par ce samedi-là ? Et qui pourrait imaginer les jours à venir ? Isabella adhère à la théorie en vertu de laquelle demain est un autre jour !

Il lui faut presque une heure pour charger la MG, utilisant le moindre recoin pour caser tous les bagages. Quand elle a fini, elle se rend compte qu'elle a oublié de laisser une place pour le panier de Garibaldi. Elle passe encore vingt minutes à tout réorganiser sous le regard d'Hannah, qui l'observe avec intérêt depuis sa poussette. Isabella parle toute seule, de façon ininterrompue.

– Celui-là devrait pouvoir venir ici... Non, c'est mieux comme ça... *Madre !* Si seulement la voiture était plus grande... Mais non, mais non, je ne pensais pas ce que j'ai dit.

Elle a accompagné ces derniers mots d'un tapotement affectueux sur la carrosserie.

– Zut ! Ma guitare ! Hannah, tu as oublié de me rappeler ma guitare.

Un de ses voisins vient vers elle – un homme à l'air coincé, aux vêtements miteux, qui lui donne la chair de poule.

– Bonjour ! Vous partez ?

Il regarde l'enfant.

1. Proverbes, XXVII, 1. Traduction de la Pléiade. *(N.d.T.)*

– Chez ma sœur. C'est sa fille. Hannah, dis bonjour.
Hannah ne dit rien.
– Son père était violent. Elle a peur des hommes.
– Quelle misère !
Il a l'allure d'un exhibitionniste ou même d'un pédophile. De petits yeux sournois. Des épaules tendues.
– Oh ! ça va maintenant. Il n'est plus là.
Elle se dit qu'elle a de la chance. Ce n'est pas le même voisin que celui qu'elles ont croisé deux jours plus tôt, quand Hannah avait encore les cheveux blonds. Elle avait oublié ce détail. Elle claque le coffre, dit rapidement au revoir à l'homme et rentre précipitamment avec Hannah ; le bruit du coffre rabattu a déclenché ses hurlements.
Isabella tient beaucoup à son intimité. Elle préfère rester anonyme, sauf avec les personnes de son choix et, bien que vivant depuis de longues années au même endroit, elle connaît à peine ses voisins. Elle le regrette aujourd'hui. Elle aurait pu confier sa clé à l'un d'eux pour qu'il surveille l'appartement, s'assure que des squatters ne s'y installent pas, allume les lampes ou la radio pour décourager d'éventuels cambrioleurs, et lui fasse suivre son courrier. Mais ce n'est pas le cas et elle devra passer chez elle tous les quinze jours. Et que fera-t-elle d'Hannah si elle doit aller à une conférence ?
Au moment où elle veut mettre Garibaldi dans son panier, celui-ci couche ses oreilles vers l'arrière, lui échappe, fonce à travers la chatière de la cuisine pour traverser la terrasse et se percher sur la clôture. Il s'y installe, le regard méfiant, la queue en balançoire. Isabella déverrouille la porte et s'approche avec précaution. Il l'observe d'un air finaud et, à l'instant où la main d'Isabella va l'atteindre, il saute dans le jardin d'à côté.
– Sale bête !
De rage, elle le menace de son poing fermé.
– Grabla, déclare Hannah, qui observe la clôture.
– Oh ! Dis-le encore, *cara*.

– Grabla, Grabla.

En même temps, elle désigne du doigt l'endroit où s'est perché le chat.

– Tu es merveilleuse ! Oui, ma chérie, Grabla. Ga-ri-bal-di. Et c'est un vilain chat qui s'est sauvé.

La petite fronce les sourcils, comme si elle essayait de comprendre.

Pendant les deux heures suivantes, Isabella a beau s'égosiller à crier « Manger ! », le chat refuse de se montrer ; il s'est déjà bien rempli l'estomac, ce matin. De plus, la mangeoire des oiseaux du jardin d'à côté représente une source d'amusement inépuisable. Pour finir, c'est le fox-terrier des voisins qui le remet dans le droit chemin. Cette fois, Garibaldi fonce dans la chatière comme s'il sautait au travers d'un cerceau enflammé, passe en un éclair devant Isabella et se réfugie dans sa chambre, sous le lit. Elle réussit à lui faire lâcher la moquette, où il s'accroche de toutes ses griffes et le soulève, crachant de colère. Il plante ses griffes dans la peau de ses bras nus.

– Espèce d'horrible bête !

Elle se hâte de boucler les courroies du panier. De fines gouttes de sang marquent sa peau.

– Grabla, roucoule Hannah, qui s'apprête à passer le doigt dans le panier.

– Grabla n'est pas content, tu sais.

Isabella a retenu sa main avant que le chat n'ait pu lui donner un coup de griffe. Zut ! La litière. Elle a oublié la litière et le bac du chat. N'arriveront-elles donc jamais à partir ?

Il est déjà presque l'heure de déjeuner quand elles démarrent en direction du périphérique nord. Les mains d'Isabella sont crispées sur le volant. Un jeune homme court le long du trottoir : *C'est elle, je la reconnais, les cheveux roux, la voiture...* Y a-t-il, quelque part dans la ville, une mère en train de pleurer son enfant ? Elle ne se détend un peu qu'en arrivant sur l'autoroute M4, comme si elle prenait de la distance par rapport au lieu du crime, à l'intérieur d'elle-même. Elle est devenue une criminelle. Elle, Isabella, est devenue une criminelle aux yeux de la loi. Elle met la cassette de Placido Domingo et chante avec lui, couvrant le miaulement plaintif de Garibaldi, dont le panier est coincé dans le fond de la voiture. À côté d'elle, Hannah a de petits rires nerveux. La voiture, surchargée, craque et grince de partout. La suspension est à changer. Ce sera la prochaine dépense.

Deux heures plus tard, elle s'arrête juste avant Exeter dans une station-service. On aperçoit un hall de jeux vidéo dans l'entrée.

Le bruit des jeux les frappe violemment quand elles franchissent la porte du bâtiment : coups de feu, sifflement de balles, crépitements, hurlements de sirènes. Des bandes de jeunes, garçons et filles, sont attroupées autour des machines, s'encourageant avec de grands cris. Isabella sent Hannah se raidir et se serrer contre elle.

– Tout va bien, *cara*. Hannah, ma chérie, personne ne va te faire de mal, je te le promets. Veux-tu que je te porte ?

Isabella se prépare aux hurlements habituels tout en soulevant Hannah. Pourtant, bien qu'elle s'accroche avec force au cou d'Isabella, l'enfant n'émet pas le moindre bruit. Isabella s'applique à marcher normalement. Ce serait une erreur de vouloir traverser le hall à toute vitesse, comme si elle-même avait peur.

– Ils jouent avec des jouets pour les grands. Regarde les voitures sur l'écran.

Hannah enroule ses jambes autour de la taille d'Isabella et ses cheveux soyeux lui caressent le cou. Elle jette des regards rapides tout autour d'elle tandis qu'elles se dirigent vers les toilettes pour dames avant de se rendre au restaurant. Tant d'expériences nouvelles en un seul jour ! Que peut-elle bien penser ? Ressentir ? Se demande-t-elle où elle est ? Où est sa mère ?

« Tu peux faire quelque chose de ta vie. Pour moi, c'est raté », avait dit la mère d'Isabella peu avant de mourir. « Ne sacrifie pas tout à un homme. » La toux l'a interrompue, l'a pliée en deux de douleur, accrochée à la table de cuisine.

Plus tard, à l'hôpital, ses yeux restaient pleins de colère, de n'avoir connu que le travail, le travail et les déceptions. Mais elle était morte avec une autre expression dans le regard, murmurant des versets de saint Luc. Une infirmière avait posé la main sur l'épaule d'Isabella.

– Voulez-vous l'embrasser une dernière fois ?

Ce qu'Isabella avait fait avec obéissance. C'était en hiver et il régnait un merveilleux silence dans la chambre paisible. Qu'allait-il lui arriver ? se demandait-elle, debout à côté du lit dans une attitude de circonstance. Elle, une adolescente de quatorze ans, grande, avec une poitrine déjà forte, des cheveux roux tirés en queue de cheval et des yeux d'un noir brillant d'obsidienne.

Isabella s'interroge souvent sur la « foi du charbonnier ». On meurt pour une vie meilleure, voilà tout. Parfois, quand elle est à bout de fatigue, elle se voit, morte, en train de se décomposer sous terre. Ces images la remplissent d'horreur et de terreur. Elles peuvent surgir aux moments les plus inattendus.

Sa mère : une femme de devoir, à défaut d'être aimante. Et peut-être avait-elle sa propre façon d'aimer, après tout. Quel âge avait-elle quand elle est morte d'un cancer des poumons ? Pas plus de quarante ans. Mais, pour Isabella, elle était vieille. Elle s'appelait Vanora. Un nom si beau, si lyrique pour une femme qui n'avait pas la moindre parcelle de poésie en elle. En revanche, elle avait connu l'espoir, longtemps auparavant.

« Ce n'est pas la peine de me poser la question. Je ne peux pas m'en occuper », avait dit sa grand-mère.

Elles viennent de franchir les limites de la Cornouaille, pays de légendes et de douces voix à l'accent grasseyant. Bodmin Moor étend ses landes désolées de part et d'autre de la route, et les vestiges de mines abandonnées ajoutent au sentiment de solitude. La plupart des voitures – ce qui ne représente pas grand-chose en réalité – roulent dans la direction opposée. Les vacances sont terminées jusqu'à l'année prochaine. Isabella suit les panneaux pour St. Austell. Elle dépasse des carrières de kaolin, avec des pyramides de déchets de mica et de quartz. Le relief devient peu à peu plus vallonné et son moral remonte d'autant. Le soleil disparaît et le crépuscule s'installe. L'enfant dort, la tête inclinée sur la poitrine. Garibaldi a depuis longtemps renoncé à miauler, apparemment résigné à passer sa vie dans un panier. Isabella est seule, totalement seule. Elle bifurque en direction de St. Mawes.

Mais, dit le procureur dans sa tête, si elle ne considère pas qu'elle a agi en criminelle, pourquoi a-t-elle pris la fuite ?

À cause des autres, répond-elle. Les autres n'analyseraient pas la situation de son point de vue à elle.

Cette femme n'a-t-elle donc aucune conscience, insiste-t-il, pour se trouver toujours de nouvelles justifications ?

Le paysage commence à s'assombrir. Elle tourne vers une petite route qui se présente à sa droite, étroite comme une ruelle, et descend en une série de lacets très raides. De hauts talus de chaque côté lui cachent la campagne. Il fait déjà nuit dans ce chemin. Les arbres forment un tunnel de feuilles. Les talus se muent peu à peu en haies ; les ouvertures laissent deviner des prés où paissent des troupeaux. Un renard apparaît soudain dans ses phares et elle s'arrête, fascinée. Il détourne paresseusement la tête pour regarder quelques instants dans la lumière. Il cligne des yeux et les phares révèlent la beauté de sa fourrure. Enfin, il bondit devant la voiture pour traverser la route. Isabella le voit s'évanouir dans les herbes et attend un peu avant de repartir, savourant le moment.

Environ deux kilomètres plus loin, elle dépasse un bâtiment illuminé où l'on vend des antiquités. Peu après, elle arrive au village de Zerion. À un croisement se trouve une auberge : Fox's Retreat – la Retraite du Renard. Elle se sent épuisée. Il fait pratiquement nuit et elle n'a pas le courage de conduire un instant de plus.

Une lumière orangée teinte les vitres. Isabella pousse la porte sans entrer. Au-dessus de la cheminée, dans une vitrine, elle distingue un renard qui n'a pas su faire retraite assez vite. Et aussi un blaireau et un hibou. Elle se sent triste pour le renard, compte tenu de sa récente rencontre. L'endroit semble assez animé. Le bourdonnement des voix et des rires s'éteint ; tout le monde tourne la tête pour la regarder, debout dans l'ombre de l'entrée.

– J'ai laissé ma petite fille dans la voiture. Elle dort, dit-elle à l'homme derrière le comptoir. Je ne peux pas entrer. Auriez-vous une chambre pour quelques jours ?

– Bien sûr ! Donnez-moi un instant.

Il lui sourit, finit de tirer un demi, le donne à son client, s'essuie les mains sur son pantalon et traverse la salle dans sa direction. Il l'accompagne à la voiture. Il paraît très chaleureux, de caractère visiblement spontané.

– Ça, c'était de la voiture... Dites donc, vous êtes drôlement chargée ! ajoute-t-il en découvrant les bagages.

– Oh ! je n'ai pas besoin de tout dans l'immédiat.

– Je ne vous conseille pas de laisser quoi que ce soit de valeur dans la voiture. Votre guitare, par exemple, il vaut mieux la rentrer. Et ça, ce n'est pas un ordinateur portable ?

– Si.

– Il vaut mieux le rentrer aussi. Les gens sont honnêtes, ici, mais on ne sait jamais.

Il a un bon accent cornouaillais.

– Oh ! et j'ai un chat, dit Isabella en détachant Hannah.

Elle désigne du menton le panier à l'arrière de la voiture.

– J'ai oublié de vous dire que j'ai aussi un chat, répète-t-elle.

Lui, il a deux dobermans contre lesquels Garibaldi libère toute sa rage rentrée, crachant avec fureur à travers le panier tandis qu'Isabella le porte à l'intérieur.

L'aubergiste les fait passer dans un couloir et ferme la porte sur elles.

– Ils sont seulement bruyants. Malgré les allures qu'ils se donnent, ce sont de grands sentimentaux !

– Vraiment ?

– Mais oui, je vous assure !

– Hiens ! dit Hannah d'une voix endormie.

Elle est accrochée à la main d'Isabella.

– Tu tiens quoi ? demande l'aubergiste, un peu étonné.

– Non, des chiens ! explique Isabella d'un ton très fier.

L'escalier est raide et nu. Isabella voit le visage d'Hannah se crisper... Elle pose le panier du chat et soulève l'enfant.

– Ma fille a peur des escaliers, dit-elle.

– Je m'occupe du chat, réplique-t-il.

Elles le suivent dans l'escalier jusqu'à un vaste palier.

– C'était encore plein il y a deux jours. Le grand exode du dimanche ! Vous avez bien choisi votre jour. Vous auriez eu du mal à trouver une chambre.

Il parle d'une voix un peu essoufflée. Ce n'est pas la grande forme, avec son embonpoint de buveur de bière. Une fine pellicule de transpiration brille sur son front et dans le creux au-dessus de sa lèvre supérieure.

– On a donc bien fait de ne pas venir plus tôt, répond Isabella.

Il ouvre une porte et entre, pose le panier du chat et écarte les bras dans un ample geste.

– Et voilà, vous êtes chez vous. Ce n'est pas le grand luxe mais vous aurez de la place pour tous les trois aussi longtemps que vous le désirerez. Vous avez eau chaude et eau froide au lavabo, et la salle de bains dans le couloir. Mais c'est juste à côté.

– C'est parfait.

Elle se laisse tomber sur l'un des lits jumeaux, recouverts de Nylon fleuri.

L'hôtelier sort et apporte en deux fois le reste de leurs affaires.

– Vous aurez sans doute besoin de ça, dit-il en lui tendant le sac de litière. Je vous ai aussi monté un vieux journal pour mettre sous le bac.

– Merci, vous êtes vraiment aimable.

Elle verse de la litière dans le bac et libère Garibaldi. Il émerge du panier avec méfiance, raide d'avoir été enfermé si longtemps. Du regard, il fait le tour de la pièce tout en s'étirant les pattes, l'une après l'autre.

– Grabla, crie Hannah en courant vers lui.

Le chat lui jette un regard rapide et fonce sous le lit.

– Cela fait des heures qu'il est coincé dans son panier, explique Isabella à l'hôtelier.

– Oh, le pauvre ! Bon, et maintenant, je ferais mieux d'aller voir ce qui se passe en bas. Encore une chose, je m'appelle Dick.

– Et moi, Isabella. Elle, c'est Hannah.

– Bonjour, Hannah ! Tu as quel âge, dis-moi ?

Il s'est penché pour se mettre à la hauteur de l'enfant. Elle le regarde sans un geste.

– On dirait qu'elle est timide, hein ?

Il se redresse et Isabella entend ses genoux craquer.

– Ce n'est pas grave. Bon, et pour le dîner ? Vous voulez manger quelque chose ?

– En fait, je meurs de faim et Hannah n'a eu qu'un morceau de chocolat depuis le déjeuner. Il lui faut donc un vrai repas. Mais je ne suis pas sûre que vos autres clients aimeraient beaucoup...

– Et si je vous montais un plateau ?

– Je suis gênée, je ne voudrais pas abuser.

Elle lui adresse un de ses regards expressifs.
– Ne dites pas de bêtises !
Il lui rend son regard l'espace d'un instant.
– Cela ne me dérange pas du tout.
– Vous avez du potage ?
– Crème de carottes du jour. C'est ma femme qui l'a faite. Elle la réussit très bien.
Il se tapote le ventre en bombant le torse. Les rayures de sa chemise se tordent en remontant. Hannah ne le quitte pas un instant des yeux.
– C'est une très bonne idée. Pour nous deux. Et peut-être des croque-monsieur.
Elle a découvert qu'Hannah adorait le fromage.
– Et un verre de vin, c'est possible ?
Elles dînent devant la télévision. Hannah est assise sur son pot, s'aidant des mains et des dents pour arracher des morceaux de son croque-monsieur et les pousser dans sa bouche grande ouverte. Des fils de fromage fondu pendent au coin de ses lèvres. Garibaldi émerge de sa cachette sous le lit et cherche sa litière, où il s'installe, le regard fixe, avant de recouvrir le résultat de ses efforts en projetant des grains de litière tout autour de lui. Son caractère confiant reprend graduellement le dessus et il commence à explorer la chambre. Elle est grande, haute de plafond, avec une fenêtre à guillotine du côté de la route. Des murs couverts de papier rose, des abat-jour roses. L'un d'eux porte à l'intérieur une marque de brûlure. Une moquette rouge et or. Des rideaux à fleurs. Un lavabo vert foncé avec des traces de calcaire autour de la vidange.
– Hannah pipi, annonce l'enfant en se levant.
Isabella l'embrasse avec fierté.
– Bravo, ma chérie.
À la grande joie d'Isabella, Hannah progresse de jour en jour, d'heure en heure.
Après une rapide toilette au lavabo, Isabella couche Hannah dans l'un des deux lits. C'est la première nuit

qu'elles passent dans des lits séparés. Elle lui lit une histoire en lui montrant les images, puis elle l'embrasse avant d'éteindre le plafonnier, ne laissant allumée que la lampe de chevet. L'enfant suit des yeux chacun de ses mouvements.

Il est à peine neuf heures et elle s'apprête elle-même à se coucher, épuisée. Elle se lave les dents, fait sa toilette, va sur la pointe des pieds jusqu'aux toilettes dans le couloir et revient de même. Hannah ne dort qu'à moitié, surveillant tout de ses yeux mi-clos, mais elle ne semble pas perturbée par la brève absence d'Isabella. D'autres indices paraissent indiquer qu'elle a l'habitude de rester seule.

Il y a tant de choses à son sujet que je ne saurai jamais, écrit Isabella dans son rapport, qu'elle rédige au lit.

La même question lancinante lui traverse encore l'esprit : *Qu'ai-je fait ?* C'est surréaliste ! Garibaldi est couché en travers de ses jambes. Dans l'autre lit, Hannah dort paisiblement. Tous les trois en sécurité dans cette horrible chambre rose. Ils se sont rencontrés par hasard. Même le chat, qui est apparu un beau jour devant la porte d'Isabella et s'est installé sans plus de manières.

À présent que la télévision est éteinte, les bruits d'en bas lui parviennent clairement. On parle d'elle.

– Ça doit être une femme d'affaires. Elle a un téléphone portable. Et un ordinateur. T'as pas vu ? C'est un de ces jeunes cadres dynamiques de la ville !

– Mais non, pas avec une gosse de cet âge.

– Alors, ça doit être une actrice. Je suis sûr que je l'ai déjà vue.

Rien de nouveau. On lui a toujours dit qu'elle ressemblait à quelqu'un d'autre. À Susan Sarandon, à Sigourney Weaver, à une actrice de feuilleton... Une fois, un historien d'art lui a trouvé une ressemblance plus intéressante avec l'amie d'un peintre préraphaélite, Holman Hunt, représentée dans l'un de ses tableaux, *The Awakening Conscience*, Le Réveil de la conscience. Cet homme, qui était fou d'elle, a repris son éducation là où Tom l'avait laissée et l'a emmenée voir le tableau de Hunt intitulé *Isabella and the Pot of Basil*. Hélas ! il avait quinze ans de plus qu'elle et Isabella n'a jamais été attirée par les hommes plus âgés.

– Une femme bien, elle a de l'allure et tout ce qu'il faut, déclare une autre voix d'homme.

– Oh ! ça, je ne crois pas ! rétorque une voix de femme d'un ton plus sec.

Isabella sourit. C'était tellement prévisible ! Elle trouve toujours triste que certaines femmes se révèlent incapables de reconnaître la séduction d'une autre sans vouloir se venger.

Et une autre voix masculine s'élève.

– Si vous voulez mon avis, elle s'est enfuie. On ne fait pas toute cette route avec une gosse, un chat et un tas de bagages juste comme ça, pour le plaisir.

Isabella sent un frisson glacé lui parcourir le dos.

La remarque de l'homme a brièvement réduit les autres au silence. Puis la voix féminine résonne à nouveau.

– Son mari, vous voulez dire ?

– Eh bien, ça expliquerait tout, non ?

Isabella respire.

4

Isabella paraît très sûre d'elle et posée. Pas la moindre trace d'amertume dans son expression. Elle a un regard très doux. Sa mâchoire révèle de la détermination, mais sans agressivité. C'est une femme de goût, naturellement élégante, bien qu'elle n'ait pas eu de modèle en ce domaine. Qu'est devenue la petite fille qui tapait du pied sans qu'on l'entende et déchiquetait sa poupée quand ses parents hurlaient leurs frustrations ?

Peut-être cet acte de destruction est-il en partie à l'origine de son évolution. Ce faisant, elle a perdu son plus cher trésor et n'a donc puni qu'elle-même. Les crises de colère ont été remplacées par la bouderie, mais la bouderie n'a de sens qu'en présence d'un tiers. À la mort de sa mère, les règles du jeu ont changé. Elle a dû apprendre à s'aimer. Isabella le caméléon. Pourtant, ses différentes attitudes, ses déguisements, en quelque sorte, n'ont jamais été conscients. Elle n'a jamais choisi délibérément d'assumer telle ou telle personnalité. Elle observait et apprenait, prenant un détail ici, un autre ailleurs. Partout où elle allait, elle empruntait un nouveau trait de caractère, se construisant jusqu'à devenir la femme qu'elle est aujourd'hui.

Du cimetière qui entoure l'église, de l'autre côté de la route, monte le cri d'un hibou qui la réveille. Le vent s'est levé et la fenêtre cliquette comme les dents d'un tout petit animal. Pendant un moment, Isabella ne sait plus où elle est, jusqu'à ce que, dans le halo de la lampe de chevet près du lit de l'enfant, elle reconnaisse la chambre rose. Ses yeux s'adaptent et la mémoire lui revient.

À une époque, elle a eu une chambre rose. Un jour, en rentrant de l'école, elle y a trouvé une robe – un modèle très moulant dont elle rêvait et qu'elle s'était acheté avec l'argent de poche gagné le samedi dans un salon de coiffure –, elle a trouvé cette robe déchiquetée à coups de ciseaux. Elle n'a rien dit, décidée à ne pas faire d'histoire. Et dans cette petite chambre rose – cinq ou six mètres carrés où elle accrochait ses vêtements à la patère de la porte, à moins de les ranger dans le tiroir qui formait la base du lit –, quand elle essayait de travailler, quand elle prenait ses livres et ses cahiers, elle entendait la musique pop de la chambre contiguë. Le son, de plus en plus fort, se déversait au travers de la cloison mince comme du carton, renvoyant au néant l'inspiration et l'Empire romain !

– Tout va bien ?

La femme rentrait à la maison, gentille, avec une voix chaleureuse mais des sourcils froncés de fatigue et la peau de ses jambes nues toute marbrée. Elle succombait sous le poids de filets à provisions débordants et les posait sur la table avec un grand soupir qui gonflait et dégonflait ses joues.

– Qui veut m'aider ?

Isabella se proposait, bien sûr.

– Merci, mon chou.

Le regard gêné de la femme se glissait vers l'autre fille, sa fille, du même âge qu'Isabella ; la fille se dépêchait de monter à l'étage pour se réfugier dans la chambre de son frère cadet en claquant la porte. Des ricanements leur parvenaient ensuite de la chambre.

– C'est comme ça, disait la femme.

Rien d'autre, aucun commentaire. « C'est comme ça. » Cela disait tout.

Un an. Isabella y était restée un an, jusqu'à son quinzième anniversaire.

Zerion, et son mélange de styles, s'étale parmi des chemins bordés de ruisseaux, dans un vallon entouré de trois collines. En ce mercredi matin, il y règne l'ambiance particulière des fins de saison touristique. Le temps a changé. Le vent qui s'est levé pendant la nuit pousse de gros nuages annonciateurs de pluie, arrache les feuilles des arbres et balaye la poussière de l'été sur les routes et les trottoirs.

Cela fournit un bon sujet de conversation aux habitants, ce changement de temps. Chez le marchand de journaux-bureau de poste, dans l'allée qui longe la pelouse triangulaire bien tondue, la propriétaire explique à une cliente qu'elle est bien heureuse du rafraîchissement de la température. Ses jambes supportaient mal la chaleur et elle avait des varices comme des grappes de raisin. La conversation s'arrête à l'entrée d'Isabella et d'Hannah. Les deux femmes se tournent et la dévisagent ouvertement. Elles ont déjà été informées de la présence de deux touristes par l'un des hommes présents au pub la veille ; il est venu plus tôt acheter son journal et du tabac. Isabella, habituée à l'anonymat de Londres, où l'on peut faire ce qu'on veut sans attirer l'attention, se doute que dans cette petite communauté elle sera le principal sujet de conversation. Elle adresse donc son plus beau sourire aux deux femmes et les salue de façon aussi joyeuse et amicale que possible. Elle ajoute un commentaire sur le temps avant de demander le journal local.

– Ça doit être le *West Briton* que vous voulez, l'édition de Truro. Il paraît le jeudi, demain par conséquent.

La propriétaire, une femme au teint blafard, enlève ses lunettes aux verres en culs de bouteille et les essuie sur son pull-over en crochet mauve. Elle examine Isabella de ses yeux pâles avant de remettre ses lunettes.

– J'en ai un de la semaine dernière dans la réserve, je peux vous le prêter...

Apparemment, Isabella a passé l'examen haut la main.

– Oh ! mais je vais vous le payer !

– Pas la peine. J'allais le jeter. On aura le nouveau demain.

Elle disparaît dans le couloir derrière le comptoir.

Isabella reste seule avec l'autre femme, qui a le bras droit dans le plâtre. Un bon sujet pour lancer la conversation.

– Vous avez eu un accident ?

– Je suis tombée dans l'escalier, répond l'autre femme en fixant le plancher.

Elle a une petite voix timide dans un grand corps informe. Isabella regrette immédiatement sa question. Elle devine que cette femme est mariée à un homme violent et fait mine de s'intéresser aux cartes postales ; elle se sent soulagée quand la marchande de journaux revient, boitant légèrement sur ses jambes courtaudes. Impossible de partir sans acheter quelque chose, se dit-elle. Elle prend deux cartes postales et un filet contenant un seau et une pelle en plastique.

– Voulez-vous avoir l'amabilité de me garder un exemplaire de celui de demain ? demande-t-elle.

– Ne vous inquiétez pas, il y en a toujours plein, dit la marchande en faisant sonner sa caisse. Quel âge a la petite ?

– Deux ans trois quarts.

Elle va peut-être répondre qu'Hannah a l'air plus âgée ou plus jeune...

– Elle a l'air très tranquille.

– Elle ne parle pas encore beaucoup, explique Isabella. Comme moi. J'ai commencé à parler assez tard. Quand j'ai commencé, j'avais presque quatre ans.

– C'est drôle que vous disiez ça. Ma petite-fille...

Et elle entame une histoire interminable.

Isabella s'efforce d'écouter et murmure à intervalles réguliers un commentaire approprié.

– J'aimerais louer un cottage par ici, dit-elle enfin. C'est pour cela que je voulais le journal.

– Ah bon ? Maintenant ?

La marchande lui jette un regard curieux.

– Vous voulez dire pour prendre des vacances ?

– Non, pour plus longtemps. Peut-être quelques mois.

– Ah...

Les deux femmes hochent la tête en échangeant un regard entendu avant de se tourner vers Isabella. Elle peut les entendre penser : *Alors, c'est vrai. Elle s'est sauvée*. Une expression de sympathie compréhensive apparaît sur leur visage. Elle leur adresse en retour un signe de tête à peine perceptible, comme un signe de reconnaissance, pour dire : moi aussi.

La femme au bras plâtré est la première à reprendre la parole.

– Je ne connais rien à louer à Zerion en ce moment.

– En fait, j'aimerais trouver à Pengarris Cove.

Hannah se frotte contre les jambes d'Isabella et tire sur son pull-over pour qu'on s'occupe d'elle. Incroyable, quand on pense que deux jours plus tôt elle se recroquevillait, par réflexe, dès qu'Isabella l'effleurait. Elle la soulève et la prend dans ses bras.

– Pengarris Cove n'est qu'à trois kilomètres d'ici, reprend la marchande de journaux. Vous ne trouverez que des locations de vacances, là-bas, pour quelques semaines tout au plus. Et puis, c'est la fin de la saison maintenant.

L'autre femme fait une moue tout en réfléchissant.

– Et la maison du vieux Timothy Abell ? Elle est vide.

– Oh ! mais ça n'ira pas pour elles !

La marchande de journaux secoue lentement la tête à l'intention d'Isabella.

– Ce n'est pas un endroit pour vous, les toilettes sont dans le jardin !

– Qui est Timothy Abell ?

– Était. Il est mort le mois dernier. Il tenait le poste d'essence entre Pengarris et Port Tregurran avant de prendre sa retraite. Dieu sait dans quel état se trouve la maison ! Il avait plus de quatre-vingt-dix ans quand il est mort et il s'est débrouillé tout seul jusqu'à la fin. C'était un vieux grincheux, un sale caractère. Il a refusé de parler à sa fille du jour où elle s'est trouvée enceinte de... comment c'était déjà ?

– Collett. Will Collett, vous savez, sur la route de Penzance, répond la femme au bras plâtré.

– Vous avez raison, c'est ça. Un homme marié ! Mais que voulez-vous, il y a des fois où une femme prend ce qu'elle peut. Et elle avait donné ses meilleures années à son père. De toute façon, il l'a chassée avec un coup de pied au derrière. Quant au Will Collett, il ne voulait pas entendre parler d'elle. Alors maintenant, elle vit à Truro avec le gamin. Il est bizarre. Je veux dire : arriéré.

Elles prennent toutes les trois le temps de commenter l'injustice de cette situation.

– Comment faire pour savoir si la maison serait libre ? demande ensuite Isabella.

– Babs Garrick, au bureau de poste de Pengarris, doit savoir. C'est au bas de la colline, à droite, juste à côté du Sun Inn.

Isabella la remercie et s'en va, consciente de leur avoir fourni de quoi parler pendant des heures. En sortant, le vent lui rabat les cheveux sur le visage et elle les rentre sous le col de son pull-over. Elle boutonne le pull d'Hannah jusqu'au cou.

– C'est mieux comme ça, non ? Il ne faudrait pas que tu t'enrhumes.

Puis elle relève la capote transparente de la poussette. À côté de la poste se trouve un garage. D'après l'enseigne qui se balance avec des craquements assez musicaux, on y assure l'entretien, les réparations et le contrôle technique obligatoire. Isabella fouille dans son sac, en quête d'un stylo pour noter le numéro de téléphone. Elle est en train d'écrire quand elle sent un regard posé sur elle.

Dans la cour du garage, un jeune homme bricole sur une camionnette blanche cabossée. Il la dévisage et elle a la sensation qu'il l'observe déjà depuis un certain temps. Elle se sent à la fois gênée et inquiète. Elle lui adresse un bonjour mais il ne répond rien et continue de la fixer de son regard qui la transperce. Elle baisse la tête et s'éloigne.

– Vilain bonhomme, vilain bonhomme, dit-elle à Hannah.

Elle longe la pelouse, dépasse une rangée de cottages à toit de chaume. On accède aux portes d'entrée par des ponts miniatures jetés sur le ruisseau. Il y a la boucherie avec son joyeux cochon en carton contre une carcasse suspendue à un crochet (elle a toujours jugé cela assez répugnant) ; une galerie d'art installée dans une chapelle reconvertie ; l'école primaire de l'Église d'Angleterre – fantomatique, encore vide d'enfants pour une semaine entière ; et une rangée de pavillons aux pelouses comme manucurées, avec des dracaenas et des nains de jardin...

Deux ou trois personnes qu'elle croise la saluent d'un : « Sale temps ! »

Une dame d'un certain âge, juchée sur un cheval en forme de barrique, passe lentement, avec un signe de la main qui s'adresse à tout le monde et à personne.

Elles arrivent à la mare aux canards, à côté de l'église dont on aperçoit à peine le clocher par le porche du cimetière. Quelque part, au milieu des pins et des ifs, se trouve le hibou qui a réveillé Isabella la nuit dernière.

– Il y a des gens superstitieux à propos des hiboux, lui a dit le patron de l'auberge, Dick, ce matin au petit déjeuner. On prétend qu'ils annoncent la mort.

Et il lui a raconté l'histoire des deux maisons rondes à toit de chaume qu'on a édifiées sur la colline, à la lisière du village.

– On l'appelle Devil's Ridge, la Colline du diable, poursuit-il en servant le café.

Il a pris le temps de s'asseoir quelques minutes à sa table.

– C'est à cause des « cornes » qu'elle a de chaque côté.

Eh bien, c'est le seul endroit où le pasteur d'ici – j'ai oublié son nom – a trouvé de la place pour bâtir des maisons pour ses deux filles. Il a fait construire des maisons rondes pour qu'il n'y ait pas de coins où le diable puisse se cacher ! Il y a plein d'histoires de bonnes femmes de ce genre, ici !

Il lui a raconté une autre anecdote amusante, celle d'un Américain à qui il expliquait l'histoire de l'église. Dick en riait encore.

– Alors, je lui dis : « C'est romain. » Et il me répond : « Et moi, c'est Jack ! Enchanté de faire votre connaissance. »

– Je ne vous crois pas, ce n'est pas vrai ! s'esclaffe Isabella.

– Je vous le jure ! Parole d'honneur ! Je ne sais pas comment je ne lui ai pas éclaté de rire à la figure.

Et la voilà de retour à l'auberge, où est garée sa voiture.

Elle y installe Hannah. Elle attache la ceinture de sécurité et lui donne le lapin tricoté, avec l'ours en peluche tout neuf, dont l'enfant a déjà commencé à sucer l'oreille. Elle replie la poussette avec l'habileté due à une longue expérience et la range à l'arrière. Mais elle sent encore sur elle le regard du garagiste et cela la met mal à l'aise.

La route de Pengarris Cove est étroite et sinueuse, et plusieurs fois, elle doit se garer pour laisser passer une voiture qui vient d'en face. Elle entend alors les branches d'un arbre frotter contre son aile. Enfin, la mer apparaît au détour d'un virage, verte et agitée. Isabella adore la mer, elle est toujours excitée de la revoir – son entourage affirme en plaisantant que c'est parce qu'elle est du signe du Scorpion.

La descente sur le village est très raide et Isabella garde le pied sur le frein. La MG fait un bruit de ferraille. Des cottages peints de couleurs pastel s'alignent de part et d'autre de la route. Leurs jardins s'ornent de plantes tropicales et des suspensions fleuries se balancent doucement contre les murs passés à la chaux. Isabella ralentit encore en arrivant devant le Sun Inn. La poste est juste à côté mais Isabella ne voit pas de place pour s'arrêter. De plus, la route se divise en deux. À gauche, elle grimpe très fort après un virage en épingle à cheveux. À droite, elle se transforme au bout de quelques mètres en un chemin pavé et encaissé qui aboutit à la mer. À gauche, tout en haut, le Ship Inn, un autre pub, surplombe la route de ses pignons Tudor. Des gens sont assis à l'extérieur.

Elle hésite à prendre la route de gauche, dont la pente semble presque verticale. Isabella imagine sa voiture en train de caler et de redescendre en marche arrière. Elle se décide pourtant et, résolument, enfonce l'accélérateur. La MG grimpe péniblement et, tout le temps de sa lente ascension, Isabella serre les dents. Elle rit de soulagement quand elle atteint enfin le sommet.

Quand elle sort de la voiture, le vent lui emmêle les cheveux. Les goélands crient et planent au-dessus d'elle. D'enthousiasme, elle voudrait crier avec eux, mêler sa voix à la leur.

Assise dans sa poussette, Hannah les désigne du doigt.

– Zaux, dit-elle.

Le paysage rocheux de la pointe occidentale s'élève en falaises couvertes d'ajoncs et de fougères qui surplombent la mer. Là, elle se divise en deux promontoires, d'un côté formant une longue défense qui s'avance vers le large, et de l'autre une courbe qui se replie sur la baie dans un mouvement protecteur. Isabella y aperçoit une rangée de cottages et, derrière, une chapelle plus que banale. Au bout de la « défense » se dresse un phare. Le promontoire opposé, moins âpre et aux pentes en partie cultivées, se recourbe vers le premier comme une pince de homard déchiquetée.

Du côté où se trouve Isabella, les maisons se cachent au bout de longues allées, leur nom apposé sur la grille d'entrée ou discrètement planté dans la haie de rhododendrons. On comprend pourquoi cela s'appelle « Rhododendron Drive ». Il y règne une impression de prospérité. Ici, se dit Isabella, vivent les professions libérales, les retraités, les avocats, les entrepreneurs locaux. Les pelouses ont des teintes d'émeraude sous la bruine des systèmes d'arrosage intégré. On y joue au croquet, c'est sûr. On donne aussi des cocktails le samedi – peut-être même y sera-t-elle invitée un jour.

Et que faites-vous ? demande-t-elle à un homme aux cheveux d'argent, vêtu d'un blazer bleu marine.

Eh bien, je suis à la retraite à présent, mais j'étais magistrat... Et les yeux du juge plongent en elle...

Pendant quelques instants, le vent retombe et elle entend une tondeuse dans le lointain. Puis un bruit plus proche. Cela vient du talus, presque sous ses pieds. Un bruit à peine perceptible tant qu'on ne l'a pas isolé. À partir de là, cela semble s'amplifier et devenir très insistant, comme un défi à l'automne qui approche, un défi au froid et à la brièveté de la vie : des grillons. Elle en a rarement entendu en Angleterre. Leur musique la remplit de joie et soulève en elle un élan vers quelque chose d'indéfinissable mais de très important.

Une nouvelle bourrasque couvre le bruissement des grillons.

Lentement, elle descend la colline en poussant Hannah. Les constructions se succèdent le long de la pente, leurs toitures forment un immense escalier aux marches disjointes. Des allées partent de la petite route pour aboutir à de vastes terrasses ou à des marches qui cascadent jusqu'à la mer sous des arceaux de verdure.

L'odeur du sel et des algues emplit ses poumons, réveillant le souvenir lointain d'une ancienne exaltation.

Au Ship Inn, elle détache Hannah, qui cherche automatiquement sa main. Ce geste spontané de confiance la remplit d'émotion. La petite taille de l'enfant – elle lui arrive à peine à la cuisse – éveille en elle un farouche sentiment de protection. Elle se demande toujours comment on peut faire du mal à quelqu'un d'aussi petit. Un jour, elle a lu que certains oiseaux protègent leurs petits des prédateurs en feignant d'être blessés pour détourner l'attention. Cela l'avait émerveillée.

À l'entrée du port, on voit le petit bureau en planches des gardes-côtes et le vieux hangar à bateaux en granit, flanqué d'une cabane délabrée. Isabella jette un coup d'œil dans la cabane où règne la pénombre. Elle devine un grand winch. Une bouée de sauvetage est attachée près de la fenêtre, à l'extérieur ; en dessous figure un texte du ministère interdisant l'entrée des animaux en Grande-Bretagne. Elle s'arrête pour le lire, curieuse. Elle s'intéresse aussi à la liste des droits de port. On a l'impression que la notice est là depuis une éternité, compte tenu de son état. Le langage est démodé et elle se prend à sourire tout en lisant. Cela donne à l'endroit un caractère immuable qui la rassure. Plus que tout, cette notice officielle lui fait toucher du doigt à quel point sa vie est en train de changer. Elle, la Londonienne chevronnée, dans un village isolé qui vit encore de la mer et de la pêche, un village dont les habitants sont liés à la mer et à la pêche depuis des générations...

Un muret couvert de mousse entoure le bâtiment. Un garçon et une fille y sont assis, dos à dos. Ils boivent à même leurs canettes de soda et se retournent pour s'embrasser entre deux gorgées. Très jeunes, quatorze ans tout au plus. Et ils fument.

Ne fume jamais, lui a dit sa mère sur son lit de mort.

Les bateaux de pêche sont tirés au sec sur une cale en béton. À côté de l'un d'eux, sur une bâche canevassée, des seiches se tordent avec des souplesses de danseuses. L'enfant regarde le spectacle en ouvrant de grands yeux fascinés. Deux autres barques de pêche sont tirées sur les galets. Un homme est en train de repeindre un numéro d'immatriculation et touche sa casquette de jean quand elles passent près de lui. Un jeune pêcheur aux cheveux décolorés par le soleil et tatoué d'une ancre sur le bras est en train de démonter son moteur hors-bord.

Elles se frayent un chemin vers l'eau, entre les lourdes chaînes d'ancre et les mouillages, les casiers à homards, les filets et les paquets d'algues. Leurs pieds s'enfoncent dans le sol de galets et de sable avec un crissement. Hannah soulève une jambe après l'autre avec hésitation, très haut, ce qui lui donne une allure assez drôle, un peu comme un cheval d'attelage. Elle attend avant de reposer le pied et de tester le sol.

La marée est basse, laissant à découvert une étendue luisante. Elles s'arrêtent à la limite où commence le sable mouillé. Hannah fronce les sourcils, perplexe devant l'immensité de l'eau. Elle se tourne ensuite vers Isabella dans l'attitude de quelqu'un qui guette une explication.

– C'est la mer, dit Isabella en la désignant du bras.

Elle lui répète le mot à plusieurs reprises.

– Mer.

– Bravo ! Bravo, *carina* !

Elle esquisse une ronde autour d'Hannah. Elles rient. L'enfant rit. Un rire aigu. Un son merveilleux pour Isabella. Cela justifie tout ce qu'elle a fait ces derniers jours.

Une ou deux personnes les observent en souriant. Il est vrai qu'elles doivent offrir un tableau agréable. Isabella perçoit brièvement cette image, celle d'une mère et de son enfant en train de jouer, toutes deux avec la même chevelure rousse.

Elle approche les lèvres de l'oreille d'Hannah et se désigne du doigt.

– Maman.

L'enfant ne réagit pas, trop fascinée par l'écume qui va et vient sur le sable.

– On s'en va ? Tu préfères marcher ou aller dans la poussette ?

Devant l'absence de réponse d'Hannah, Isabella se penche pour la mettre dans la poussette.

– Non, dit Hannah en secouant la tête énergiquement.

Isabella veut être sûre d'avoir bien entendu.

– Tu ne veux pas aller dans la poussette, *cara* ?

Mais elle n'obtient rien d'autre que ce « non » initial.

Cela suffit, pourtant. Ce soir, son rapport sonnera comme une victoire.

Quelques magasins s'alignent dans la rue principale : un coiffeur pour hommes, un salon de thé, un pharmacien-droguiste qui vend aussi de la laine, et le bureau de poste coincé entre le Sun et deux fours à chaux désaffectés. Elle songe que, bien des années plus tôt, c'était déjà moins dénaturé que d'autres villages – trop petit, peut-être, ou trop difficile d'accès. De plus, cet endroit ne comporte pas de plage où l'on puisse se baigner. La horde touristique préfère foncer à St. Mawes ou à Mevagissey, ou encore plus loin, à St. Austell ou Falmouth.

Devant le bureau de poste, sur un tabouret de bois blanc, est posé un panier plein d'oursins, ronds comme des melons, violets et hérissés de petites protubérances blanches, avec des faux airs de porcelaines. Un carton sur un long bâton est planté au milieu, comme un drapeau. On y a écrit avec confiance : *Servez-vous. £ 1.50 pièce. Mettez l'argent dans la boîte*. Un autre panier déborde d'œufs de ferme. À côté, des boîtes à œufs sont empilées. Il y a aussi des seaux en fer-blanc, pleins de fleurs fraîches ou séchées, ainsi que des cageots de fruits et de légumes. Tout cela est très attirant.

Babs Carrick est une femme d'à peine cinquante ans, peut-être un peu moins. Elle est très soignée et parle avec un accent américain. Isabella lui en fait la remarque.

– En réalité, c'est canadien, répond Babs. Mais je croyais passer pour une vraie Cornouaillaise !

Elle a le sourire facile et des traits nordiques assez étonnants.

Isabella lui explique qu'elle cherche un cottage à louer.
– Quelqu'un m'a parlé de celui de Timothy Abell, ajoute-t-elle.
– Vous plaisantez ? Ce n'est pas une maison, c'est un dépotoir !
– Avez-vous une meilleure idée ? J'aimerais rester à Pengarris.
– Pipi, dit à ce moment Hannah.
Isabella en reste bouche bée mais essaye de ne pas laisser voir sa surprise.
– Oh ! excusez-moi. Auriez-vous des toilettes qu'elle puisse utiliser ?
– Bien sûr... À propos...
Babs Carrick parle tout en leur montrant le chemin.
– À propos, chez Timothy Abell, les toilettes sont à l'extérieur.
Mais il n'y a rien d'autre de disponible dans le village et Babs déniche pour Isabella le numéro de téléphone de la fille reniée de Timothy Abell. Elle prend la peine de le lui écrire sur un bout de papier.
– Vous pourrez toujours venir prendre un bain de civilisée chez moi ! propose-t-elle. Je serais contente que vous vous installiez dans le coin. Ce serait bien d'avoir quelqu'un pour... enfin, vous me comprenez.
– Oui.
Isabella sait qu'elle vient de trouver une amie.
Le cottage se trouve à cinq minutes de marche. Il fait partie de ceux qu'elle a remarqués plus tôt sur le promontoire ouest. C'est la dernière d'une rangée de quatre maisons attenantes, blanchies à la chaux. Un chemin de ciment qui va jusqu'au phare permet d'atteindre la maison depuis la route. En contrebas, des marches taillées dans la pierre mènent à un ponton en bois et à la crique, mais seulement à marée basse.
À l'abri des rafales sous le porche de la maison, un bras autour d'Hannah, Isabella entend la mer qui brise sur les rochers. Elle a la vue sur tout le port, une partie

du village et le promontoire opposé. Derrière les maisons, la colline est en pente raide, avec des touffes de bruyère pourpre entre les ajoncs jaunes et les fougères. Un court sentier pavé monte jusqu'à l'austère petite chapelle, peu faite pour la pousser à la religion. Au-delà, le sentier grimpe et zigzague à perte de vue.

Les fenêtres du cottage ont dû être remplacées dans les années soixante. Elles sont incrustées dans des murs d'un bon demi-mètre d'épaisseur. Quand Isabella pose les coudes sur l'appui, des fragments de peinture bleu cobalt et de bois décomposé se détachent. Par les vitres sales, elle devine une petite pièce carrée aux murs kaki, et un fauteuil à bascule. Elle fait le tour avec Hannah, cherchant à en voir un peu plus malgré l'état des carreaux. Les toilettes sont en effet à l'extérieur. C'est un cagibi immonde, plein de feuilles mortes, de boue, de toiles d'araignées et qui pue la vieille urine. Mais on pourrait les nettoyer et ce n'est qu'à un pas de ce qui semble servir de cuisine. En se dressant sur la pointe des pieds, elle aperçoit en effet un grand évier en faïence. Elle essaye d'imaginer leur vie : tout repeindre en blanc, des tapis, des plantes, quelques meubles corrects à bon marché. Cela ne devrait pas coûter une fortune.

Le soir même, elle appelle la fille de Timothy Abell, qui répond d'une voix curieusement monotone. On dirait l'un de ces animaux, les paresseux, venant de se réveiller. Elle n'est pas du tout étonnée par le coup de téléphone d'Isabella. Elles se mettent d'accord sur un rendez-vous pour le lendemain. Ensuite, Isabella interroge son répondeur.

Salut, c'est moi, dit Peter. Il parle du ton timide qu'il avait lors de leur rencontre. *Où es-tu ? J'ai essayé de t'appeler deux fois sans te trouver*. Une pause suit, comme s'il cherchait ses mots. *Tout va vraiment très bien... Écoute...* Une nouvelle pause. *J'ai besoin de te parler. Peux-tu m'appeler ?* Il articule très clairement en donnant le numéro où elle peut le joindre.

Elle ne prend même pas la peine de le noter. À quoi bon ? C'est seulement pour lui dire qu'il veut rompre. Que ressent-elle ? Rien. C'est une autre femme qui était avec lui.

Ensuite un message d'une femme de son groupe de réflexion de Femmes du monde, qui demande si la prochaine réunion peut avoir lieu chez Isabella, car l'amie qui devait les recevoir a été hospitalisée d'urgence.

Son agent : *Désolé, j'ai perdu votre numéro de portable. J'espère que vous aurez mon message. Nous avons le contrat. Appelez-moi dès que possible.*

Cette fois, elle rappelle. Installé à son compte depuis peu, il est jeune et enthousiaste. Il a gardé une allure d'étudiant joufflu et porte des nœuds papillon.

– Eh bien, félicitations ! dit-il en entendant la voix d'Isabella.

Il lui explique qu'on est en train d'établir le contrat. Elle l'entend presque se frotter les mains.

– Cinq mille livres ! J'ai réussi à les faire monter à cinq mille au lieu de quatre mille cinq cents. C'est bien, non ?

– Formidable !

– Le règlement en trois fois comme d'habitude : à la signature, à la remise et à la publication. Vous avez six mois pour le faire. J'ai trouvé tout cela très correct.

Elle traduit : dix pages par jour, six cents pages en soixante jours... Cela lui laisse du temps pour un autre travail. Mais il y a Hannah. Elle doit aussi s'occuper de rendre le cottage habitable. Elle calcule rapidement : elle a au moins dix jours avant la signature du contrat. C'est suffisant pour remettre la maison en état. Encore une semaine pour finir de tout installer et elle pourra se mettre au travail.

– D'accord, ça ira.

– Vous n'avez pas l'air très emballée, dit-il d'un ton brusque.

– Mais si, c'est vraiment formidable.

– Et la Cornouaille ?
– Merveilleux.
Elle lui redonne son numéro de portable en promettant de lui transmettre son adresse pour le contrat.

Elle dîne seule, dans la salle du rez-de-chaussée de l'auberge. Hannah a mis plus longtemps que d'habitude à s'endormir, surexcitée, pleine de cette énergie artificielle qui naît d'une grande fatigue et finit dans les larmes. Toutes les dix minutes, Isabella monte voir si tout va bien. Il n'y a qu'une autre table occupée, par un couple âgé. Ils ne se parlent pas, sauf pour des commentaires aussi brefs que possible.
– La viande est bonne.
– Oui.
Mais pas un instant ils ne lèvent les yeux de leur assiette. Isabella a eu l'habitude avec ses parents. C'était le silence ou les cris, rarement autre chose. Mais son père la regardait, elle, Isabella, avec beaucoup d'amour. Sa mère était-elle jalouse de leur complicité ? Et il a détruit cela dans un unique moment d'égarement.
Elle termine son repas – poulet à la sauce moutarde – et va chercher un second verre de vin au bar. Plusieurs hommes y sont accoudés devant une pinte de bière. Dick est en grande conversation avec un immense barbu vêtu d'un jean enfoncé dans des bottes. Lizzie, la femme de Dick, toute rose de la chaleur de ses fourneaux, apparaît avec une assiette dans chaque main. Deux hommes quittent le bar pour se diriger vers une table.
– Le poulet était bon ? demande-t-elle à Isabella pardessus son épaule.
– Délicieux.
– Là, vous lui faites plaisir.
C'est Dick qui intervient, interrompant sa conversation avec le géant.
– C'est la première fois qu'elle fait cette recette et elle

se demandait si ça plairait. Celui-là, c'est la maison qui vous l'offre, ajoute-t-il en remplissant son verre.

– C'est vous qui avez la MG ? lui dit l'homme à la barbe.

– Oui.

Elle n'en croit pas ses yeux. Il doit faire plus d'un mètre quatre-vingt-dix.

– J'en ai eu une pendant longtemps. Mais un modèle plus récent, avec des pare-chocs chromés. Le Roadster, pas la GT.

Sa voix est aussi douce qu'il est grand. Les mots semblent rouler dans sa bouche. Il a un visage ouvert et honnête.

– Vous l'avez vendue ?

– Oui, il y a plusieurs années.

– Vas-y, Aidan.

Dick se penche sur le comptoir et enfonce un doigt dans l'épaule du géant.

– Vas-y, dis-lui ce que tu as maintenant.

– Mais non, c'est sans inté...

– Il a une vieille Aston et une XK 150 !

– Arrête, Dick ! Je retape les vieilles Jaguar, explique Aidan à Isabella.

Il a l'air de s'excuser comme s'il craignait de passer pour un poseur. En réalité, cela le rend très sympathique.

– Aidan a le garage au coin de la pelouse, lui apprend Dick.

– Oh ! c'est drôle ! J'ai noté votre numéro de téléphone, ce matin. J'ai sans arrêt des problèmes avec ma voiture.

Tout en parlant, elle revoit nettement le mécanicien et son regard malsain. Elle fait un effort de volonté pour effacer l'image de son esprit.

– En fait, je crois que la suspension est morte.

– Cela n'aurait rien d'étonnant avec un modèle aussi

surbaissé. Et nos routes n'ont certainement rien arrangé.

– Je m'en suis rendu compte !

– Il y a un creux qu'on ne voit pas dans la route entre ici et Pengarris et qui l'achèvera, si ce n'est déjà fait.

– J'y ai eu droit !

Deux fois. À l'aller et au retour. Elle a cru que sa voiture s'envolait avant de retomber avec un bruit déchirant. Il rit quand elle le lui raconte. Son rire rappelle un léger tremblement de terre.

Elle finit son verre, en offre un à Dick et en commande encore un pour elle. Elle propose à Aidan de lui en offrir un.

Il refuse.

– Je suis vieux jeu, vous savez, dit-il. Ce n'est pas à une femme de payer. C'est moi qui offre la prochaine tournée.

Le ton est sans réplique.

Elle apprend encore qu'il fait partie d'un groupe de jazz et qu'ils jouent dans des manifestations locales ou dans des pubs.

– J'avais un groupe, moi aussi, à la fac. Les Louves ! J'étais la guitariste.

– Pas possible !

Ils se sourient. Elle se sent un peu pompette, détendue, avec l'envie de s'amuser. Envie d'Aidan, aussi. La dernière fois, avec Peter, c'était il y a cinq jours. Elle sent son corps qui s'éveille, se met à vibrer.

– Si vous avez besoin d'une guitariste... suggère-t-elle.

– Eh ! je pourrais bien vous prendre au mot.

– Vous devriez faire un marché, vous deux, interrompt le voisin d'Aidan.

Il est déjà bien parti et il a du mal à articuler.

– Ah oui ? Lequel ? demande Aidan.

La mousse de sa bière est restée accrochée dans sa moustache noire et dans sa barbe. Il ne le sent certainement pas mais il doit savoir ce qu'il en est car il y passe la main pour s'essuyer. Elle se demande quelle sensation lui donnerait la barbe d'Aidan sur sa peau à elle.

L'ivrogne reprend :

– Elle joue dans ton groupe et tu lui répares sa suspension...

– Ça suffit, Ed.

Il n'y a plus la moindre trace d'humour dans la voix d'Aidan.

– J'ai du travail, maintenant, dit brusquement Isabella.

– Bravo, Ed, tu as offensé une dame, lui reproche Dick d'un ton fâché.

– Meuh non, elle est pas offensée, pas vrai ?

– Je dois aller travailler.

C'est exact, mais ce n'est pas la vraie raison de son pressant besoin de partir, pas plus que les insinuations de l'ivrogne, dont elle se moque complètement. Ce n'est même pas le besoin de veiller sur Hannah, qui lui sert pourtant de deuxième excuse. Dans l'entrée vient d'apparaître le mécanicien qui la fixe. Depuis combien de temps est-il là ?

Comme en écho à ses pensées, Aidan l'appelle :

– Luke ? Ça fait longtemps que tu es là ? Viens par ici.

Le jeune homme se faufile à travers la salle jusqu'à eux. Il a une curieuse démarche, silencieuse, un peu en biais comme un crabe. Il a le crâne pratiquement rasé, à peine quelques millimètres de cheveux.

– Voilà Isa... Euh... Mme... Quel est votre nom ? lui demande Aidan.

– Mme Mercogliano.

Les syllabes ont eu du mal à franchir ses lèvres.

– Mme Mercogliano a une MG et il faudrait vérifier la suspension.

Sur le tabouret de bar voisin, Ed part d'un rire gras. Le mécanicien, debout juste à côté d'elle, grommelle quelque chose d'inintelligible et évite ses yeux.

– C'est un nom italien, non ? demande Aidan.
– Oui. Excusez-moi. Je dois vraiment...
Avec un geste de la main, elle s'enfuit vers l'escalier sans terminer son verre. Elle se sent inquiète au-delà de toute raison.
Hannah gémit dans son sommeil mais s'arrête quand Isabella lui caresse le front.
Elle allume sa lampe de chevet et s'assoit devant son ordinateur, posé sur la table que Dick lui a fournie. D'en bas lui parvient une voix qui dit :
– Ça, c'est un départ sur les chapeaux de roue !
– Je la trouve assez mystérieuse, moi.
– Il paraît qu'elle veut louer le cottage de Timothy Abell.
Mercredi soir, 4 septembre. Que fait-elle, ici ? Dire que sur la cheminée de sa cuisine de Hampstead l'attend une invitation sur bristol pour la première d'une pièce au théâtre Royal. Un autre monde. Après aura lieu une réception : beaucoup de minauderies et de critiques assassines de la pièce, beaucoup de canapés et de champagne, aussi.
Elle termine sa traduction de la plaquette de société. Cela partira au courrier de demain. Une bonne chose d'expédiée. Elle écrit ensuite son rapport du jour sur les progrès de l'enfant puis se prépare à se coucher. La pluie tombe enfin, tapant sur la fenêtre avec des doigts de dactylo.
Allongée sous la couette, le corps tendu et parfaitement immobile, elle se souvient de son deuxième foyer d'accueil. Le garçon, le fils de la maison, avait le même regard que le mécanicien. Le même regard obsédant, presque fou, qui attirait, hypnotisait et donnait envie de prendre la fuite. Elle a refoulé ce souvenir avec bien d'autres.
Elle rêve, cette nuit-là. Un homme la prend tendrement dans ses bras et la protège. Elle ignore son nom, mais c'est moins important que le sentiment de sécurité

et d'amour qu'elle éprouve dans son âme. Ce n'est pas de la passion mais de la tendresse, la certitude d'un amour profond et tolérant. Un intense bien-être l'envahit à partir de la plante des pieds. Elle sent le désir monter en elle mais c'est sans importance par rapport à la sérénité qu'elle éprouve. Le corps de l'homme est comme un Everest. Elle le regarde et lui sourit mais, bien que les yeux de l'homme débordent de bonté, elle ne voit pas qui il est. Mais elle veut rester avec lui pour toujours.

Dans son rêve, elle pleure d'émotion. Cela l'éveille et elle ressent une affreuse solitude de veuve.

5

Sixième jour, vendredi.

Le vaste paysage et les collines fertiles ravivent ses souvenirs. Elle avait environ quatre ans. C'est son premier souvenir d'une sortie à la campagne. Avant cela, il n'existe dans sa mémoire que de minuscules fragments déformés : l'image d'une chambre, quelques notes de musique, sa mère qui installe les tables du restaurant, la rue éclairée par les lampadaires qu'elle aperçoit depuis sa chambre et qui s'étire comme un collier de topazes, un centre commercial assez semblable à celui où elle a trouvé Hannah. Bien sûr, ces fragments aux contenus variés sont reliés entre eux par la permanence des lieux. En revanche, elle se souvient de ce jour précis comme d'un moment unique, parfaitement isolable dans la répétition de sa vie quotidienne ; le premier aperçu conscient de l'existence d'un monde au-delà de celui de tous les jours, l'existence d'un espace infini, avec l'envie de crier de joie devant cette découverte.

Peut-on, à l'âge qu'elle avait alors, vraiment apprécier la beauté ? Depuis, elle a vu des paysages bien plus impressionnants que Box Hill mais c'est cette première rencontre avec un monde plus vaste qui l'a marquée pour toujours.

Son père l'avait emmenée. Ils étaient partis seuls, tous les deux, dans sa nouvelle Singer Gazelle d'occasion, rouge. De temps en temps, tout en conduisant, il lui pressait la main en un geste tout à fait innocent. Elle l'entend encore lui dire : « C'est chouette d'être juste tous les deux, hein ? » Il lui parlait toujours dans sa langue maternelle. Il n'a jamais fait de grands progrès en anglais. La mère d'Isabella avait dû apprendre l'italien. Isabella se souvient de la façon dont son père avait chanté pendant cette excursion (qui lui avait semblé très longue, à elle, et même interminable). Et elle qui riait de plaisir, heureuse d'être délivrée des cris incessants. Son père avait une belle voix. Son amour de l'opéra, c'est à lui qu'elle le doit. Il connaissait tous les grands airs du répertoire. *La donna è mobile*, chantait-il à tue-tête de sa voix de baryton. De temps en temps, il marquait la mesure de la tête et la regardait en souriant pour guetter ses réactions.

Ti amo, cara.

Il était assez corpulent et d'une taille légèrement supérieure à la moyenne, avec une grosse tête couronnée d'une chevelure noire ondulée dont il était très fier – elle l'a souvent surpris en train de la peigner avec des grognements de satisfaction – et ces yeux noirs dont a hérité Isabella. Il avait un nez proéminent avec une peau pleine de cicatrices, souvenir d'une féroce acné juvénile. Sa bouche traçait une ligne intransigeante entre des pommettes et une mâchoire très accusées. Il passait en un clin d'œil de la morosité à la bonne humeur, avec un humour ravageur et un goût prononcé pour les farces. Ce côté jovial dégénérait aisément en crises de colère ou de désespoir. Des années plus tard, Isabella a retrouvé des traits de caractère semblables chez Tom.

Ce jour-là, à Box Hill, ils ont déjeuné dehors, dans le jardin d'un hôtel. On était en été et elle revoit encore sa robe, bleu pâle avec des manches bouffantes et des smocks. À l'époque, on mettait aux enfants leurs plus beaux habits pour aller en promenade. Elle a sali sa robe en se laissant rouler avec jubilation au bas d'un talus trop tentant. Sa robe et ses socquettes blanches étaient pleines de taches vertes et ses chaussures rouges toutes neuves portaient de grandes éraflures. Elle a pleuré en constatant l'état de ses chaussures – elle avait été tellement contente de les avoir ! – et à l'idée de la colère de sa mère en découvrant les dégâts.

– Je lui dirai que tu es tombée, l'avait rassurée son père d'un ton de conspirateur, lui qui l'avait encouragée à se laisser rouler dans l'herbe.

Un autre souvenir du même jour, un incident qui avait presque gâché le reste de cette merveilleuse journée. À quelques mètres de leur table, il y avait un court de tennis. Elle regardait un couple en train de jouer quand, sous ses yeux, un oiseau était venu se prendre dans le grillage. On aurait dit qu'il avait délibérément foncé dedans. Pendant un moment, il avait essayé de se dégager en battant des ailes, la tête coincée dans les mailles en fil de fer, une aile à un angle anormal, puis ses yeux noirs s'étaient fermés et il était devenu tout mou. Isabella s'était mise à hurler, debout devant le grillage – hurler exactement de la même façon qu'Hannah. Son père et d'autres personnes s'étaient précipités. Qu'est-ce qui t'est arrivé ? Elle ne pouvait que sangloter. Son père l'avait prise dans ses bras, ses bras protecteurs et pleins d'amour, pour la bercer et la câliner. Rien d'inhabituel. Rien que l'inquiétude et l'amour d'un père pour son enfant.

Elle préfère ne pas penser à lui.

La MG dépasse l'école primaire encore vide. Cela déclenche une nouvelle vague de souvenirs. Quand elle était en cinquième, les élèves devaient aider à essuyer la vaisselle et les couverts. Il n'existait pas de machine à laver dans cet établissement. Isabella revoit très bien la cuisinière mal embouchée et aux bras comme deux énormes salamis. Elle sent encore sa nausée devant les assiettes qu'elle devait essuyer, plongées dans une eau marronnasse où flottaient des morceaux de viande, de légumes et de gras. Les élèves appelaient ça le minestrone. À qui le tour de minestrone ? Et les couverts puaient l'haleine douteuse. Elle attend avec d'autres filles et des garçons. L'infirmière de l'école leur passe dans les cheveux le peigne à poux qu'ils ont surnommé le « râteau à poux ». Si sa mère avait été encore en vie, elle aurait pris cela comme une insulte personnelle, elle et son obsession de la propreté !

– Les poux aiment beaucoup les cheveux propres, répétait l'infirmière d'un ton joyeux, grattant leurs pellicules pendant qu'ils protestaient.

L'une des dernières images de sa mère avant son hospitalisation : elle fait briller le sol de la cuisine du restaurant avec des chiffons à poussière attachés à chacun de ses pieds. Soudain, dans un de ses rares moments de gaieté, elle se met à danser le twist tout en briquant le sol.

– Quand j'étais jeune, tout le monde apprenait à danser correctement, dit-elle. Peu importait ton milieu, tu devais être capable de danser le fox-trot.

Isabella a eu ainsi un bref aperçu de la vraie personnalité de sa mère, de ce qu'elle avait été avant de gâcher sa vie.

Elles arrivent au garage d'Aidan. Il est dehors, seul, en train de changer une roue. Il s'est enfoncé une casquette de base-ball sur la tête pour se protéger du crachin. Son bleu de travail est taché. Isabella klaxonne et s'arrête. Il vient vers elle, souriant, tout en s'essuyant les mains sur les cuisses. Il se penche sur la portière du conducteur. Son visage et sa barbe remplissent presque entièrement la vitre. Il a des traces noires sur les joues, et de la pluie brille dans sa barbe. Isabella baisse la vitre et passe la tête à l'extérieur. Elle éprouve une joie incontrôlable à le revoir, elle a envie d'essuyer les gouttes dans sa barbe, le cambouis sur ses joues.

– Je pensais à vous, tout à l'heure, dit-il spontanément. Alors, comment ça va, vous deux ?

– Bien. Très bien. On va voir le cottage de Timothy Abell. Je voudrais le louer.

– On pourrait en faire quelque chose de bien, remarque-t-il d'un ton pensif, tout en hochant la tête.

C'est la première personne à ne pas réagir négativement à cette idée. Cela lui fait chaud au cœur. Il a quelque chose qui inspire la confiance, une sorte d'assurance un peu démodée, un peu arrogante, qui semble dictée par son expérience : s'il dit quelque chose, c'est que c'est vrai.

– C'est ce que je pense, moi aussi, répond-elle. Écoutez, je suis désolée pour hier soir. J'ai dû vous paraître un peu abrupte. Je suis partie très vite.

– On peut le dire, oui, mais je ne vous le reproche pas. Ça devenait un peu... comment dire ? Lourd ?

Pendant un instant, elle est tentée de lui avouer la vérité : ce n'était pas cela, ni cela, ni... Mais le mécanicien est son employé. Une pause s'ensuit où ils se contentent de se sourire l'un à l'autre.

Sa haute stature pliée en deux pour être à la hauteur de la voiture ; l'horrible casquette de base-ball qu'il rend presque élégante ; ses yeux honnêtes et bons – elle enregistre tout cela.

– Bien, je crois que je dois...

– Je me demandais, l'interrompt-il. Je veux dire, c'est peut-être présomptueux de ma part...

Il se frotte la barbe puis les sourcils.

– Mais je me demandais si ça vous ferait plaisir d'assister à un de nos concerts, un soir ?

– Oui, beaucoup. Oh ! *madre*...

Elle se souvient d'Hannah.

– Je ne peux pas, il y a Hannah.

À la mention de son nom, l'enfant jette un coup d'œil plein de vivacité par-dessus l'ours en peluche avec lequel elle est en train de jouer. Autrement dit, elle connaît son nom !

– Je crois que Lizzie pourrait s'occuper d'elle, même si elle est prise. Sinon, il y a Sophia. Vous vous souvenez de Luke, celui qui travaille pour moi ? Vous l'avez rencontré la nuit dernière. Sophia est sa femme. Elle garde des enfants et fait des ménages. Elle est aussi italienne, ou à moitié, enfin je ne sais pas très bien. Je m'apprêtais à vous en parler mais vous ne m'en avez pas laissé le temps. Vous étiez déjà partie, comme si on avait lancé un arrêt de mort contre vous ! Bref, elle peut vous dépanner.

– Je ne sais pas...

Elle ne veut rien avoir à faire avec le mécanicien.

– Vous n'avez pas à vous inquiéter. C'est une gentille fille. Je sais que Luke peut être un peu... bon, entre vous et moi, il est un peu bizarre mais c'est un excellent mécano. Elle n'est pas comme lui. Je ne sais pas ce qu'elle lui trouve, à dire vrai. Elle est assez timide et elle adore les gosses. Si je le lui demande, elle viendra à l'auberge.

– Alors, comme ça, c'est bien. Merci.

Elle lui donne le numéro de son portable, qu'il écrit sur sa main au stylo bleu.

– Samedi ? Cela vous irait, samedi ?

– Très bien, oui. Très bien.

C'est incroyable : il l'intimide. Elle, Isabella, la femme du monde, est frappée de timidité. Elle se trouve hors de son environnement habituel, sortie de son petit univers sophistiqué.

– À sept heures et quart, ça vous convient ? Je dirai à Sophia d'être là un peu avant pour qu'elle puisse faire la connaissance de votre fille.

– C'est une bonne idée.

Elle est étonnée par cet homme qui prend les choses en charge et qui la respecte. Normalement, c'est elle qui tient la barre et cela la change.

Il se redresse lentement.

– Alors, à bientôt, dit-il avec une petite tape sur le rebord de la portière.

– À bientôt.

Un rendez-vous avec un homme ! Est-ce bien un rendez-vous amoureux ?

– N'oubliez pas le trou dans la route, lui crie-t-il quand elle démarre.

Hélas ! elle l'oublie et ne peut que serrer les dents.

– Iiiii, crie joyeusement Hannah quand la voiture décolle et retombe.

– Vilaine voiture, dit Isabella.

– Laine ture, reprend l'enfant en écho.

Le ciel est couleur de thé, les deux promontoires jumeaux perdus dans la brume. Le village fait le dos rond sous un fin rideau de pluie. La mer est d'un gris vaseux.

Janet Abell les attend au cottage. Elle doit avoir une cinquantaine d'années, bien que ce soit difficile à dire. Elle a un visage lunaire marqué de couperose mais sans rides, des yeux bleus larmoyants et une bouche en bouton de rose qui fait penser à Isabella au nœud d'une baudruche. Sa tête est couverte d'une écharpe mais quelques mèches jaunâtres s'en échappent. Elle a la même voix monocorde qu'au téléphone, comme un robot, comme si elle avait péniblement appris que dire dans tel ou tel contexte, comme si on lui avait incorporé un programme avec les mots appropriés. Sa conversation est relativement normale mais la monotonie du ton lui confère un total manque d'émotion. Ses gestes sont gauches et mal coordonnés et, quand elle parle, ses traits restent immobiles. Isabella se demande si elle n'est pas légèrement autiste.

Son fils l'accompagne, un garçon obèse de huit ou neuf ans, atteint de trisomie. Il se tient debout dans l'entrée comme un lourd tronc d'arbre, la main mollement enfouie dans celle de sa mère, la langue, épaisse et rose, pendant de sa bouche grande ouverte. Il bave. Du pied, il tape et frotte le sol sans le quitter du regard. Hannah ne peut en détacher les yeux. Isabella la sent se crisper et la soulève dans ses bras. Le rêve qu'elle a fait plusieurs nuits auparavant, quand elle était encore à

Londres, lui revient soudain : elle avait adopté un garçon trisomique. Bizarre...

– Vous voulez-visiter-la-maison ? demande Janet Abell de son ton d'automate.

– Si cela ne vous dérange pas.

– Non. C'est dans-un-état-affreux. Je n'ai – pas – mis les – pieds – ici – depuis des – années. Je ne – savais pas que – c'était aussi – affreux. Je suis – vraiment – désolée.

– Je vous en prie, ce n'est pas grave. Vous n'y êtes pour rien.

La maison est en effet dans un état épouvantable mais Isabella ne s'attendait pas à autre chose, compte tenu de l'aperçu qu'elle en avait déjà eu la veille. De toute évidence, personne n'est entré dans le salon depuis la mort de Timothy Abell. Le tapis fait penser à un chien galeux et le plafond est bruni par la fumée de cigarette. Dans l'âtre, des restes de bûches carbonisées émergent d'un tas de cendres. Il y a encore des bouteilles sur la table basse en plastique, ainsi que des chopes, des verres, et un cendrier qui déborde de mégots. Isabella imagine très bien le vieil homme, un nez d'aigle dans un visage décharné. Chaussé de pantoufles, il se balance sans fin dans son rocking-chair en Skaï marron. Il a un verre de bière dans la main, une barbe argentée de plusieurs jours, et il s'absorbe dans le spectacle de la télévision. On sent une odeur de renfermé, d'humidité, de tabac, mais aussi d'haleine de vieil homme. Par-dessus tout, le mauvais caractère et la solitude. Un homme qui ne voulait pas de visiteurs chez lui. Pourtant, à sa grande satisfaction, Isabella découvre un téléphone.

La cuisine est petite, sombre et graisseuse mais séparée par une porte de l'arrière-cuisine, où se trouve l'évier. Isabella se dit qu'elle l'enlèvera pour gagner de la place. Après, la salle de bains, du moins si on peut appeler cela une salle de bains. Il y a une baignoire sabot avec un rebord pour s'asseoir. La place manque. À présent, l'étage. Les rideaux des deux chambres sont fermés.

Dans la plus grande des deux pièces, le lit n'a pas été fait. On y voit encore le creux laissé par le vieillard. Est-il mort ici ? Le plancher, qui donne l'impression d'onduler sous les pieds, est jonché de vêtements : un caleçon, un pantalon gris, un cardigan beige, une robe de chambre bleu marine. Le tout est imprégné d'une odeur de vieux, de transpiration et de cigarette. Isabella est terriblement émue par le spectacle poignant de cette intimité.

– Je – commencerai – par tout – nettoyer – bien – sûr, dit Janet quand Isabella lui annonce son intention de repeindre l'intérieur.

– C'est – dégoûtant, ajoute-t-elle.

Pour la première fois, Isabella croit déceler une légère émotion dans sa voix.

Quand Isabella aborde la question du mobilier, une note de colère apparaît dans la voix de Janet.

– Je vais – tout – brûler. Je – serai – contente de – tout brûler. Ses – habits – aussi. Il était – méchant – vraiment. Ce – week-end. Je ferai – tout ça – ce week-end. Vous pouvez – venir – à partir – de lundi.

– Comment ferez-vous pour enlever les meubles ?

– Je – connais – quelqu'un.

Le « quelqu'un » reste mystérieusement en suspens.

Ensuite, elles parlent du loyer. Isabella propose quatre cents livres mensuelles pour une période de six mois.

– Oh ! non – c'est trop ! proteste Janet. Surtout si – vous – l'arrangez.

Elle a raison. Elles se mettent d'accord sur deux cents livres pendant les deux premiers mois et quatre cents après. Dans la cuisine, Isabella rédige un chèque à titre de premier versement, après avoir vérifié que Janet possède un compte bancaire.

– Oh ! non – ce n'est – pas – nécessaire !

– Je vous en prie, prenez-le.

Elle le pousse vers Janet à travers le plan de travail en Formica, sur lequel traîne une assiette avec des restes de nourriture en putréfaction. Un couteau et une fourchette sont posés par-dessus, nettement alignés. À côté de l'assiette se dresse une bouteille de ketchup ouverte dont le contenu a tourné au vert. Le dernier dîner de Timothy Abell. Isabella éprouve une soudaine pitié pour lui, en dépit de tout ce qui révèle son caractère acariâtre. Sa solitude s'étale dans toute la maison, aussi visible que la saleté. Elle se sent encore plus triste pour cette femme à la vie difficile et qui n'a jamais eu de chance – son amour perdu, sa bizarrerie, sa gaucherie, et son fils. Il est en train de grommeler tout en fourrageant dans son nez avec la main gauche. Dans l'autre main, il écrase un chausson au pâté que sa mère vient de lui donner. Reste le « quelqu'un ». Isabella n'a pas oublié le « quelqu'un ». Ce doit être un homme. Un autre homme marié ? Pas pendant le week-end. Elle espère que ce n'est pas une autre aventure sans suite. On imagine bien les hommes profitant d'une Janet Abell prête à succomber avec gratitude.

– Vous êtes – très aimable.

Janet plie soigneusement le chèque et le range dans son sac. Elle rabat le fermoir lentement et fermement.

– Pas du tout. Vous me rendez vraiment service.

Isabella pense-t-elle vraiment qu'elle sera encore là dans six mois ? Qui peut dire ce qui arrivera d'ici là ? Elle peut seulement se réjouir quand un jour de plus se termine sans catastrophe.

Une petite fille de deux ans et demi a été portée disparue depuis le week-end. On est très inquiet à son sujet. Le présentateur de la télévision parle d'un ton solennel.

Isabella, qui travaille sur son ordinateur, sursaute, paralysée par le choc. Son cœur semble s'arrêter avant de repartir lentement puis d'accélérer comme un fou.

La mère, Mme Winnie Edwards, a lancé aujourd'hui un appel pathétique où elle demande qu'on lui rende son enfant.

La mère apparaît sur l'écran : *Si vous avez ma petite fille...* Trop émue pour parler, elle s'interrompt, les joues couvertes de larmes.

Isabella pleure aussi, refrénant un rire hystérique. Elle s'effondre sur sa chaise comme une poupée de chiffons.

La malheureuse mère est noire. Africaine. L'enfant s'appelle Louise.

Mais comment se fait-il qu'elle n'ait encore rien entendu, rien lu à propos d'Hannah ? Sa disparition pourrait-elle avoir été signalée sans qu'elle le sache ? Elle pense sans arrêt à l'angoisse que doit ressentir la mère d'Hannah.

– Oh ! Hannah, Hannah...

Elle prend l'enfant contre elle, essayant sans succès de se rassurer.

Elle était l'une des plus jeunes de son année, à la fac. Elle n'aurait dix-huit ans que dans un mois. Elle s'est tout de suite entendue avec Sally, une blonde séduisante avec des tonnes de mascara noir, et un humour de gavroche qui tranchait sur son éducation de jeune fille de bonne famille. Au deuxième trimestre, elles fondèrent les Louves. Au troisième, Isabella rencontra Tom et l'épousa pendant les vacances d'été après une nuit torride. Il avait sept ans de plus qu'elle et travaillait comme reporter au *Western Daily Press*, mais il avait de plus hautes ambitions. Il était infatigable, passionné, concentré, caustique, incroyablement savant dans de nombreux domaines, et très égocentrique. Il parlait – avec son accent de snob – à la vitesse d'une mitraillette mais, s'il s'ennuyait, il s'enfermait dans un silence agressif, les yeux mi-clos. Il était pour la décentralisation, contre la monarchie, contre l'establishment – il aurait voulu raser la Chambre des lords. Avec cela, le sosie de Steve McQueen. Il était spirituel, sardonique, séducteur, possessif et irrésistible. Comme Isabella, il aimait l'opéra et le rock. La veille de leur mariage, ils avaient fait l'amour au son du *Chevalier à la rose*, chacun avec ses propres écouteurs dans les oreilles. Après, ils étaient partis en direction du sud-ouest sur sa Harley-Davidson. Elle se souvient du rugissement du moteur, juste après avoir dit « oui ». Elle riait avec une impression d'irréalité. La seule fois où elle ait agi sur une impulsion.

Par moments, Tom l'épuisait émotionnellement. À d'autres, il la remplissait d'enthousiasme. Il n'était pas toujours rationnel et, à certaines occasions, elle se demandait même s'il n'était pas un peu fou. Une fois, tandis qu'ils prenaient un raccourci en coupant par un cimetière, il s'allongea sur une tombe et ferma les yeux. Elle se sentit consternée. On les regardait.

– Lève-toi, Tom ! Pour l'amour du ciel, lève-toi, supplia-t-elle.

– Je suis fatigué, répondit-il sans bouger. Rentre toute seule si ça te gêne. Tu te soucies trop de ce que pensent les autres.

Il n'avait sans doute pas tort.

Tout était excessif chez lui : ses obsessions, sa générosité, ses opinions, son impétuosité – un caractère opposé à sa propre maîtrise de soi. Et il suffisait qu'elle pense *Qu'ai-je fait ? Je vais le quitter, je ne le supporte plus...* pour qu'il se conduise comme l'homme le plus tendre, le plus adorable du monde. Il l'appelait sa « douce Isabella-Bella ».

Elle avait emménagé dans son studio, un loft de style américain, dans les anciens docks. On avait transformé en logements branchés un grand nombre des entrepôts qui longeaient le quai. On atteignait par une échelle de meunier le lit installé en mezzanine. Isabella adorait vivre au bord du fleuve aux eaux noires. Une brume y flottait souvent, dans une ambiance de solitude d'un autre monde. Elle aimait aussi la plainte de la sirène actionnée par un cargo ou par un remorqueur ; le mélange d'odeurs de ville, de gazole et de sel apporté par les embruns ; les cygnes et les canards toujours affamés et querelleurs. À une minute de là, se trouvait le Mermaid Theatre, où elle allait assister aux répétitions. Son livre d'autographes contenait des dizaines de noms célèbres. « Mon Dieu, que c'est bourgeois ! » avait été le seul commentaire de Tom quand il avait découvert qu'elle collectionnait les autographes. Elle pouvait aussi aller à la fac à pied. C'était pratique même pour aller à la BBC où, un soir, Sally et elle furent interviewées à propos des Louves.

– Et je suppose que vous avez rencontré votre mari dans une réception privée où vous aviez été engagée pour jouer ? demanda la journaliste.

– Eh bien...

Isabella savait que Tom serait furieux s'il écoutait.

– C'était un des invités ? Comme c'est romantique !

– C'était insupportable ! lui dit-il à son retour avant de se lancer dans une de ses terribles bouderies.

– Je passe en free-lance, lui annonça-t-il un jour de mars 1977, après un an et demi de mariage.

– Je pars pour le Vietnam, lui dit-il une semaine plus tard, après trois jours de silence. On a besoin de journalistes, là-bas.

Il rentra plus d'un an après, alors qu'elle venait d'obtenir sa licence et avait trouvé un travail. Pendant tout ce temps, elle lut ses articles, l'entendit à la radio, le vit à la télévision un micro à la main, décrivant les problèmes de la nouvelle République de son ton cassant et incisif. C'était bizarre de le voir, lui, l'étranger qu'elle avait épousé, à la télévision, en bermuda kaki, avec ses cheveux ébouriffés décolorés par le soleil et son sourire de séducteur. Il n'avait aucun lien avec elle. Ils ne s'étaient jamais rencontrés, ne s'étaient jamais mariés, n'avaient jamais fait l'amour. Pourtant, elle vivait dans son appartement. Après le flot initial de lettres et quelques essais infructueux de téléphone, la correspondance se raréfia. Il y eut peut-être deux ou trois lettres pour la forme en neuf mois, écrites par quelqu'un qui aurait pu être n'importe qui, à quelqu'un qui aurait pu aussi être n'importe qui. Elle était mariée sans l'être. Elle mourait d'envie de pouvoir se mettre en colère contre lui. Il revint alcoolique et coureur de jupons, incapable de se fixer. Sa flèche préférée pour lui marquer son mépris était : *Tu n'as aucune idée. Tu es tellement contente de toi !* Il avait des remarques au vitriol pour tout le monde.

– Ce pays pue, les gens sont si mesquins ! Mesquins, bestiaux et pusillanimes.

– Alors, pourquoi es-tu revenu ?

– C'est bien ce que je me demande ! disait-il en la transperçant d'un regard glacial et sans amour qui la faisait rentrer sous terre.

Une fois, il lui en dit un peu plus.

– Parce que le Vietnam est dans un chaos total. Parce qu'il va y avoir une escalade dans la situation avec le Kampuchea. Parce que le Nord et le Sud sont irréconciliables. Parce que je ne leur dois rien et que je ne veux pas vieillir ici. Parce que ça finit par m'anéantir. Et que j'aime ça autant que je le déteste.

Cela résumait tout. Cela le résumait tout entier. Il était en quête pour toujours. Un homme en recherche. Elle comprit qu'il ne serait jamais satisfait pendant plus de quelques mois.

– Tu bois trop.

– Arrête !

– *Madre*, c'est sans espoir !

– Oui, c'est sans espoir.

Elle divorça avant d'avoir atteint ses vingt-cinq ans et passa trois ans à Paris pour récupérer.

Septième jour.

Elle a décidé de dire à ses amies qu'elle a adopté un enfant bosniaque quand elle ne pourra plus les garder à l'écart. Elle imagine d'avance leur étonnement.

Il lui faut une éternité pour parcourir les quelques kilomètres entre Pengarris et King Harry Passage. Elle doit sans arrêt se ranger sur le bas-côté pour laisser passer les voitures qui viennent en sens inverse. À un moment, elle doit faire deux cents mètres en marche arrière à cause d'un tracteur qui ne ralentit même pas. De colère, elle lui adresse un geste insultant. Ensuite, elle est coincée derrière un autre tracteur, dont la remorque déborde de fumier. Des sortes de lanières s'envolent et s'écrasent sur son pare-brise. Il pleut de la paille.

– Beurk ! dit-elle, tournée vers Hannah, reniflant et se pinçant le nez.

Cela la fait rire. « Beueu ! » dit l'enfant en imitant le reniflement d'Isabella.

Les routes ont quelque chose de familier. Elle reconnaît un cottage particulièrement joli sous son toit de chaume et un pub blanchi à la chaux où ils avaient dîné, elle et Tom. Sur ces routes, ils roulaient à tombeau ouvert. La campagne défilait à toute vitesse. Il inclinait tellement sa moto dans les virages qu'elle aurait presque pu toucher la route de son épaule.

– Ralentis !

– Pourquoi ? disait-il en riant.

– J'ai peur.

– Ne sois pas si faible.

Mais elle ajouta : « Tu pourrais écraser un animal. » Et il ralentit aussitôt.

Elle se gare dans la file de voitures, attendant le retour du ferry qui se trouve sur l'autre rive de la Fal. Elles sortent de la voiture. Isabella entoure Hannah de ses bras et la tient bien serrée contre elle. L'air est tonique. Les goélands et les mouettes tournent dans le ciel et plongent. Un fin crachin tombe sur l'eau grise où se pressent les embarcations : pneumatiques, bateaux de pêche, petits cargos, voiliers. Le ferry ouvre son chemin avec bruit comme une énorme caisse d'acier. Ses deux proues jumelles ressemblent à des bosses de chameau.

Il s'éloigne de la rive opposée au fur et à mesure qu'il avance sur ses chaînes[1].

Elle compte à haute voix les voitures qui débarquent, et articule aussi clairement que possible à l'intention d'Hannah.

– Vingt-trois, dit-elle à l'apparition du dernier véhicule.

Leur tour est venu. Un jeune employé au visage bronzé les guide et leur indique où s'arrêter.

– N'oubliez pas de serrer le frein à main, lui rappelle-t-il. Retour ?

Elle fait oui de la tête et lui donne deux livres soixante-quinze avec un plaisir enfantin : le bateau est tellement bizarre ! Quand toutes les voitures sont à bord, l'autre employé grimpe à toute vitesse dans la cabine de pilotage, perchée sur une des proues. Du ventre du ferry monte un raclement métallique. Le moteur cogne, les chaînes grincent, le ferry glisse sur l'eau, prend de l'élan et commence la traversée.

Hannah observe tout avec des yeux d'oiseau curieux et diverses expressions se succèdent sur son visage. Elle semble hésiter puis ses traits se plissent et rougissent. Isabella la prend sur ses genoux au moment où elle commence à pleurer. Elle cache la tête d'Hannah entre ses bras, pose la joue contre le visage mouillé de larmes.

– *Carina*, tout va bien. Nous sommes sur un bateau. Regarde, on traverse la rivière pour aller de l'autre côté.

L'enfant se calme. À présent, il ne faut plus très longtemps pour la rassurer. Elle fait confiance à Isabella. On dirait qu'elle crie plus par habitude que par besoin, comme si elle pensait qu'elle doit avoir peur et se

1. Ce ferry à chaînes est un bac qui traverse la Fal en se halant sur d'énormes chaînes tendues d'une rive à l'autre. L'endroit est appelé le Passage du roi Henri en souvenir d'Henri VI qui y traversa la Fal à la nage avec son cheval. Isabella se dirige vers Truro, au fond de l'estuaire de la Fal. Truro possède un port encore actif, bien que situé à une quinzaine de kilomètres de la mer. C'est la grande ville de Cornouaille. *(N.d.T.)*

conduisait en conséquence. Peut-être, un jour, n'aura-t-elle plus peur de l'inconnu. Isabella espère en dépit de tout qu'elle sera là le jour où cela se produira. En tout cas, elle y aura contribué. Y aura-t-il quelqu'un pour le croire ?

Elle l'a amenée près du bord et lui désigne différentes sortes de bateaux, deux énormes pétroliers, les reflets sur l'eau et les cygnes.

– Et il ne pleut plus !

Elle serre l'enfant contre elle. Elle est si mignonne dans son blouson jaune avec ses boucles au vent...

Leur voiture est la quatrième à débarquer. Isabella se sent un peu étourdie, comme si elle venait de faire un tour de manège.

La route les fait passer devant les jardins de Trelissick, et une image jaillit dans son esprit, celle de l'arrière-cour du restaurant, avec les poubelles qui débordaient et un chat que sa mère chassait toujours ; le ciment craquelé dont s'échappaient des mauvaises herbes (le canari picorait le séneçon) ; et une unique, courageuse petite fleur rouge qui lui rendait l'espoir.

Le panneau qui annonce un village nommé Come-To-Good – Venez à bien – la fait sourire. D'où ce nom peut-il bien venir ?

À côté d'elle, Hannah s'est endormie. Elle songe que, tant que l'enfant restera avec elle, elle ne sera plus seule. La crainte obsessionnelle de sa propre mort qui l'a parfois empêchée de dormir, cette terreur quasi paranoïaque à l'idée d'être exclue du monde des vivants – l'horreur du néant – s'est calmée. Est-ce une des raisons pour lesquelles les gens veulent des enfants ? se demande-t-elle. Pour pouvoir affronter leur propre mort ?

À Truro, elle se gare à Lemon Quay, près du marché Pannier. Les bâtiments offrent un curieux mélange de styles victorien, Hanovre et Art déco. Les flèches de la cathédrale se dressent par-dessus les toits de la ville. Un dirigeable flotte dans le ciel.

– Réveille-toi, Hannah, réveille-toi, *cara*.

Elle prend dans sa main celle de l'enfant, mollement abandonnée.

La fillette bouge et ouvre les yeux, le regard encore vague. Puis sa vision se précise et elle adresse à Isabella son sourire « soleil ».

– Maman.

Une joie incroyable explose en Isabella, lui monte à la tête, à en éclater. Mais elle sait qu'elle ne doit pas accorder une importance excessive à chaque nouveau mot qu'Hannah prononce, même si cela représente beaucoup.

– On va faire une promenade dans la ville.

– O'nade ?

– Oui, avec la poussette.

Chaque minute paraît apporter une nouvelle surprise et, pour Isabella, c'est chaque fois une récompense qu'elle voudrait pouvoir enregistrer pour la revivre à volonté, de la même façon qu'on peut regarder une photo aussi souvent qu'on en a envie. Dans le passé, elle s'est rarement donné la peine de prendre des photos. À présent, elle a une bonne raison de le faire : *Et là, c'est ma fille à deux ans et neuf mois...*

Qui essaye-t-elle de tromper ?

Pourtant, elle ne peut déjà plus envisager la vie sans Hannah. En quelques jours, la présence d'Hannah, son bien-être, ses progrès, son plaisir sont devenus plus importants que tout ce qu'elle a pu connaître avant. Son propre bonheur est inextricablement lié à celui de cette petite personne. À la une du *Guardian* d'aujourd'hui figurait l'histoire du père adoptif d'une fillette de six ans que l'on venait d'arrêter pour l'avoir tuée après l'avoir violée. C'est un instituteur qui a des enfants lui-même. Oh ! *madre*, elle ne supporte pas d'entendre parler de ces choses-là ! Mais cela lui confirme qu'elle a fait ce qu'il fallait faire.

Elles tournent dans Lower Lemon Street, une ruelle pavée et pleine de boutiques. Il est midi et la cité bourdonne d'activité. Isabella décrit des zigzags avec la poussette entre les jambes des gens occupés à faire leurs courses, des derniers touristes, des cadres et des employés sortis pour la pause déjeuner. Elle passe devant une parfumerie vieillotte, une bijouterie et un torréfacteur. Un merveilleux arôme s'en échappe, véritable supplice de Tantale.

Un monument dans Boscawen Street attire son attention et elle s'arrête pour lire la plaque apposée sur le socle. Il est dédié à un soldat tué aux Malouines en 1982. *Madre !* Comme cela paraît lointain ! Et pourtant, ce n'est pas si vieux. Elle se souvient très bien de la controverse soulevée par l'intervention britannique. Sans parler du choc en découvrant Tom sur son écran de télévision. Il dénonçait une guerre stupide déclenchée par un führer anglais en jupons dans le seul but de satisfaire sa petite vanité. Pendant une ou deux minutes, il avait tempêté pour le plus grand profit de millions de téléspectateurs abasourdis, dont Isabella, jusqu'à ce qu'une main invisible lui arrache le micro, coupant net ses invectives. Le lendemain, les journaux ne parlaient que de cela et de la façon dont on l'avait renvoyé. Il ne ressentait aucun regret. Elle avait été étonnée – consternée, en fait – de découvrir qu'elle éprouvait encore quelque chose pour lui. Ensuite, elle ne l'avait plus entendu ni vu nulle part jusqu'à cette émission, quelques jours plus tôt, où son nom figurait au générique. Il tournait donc des documentaires, à présent.

Elles se promènent dans l'entrelacs des ruelles. À l'office du tourisme, Isabella prend différents prospectus, des cartes et des guides. À la librairie Smith, elle achète un livre sur la psychologie des enfants. Elle fait un peu de lèche-vitrines chez Monsoon et achète du poulet frit avec des frites qu'elle partage avec Hannah. Par la porte ouverte d'un restaurant de poisson orné de stores méditerranéens lui parviennent les parfums de grillades au charbon de bois et la musique de *Nessun Dorma*. Elle se dit qu'elle pourrait venir dîner là de temps en temps. Inviter Aidan ? Elle sait qu'il ne l'accepterait pas. Que ce soit *elle* qui l'invite ! Et quelle relation envisager, avec lui ou un autre ? À présent qu'Hannah est là, de quel temps dispose-t-elle pour l'amour ? Ou même pour le plaisir ? Elle aperçoit une diseuse de bonne aventure dans une ruelle. Dix livres pour qu'on lui annonce un avenir tout rose. Dans la vitrine d'un marchand d'articles de pêche, une affiche donne le programme du Plaza, un cinéma multisalles. Ce soir, au City Hall, un concert aura lieu à l'occasion du bicentenaire de Schubert... Isabella se familiarise avec la ville, mémorise les noms des rues et des magasins. Elle prend ses repères.

Un agent de police lui indique un magasin de meubles. Derrière des grilles de fer forgé, elle découvre un entrepôt d'époque victorienne avec trois niveaux de meubles en rotin ou en pin, de tapis et de terres cuites. Elle y trouve tout ce dont elle a besoin et demande au vendeur qu'on lui livre ses achats dans huit jours. Au grand sourire qu'il affiche tout en écrivant laborieusement son adresse, elle devine qu'il est payé à la commission.

Elles se dirigent ensuite vers la cathédrale et, même en restant à l'extérieur d'un des grands porches voûtés, elle sent peser sur elle ce sentiment familier de désespoir, cette obscurité qui l'oppresse.

Ny agas Dyn Ergh, dit une notice. Au-dessous figure la traduction du texte celtique : Bienvenue à la cathédrale de Truro.

Elle lit à haute voix pour Hannah.

– C'est une grande église où les gens viennent prier, explique-t-elle, non sans un sentiment d'hypocrisie.

Elle trébuche sur le seuil. Sa répugnance même finit

par la décider à entrer. Peu importe où elle se trouve, elle doit affronter sa phobie.

– Puis-je vous faire visiter ? lui propose avec un sourire béat une femme qui porte un badge de guide officiel.

– Merci, mais je n'ai vraiment pas le temps...

La femme insiste et Isabella se sent obligée de poser quelques questions polies avant de descendre l'allée derrière la longue jupe qui claque à chaque pas. Elle a l'impression que son cœur enfle et prend toute la place dans sa poitrine.

– C'est la première cathédrale anglicane construite après celle de St. Paul...

La voix de la femme éveille des échos métalliques, mêlée aux autres échos, aux chuchotements et aux bruits de pas. Des flashes d'appareils photo éclatent un peu partout.

– Les travaux ont commencé en 1880 mais n'ont été achevés qu'en 1910...

C'est toujours la même chose : l'atmosphère fausse, sinistre, qui l'enveloppe comme une chape. C'est comme si sa propre mort se dressait devant elle, la narguant à cause de son athéisme et de sa culpabilité latente, cette sensation de blasphémer qu'elle ressent encore et qui la pousse parfois à prier. Au cas où... Mon Dieu ! La paix qu'a connue sa mère au moment de mourir ! Isabella sait qu'elle ne trouvera jamais la paix.

– Veux pa'tir. Veux pa'tir !

La petite commence à pleurer à voix haute et tend les bras pour qu'Isabella la porte. Ses sanglots se transforment en hurlements qui ricochent sur la pierre, de mur en mur, propageant de violentes ondes sonores jusqu'à la voûte.

– Je suis désolée. Ma fille...

Elle fouille son porte-monnaie en quête de deux livres à laisser à titre de don. Elle empoigne Hannah et la poussette.

– Et l'orgue est un Father Willis, crie désespérément la femme derrière elles.

Que c'est bon d'être au grand air ! De sentir la brise sur ses joues et l'odeur humide des feuilles dans le square planté d'arbres. Les pigeons qui se pavanent. La réalité bien concrète des magasins : Marks and Spencer ou l'agence de voyages qui propose ses rêves de tropiques. Le bureau de poste, avec des gens qui font la queue. Un soulagement séculier, égoïste, capitaliste.

Hannah a retrouvé son calme.

– Pauvre Hannah, pauvre petite Hannah. Tu as eu peur ?

Isabella sera-t-elle là le jour où il faudra lui parler de Dieu ?

... Eh bien, c'est quelqu'un qui existe peut-être ou peut-être pas. Il y a des gens qui croient... d'autres ne croient pas... Il y a aussi... Quant à moi, je ne veux pas t'influencer, mais...

Quand elle était petite, on lui avait assené la Trinité comme une vérité irréfutable, au même titre que sa robe bleue à manches ballon et le poisson du vendredi. Aucune autre possibilité, rien à discuter. La religion était un fait de sa vie, au même titre que le restaurant et les disputes. L'âge informatique, qui ne commencerait que dix ans plus tard, ne représentait encore qu'une idée vague, un peu comme l'eau que l'on passe sur le papier à aquarelle avant d'appliquer les couleurs. À l'époque, les lettres PC désignaient l'agent de police – *police constable* – et non pas l'ordinateur personnel – *personal computer*. Et l'agent se déplaçait la plupart du temps sur une simple bicyclette. Les femmes ne portaient pas plainte pour harcèlement sexuel. Le féminisme était un bruit lointain quand elle avait dix ans. Dieu l'emportait encore sur le big bang. *Madre*, que sait-elle de la façon d'élever un enfant dans le monde d'aujourd'hui ? Sur quoi peut-elle bien s'appuyer ?

Je serai honnête avec elle. L'essentiel, c'est d'être honnête.

Honnête ? Comment pourrait-elle être honnête alors qu'elle a commencé par voler cette enfant ?

Maman, pourquoi me teins-tu les cheveux ? Maman, qui est mon père ?

Je t'ai adoptée. Il y a eu une guerre horrible et...

Elle n'a presque plus de bleus, écrit-elle ce soir-là dans son rapport. *Pour la première fois, elle a lié des mots dans la même phrase et a exprimé ses besoins. Elle progresse de façon stupéfiante. Cela ne prouve-t-il pas que j'ai pris une décision juste, à défaut d'être orthodoxe ? Elle m'a appelée « maman »...*

Le procureur resurgit dans sa tête comme un diable qui jaillit de sa boîte : *Cette femme souffre manifestement de délire. Elle ignore la signification du mot « honnêteté ». Elle s'est servie de l'enfant pour se construire une vie mensongère. Elle est allée jusqu'à encourager la petite à l'appeler « maman ». Elle l'a exploitée pour réaliser ses douteux projets. Mesdames et messieurs les jurés...*

Isabella fait taire le malveillant procureur et planifie son travail pour la soirée. Garibaldi miaule pitoyablement en se frottant contre ses chevilles. Ils sont tous les trois coincés ici encore pour une semaine au moins. Hannah reste vautrée devant la télévision, très occupée à s'empiffrer de mousse au chocolat. Isabella pense soudain à Aidan, à sa grande tête barbue qui lui sourit sous la casquette de base-ball.

Isabella est absurdement excitée à l'idée de le voir le lendemain. À Londres, elle n'aurait jamais envisagé de sortir avec quelqu'un comme lui. *Comme* lui ? Elle ne sait pas comment il est. Le propriétaire d'un garage misérable dans un endroit perdu. Un homme avec un accent cornouaillais à couper au couteau. Elle se demande dans quoi elle s'est embarquée : aller l'écouter jouer dans un pub ! Elle imagine une salle remplie de buveurs de bière, pendant qu'il se montre à peine capable de chanter ou de gratter sa guitare. Elle se sent gênée d'avance. La seconde d'après, elle se reproche d'être superficielle, trop attachée aux apparences, intellectuellement snob – toutes choses qui n'ont plus leur place dans sa vie, à présent. Quel âge peut-il avoir ? Sans doute au moins le même âge qu'elle. Cela la changera. Elle espère qu'ils auront un peu de temps pour être seuls. Elle s'inquiète aussi à l'idée qu'elle pourrait ne pas lui plaire du tout, qu'il l'a peut-être invitée par simple politesse, parce qu'elle lui a parlé des Louves.

Isabella se sent dans la peau d'une adolescente qui va sortir pour la première fois avec un garçon. Elle brûle d'impatience à l'idée de voir Aidan. Et demain sera le huitième jour, exactement une semaine depuis qu'elle a enlevé Hannah – je ne l'ai pas enlevée, elle m'a été envoyée.

– Fa-iguée, dit l'enfant.

Elle va d'elle-même grimper dans son lit où elle se pelotonne comme un petit escargot.

6

Encore des souvenirs qui lui reviennent : sa mère qui se bat pour que le restaurant continue de marcher. Malheureusement, c'était son père que les clients appréciaient. L'italien typique. La clientèle s'était raréfiée et, avec elle, l'argent. Le cancer de sa mère, lui, prospérait.

La troisième famille. C'étaient deux enseignants : des gens sérieux et corrects qui avaient eux-mêmes trois enfants, une fille à l'université, un fils très studieux d'environ deux ans plus jeune qu'Isabella et une autre fille, beaucoup plus jeune. Une famille agréable, ni affectueuse ni démonstrative – elle ne se souvient pas en avoir vu un seul en embrasser un autre ou le serrer dans les bras. En revanche, des gens encourageants, larges d'esprit et respectueux de l'opinion des autres. Ils avaient un caniche à qui il manquait des poils par endroits et qui venait se frotter à ses chevilles. Elle rougissait en attendant qu'il se lasse. Faute de mieux, il se contentait des coussins du salon.

– Il a recommencé ! disait calmement la mère en ramassant le coussin taché.

Isabella se sentait plus proche de la sœur cadette. Elle lui lisait des histoires, lui jouait de la guitare ; elle apprenait depuis peu. Elle lui tressait ses longs cheveux châtain clair. Je t'aime beaucoup, lui murmura un jour la petite fille, les yeux droit devant elle. Isabella retrouve en elle, intact, le bonheur éprouvé en entendant cela. Un instant, elle avait suspendu son geste, le peigne en l'air, puis continué comme si rien n'avait été dit.

Six mois agréables. Malheureusement, le quartier

n'était pas sûr et, un soir, le père se fit tabasser en essayant d'empêcher une bande de jeunes de lui voler sa voiture. Il mourut à l'hôpital au bout d'une semaine.

Cette fois, on passa une annonce pour la placer. Comme pour un chien ou un chat : « Isabella est une jeune fille de seize ans, intelligente, intéressante et sociable... » De la publicité pour lui trouver une famille... Quelle humiliation pour elle ! Peut-être plus que le reste, cela lui fit prendre conscience de la réalité de sa situation. L'instabilité. Elle ne comptait pour personne. Je t'aime, lui dit un garçon à l'école. Elle lui offrit donc sa virginité. Le lendemain, il ne lui parlait déjà plus et, par la suite, elle apprit qu'il se vantait partout de l'avoir eue et se moquait d'elle. Les bleus qu'il lui avait causés dans le dos en la pressant contre le mur lui faisaient encore mal... La terreur à l'idée qu'elle pourrait se retrouver enceinte... Sa confiance mal placée à cause d'un seul mot.

Je suis importante. Elle couvrit de cette courte phrase une page entière de son cahier de latin. Et en italien : *Sono importante*. Sur une autre page, elle écrivit deux citations de Walt Whitman, puis de Browning : « Je célèbre moi-même, je chante moi-même. » « Je prends soin de moi ; je suis la réalité unique et entière. » À quoi elle ajouta ses propres mots : « Je ne me laisserai pas effacer. Moi. Moi. Moi. Moi. »

Sophia est une espèce de petite musaraigne à la peau olivâtre et luisante. Un anneau dans la narine gauche souligne son long nez en lame de couteau et tranche comme une incongruité par rapport au reste de sa tenue, plutôt conventionnelle. Elle a des cheveux bruns et soyeux, coupés en un carré asymétrique. Isabella n'a jamais vu des cheveux aussi soyeux. Ils brillent comme du verre.

Elle finit par expliquer que ses parents sont tous deux

italiens et qu'ils tiennent un restaurant à Fowey. Isabella ne lui arrache ces informations qu'après plusieurs tentatives infructueuses.

– C'est drôle, mes parents avaient un restaurant, eux aussi.

Les yeux de Sophia dérivent vers la télévision : une émission de jeux. Rires gras.

– Le leur, c'est un *fish and chips*, laisse-t-elle tomber.

Un vague sourire apparaît sur son visage quand un des joueurs – un homme avec une cravate rose fluo et un énorme ventre – se frappe la poitrine en gémissant de désespoir : on vient de lui apprendre qu'il a perdu la voiture qu'il avait gagnée l'instant précédent.

– Vous parlez donc italien ? demande Isabella pour prolonger la conversation.

– Non, je suis née ici. Un mot par-ci, par-là. Je sais dire quelques phrases, c'est tout.

Elle coince ses cheveux derrière son oreille et croise brièvement le regard d'Isabella. Elle a des yeux timides qui font penser à des grains de raisin. Isabella remarque ses mains, petites et délicates, avec des ongles ronds et pâles. Elle a tendance à les agiter, pour repousser ses cheveux, se toucher l'oreille ou les poser un instant contre son cou, comme si elle cherchait son pouls.

Elle se montre gentille avec Hannah. Avec l'enfant, sa timidité disparaît, son visage s'anime, sa voix prend un ton plus chaleureux. Hannah semble plutôt contente. Isabella hésite sur le pas de la porte.

– Je ne sais pas quand je rentrerai. Peut-être assez tard.

– Ça ne fait rien.

Sophia est assise par terre avec Hannah. Elles sont en train d'emboîter des éléments d'un jeu de construction pour fabriquer une maison.

– Vous êtes sûre que ça ira ? Vous savez, elle s'effraye facilement. Elle a très peur des bruits brusques et elle est capable de pousser des cris terrifiants. Si elle fait ça, il faut la prendre dans ses bras et...

– On va très bien se débrouiller, pas vrai, Hannah ? dit Sophia en lui touchant la tête.

Une pointe aiguë de jalousie transperce Isabella. Elle veut qu'Hannah résiste à Sophia, qu'elle coure plutôt vers elle pour s'accrocher à ses jambes en pleurant. Elle veut être la seule personne qui compte pour Hannah. Elle veut l'exclusivité.

– De toute façon, vous avez mon numéro de portable en cas de problème.

– Oui.

Elle tourne la poignée, ne s'en va qu'à regret. Garibaldi lui lance un regard laconique depuis l'oreiller où il s'est installé. Elle regarde sa montre. Sept heures dix-sept. Elle a deux minutes de retard.

– Je dois y aller.

– Alors, au revoir.

– Oui, au revoir.

Elle parle d'une voix un peu plus forte pour Hannah.

– Au revoir, *cara*.

Elle lui envoie un baiser et lui adresse un signe de la main.

– Voi-oir, répond Hannah, qui la dévisage.

Ses yeux bleu océan reflètent son contentement. Elle fait aussi un petit geste qui imite celui d'Isabella, une fleur qui s'ouvre et se ferme.

Le « Voi-oir » et l'adorable petit geste bouleversent Isabella, qui parcourt le couloir et descend l'escalier sans cesser de sourire ; elle sourit à la foule qui a envahi le bar, elle sourit à Aidan qui la regarde se frayer un chemin jusqu'à lui. Sa taille ramène tous ceux qui l'entourent à des proportions ridicules. Elle se sent parcourue de plaisir en le revoyant. En même temps, une inquiétude inhabituelle la crispe.

– Bonsoir, dit-il.

– Désolée. Vous m'attendez depuis longtemps ?

– Une ou deux minutes, c'est tout, mais nous ne devons pas traîner.

Il porte un costume noir avec une chemise blanche dont les deux derniers boutons sont ouverts et laissent s'échapper des poils noirs. Elle a du mal à ne pas le dévorer du regard et, décontenancée, ne sait plus où poser les yeux. Pour une femme dont le sang-froid et l'assurance ont souvent été donnés en exemple, une femme qui a fréquenté tous les milieux, se trouver aussi gauche avec cet homme est incroyable. Elle ne sait quoi dire ni comment se conduire avec lui. Elle ne se souvient pas qu'un homme lui ait jamais fait autant d'effet, physiquement. Peut-être Tom. Mais, à l'époque, elle n'était encore qu'une gamine impressionnable.

Il lui ouvre la portière de la voiture avec un geste de galanterie démodée.

– Elle est superbe, dit-elle en casant ses genoux dans l'Aston.

– C'était une épave quand je l'ai récupérée. On ne la reconnaîtrait pas.

Il installe sa masse à côté d'elle.

Il démarre en douceur. Une brume de silence s'établit entre eux. Elle éprouve un besoin de lui parler qui lui serre la gorge. Elle ne sait toujours pas s'ils « sortent » ensemble ou non, et ignore donc comment se comporter. Elle se sent désavantagée. Peut-être est-il du genre qui n'aime pas parler en conduisant. Et elle ne sait même pas où ils vont ! La pénombre du soir se transforme peu à peu en obscurité. Une semaine plus tôt, guère plus, elle a pu rester sur sa terrasse avec Peter en maillot de bain jusqu'à huit heures du soir. Tu transpires entre les seins, lui avait-il dit.

– Vous êtes très jolie.

Aidan a brièvement tourné la tête vers elle, ses dents toutes blanches dans sa barbe noire.

– Merci.

Personne ne le lui a jamais dit avant lui, sauf son père

quand elle était petite. Mais pas depuis qu'elle est une femme. Séduisante, oui. Étonnante, différente. Ou même élégante. Une ou deux fois, belle. Mais jolie, jamais. D'ailleurs, elle ne s'est elle-même jamais considérée comme jolie. Elle s'est toujours jugée trop grande, trop forte, avec des traits trop accusés pour que « jolie » s'applique à elle. Elle n'a rien de délicat ou de fragile, non plus.

– Je ne savais pas quoi mettre, lui avoue-t-elle.

Elle se rend compte que l'ensemble pantalon noir qu'elle a fini par choisir s'accorde bien à la tenue d'Aidan.

Il fait la même remarque.

– Nous sommes assortis... Alors, comment ça s'est passé avec Sophia ?

– Elle a l'air gentille. Très calme, comme vous m'aviez dit.

– Il n'y a pas eu de problème avec votre fille ?

– Aucun. On voit qu'elle aime les enfants.

– Oui. En fait, c'est pour cela qu'elle s'est mariée avec Luke. Ce n'est pas un secret, elle était enceinte. Elle vient d'une famille très catholique. Il n'était pas question de... Enfin, vous me comprenez.

– Oui. Elle a donc un enfant ?

– Il est mort. Un cas de mort subite du nourrisson.

– C'est affreux ! Pauvre fille !

– Oui. Et maintenant, elle est coincée avec Luke.

– Peut-être l'aime-t-elle.

L'image du mécanicien surgit devant ses yeux : sa démarche en crabe, son air sinistre. Isabella se demande s'il n'aurait pas été capable de tuer l'enfant.

– Qui sait ? Enfin, bref. Et le cottage ? Vous le prenez ?

– Oui, à partir de lundi.

– Pour combien de temps ?

– Six mois, répond-elle en lui jetant un regard.

Il hoche la tête à plusieurs reprises, comme s'il était satisfait.

Le sujet entretient la conversation pendant cinq minutes encore.

– Vous aurez besoin d'un coup de main pour l'arranger. Je peux vous aider, si vous voulez.

Ce qui signifie qu'il a l'intention de la revoir. Elle se laisse aller contre le siège, dans un début d'apaisement.

– Où allons-nous ?

– Falmouth.

– Oh ! je croyais que ce serait plus près, moins important.

– Non. Je joue parfois dans un ou deux pubs du coin, mais là c'est un bar à vins. Nous passons à dix heures et ça dure une heure. Je vous emmène d'abord dîner.

– Oh ! quelle bonne idée !

– Je me demandais ce que vous aimiez manger.

Il quitte des yeux la route pour la contempler une deuxième fois.

– Vous êtes tellement, enfin, très chic.

– Oh ! non, vraiment pas.

Ils se garent sur le Moor, dans le centre. Quelques personnes s'arrêtent pour observer la façon dont Aidan manœuvre la vieille voiture. Il fixe l'alarme sur le volant avant de sortir.

– Vous n'avez pas peur que quelqu'un l'abîme ? demande Isabella, qui fait légèrement glisser son pouce sur l'aile gris métallisé, soigneusement polie.

– C'est bizarre, répond-il en fermant les portières. On dirait que les gens la respectent.

Il la prend par le coude pour traverser la rue, et ces quelques secondes de contact la font frissonner. La fraîcheur de la nuit les enveloppe tandis que se succèdent les vitrines illuminées, les pubs, les étroites ruelles. Quelque part, une horloge sonne.

– Elle a toujours cinq minutes d'avance, explique Aidan.

Il a une longue foulée et marche en laissant une légère distance entre eux. Ils avancent tête haute, les yeux droit devant eux. Elle commence à se sentir plus à l'aise avec lui, avec la façon dont il prend la situation en main. Un homme inébranlable dans ses valeurs, imagine-t-elle, jusqu'à l'entêtement, mais honnête et fiable.

– Au moins, il ne pleut pas, dit-il en tournant la tête vers elle.

Ses yeux brillent l'espace d'un instant, pris dans la lumière d'un lampadaire. La brise balaye vers l'arrière ses cheveux noirs, qui retombent curieusement de part et d'autre d'une raie au milieu.

– À gauche.

Juste après le Grapes Inn, ils descendent quelques marches menant à un étroit passage qui va vers le port. Entre un fabricant de voiles et une boutique de livres anciens se cache un restaurant gardé par une énorme figure de proue. En lettres vertes sur le mur blanc est peint le nom du restaurant : Les Pêcheurs.

– J'ai trouvé que vous aviez l'air de quelqu'un qui aime le poisson, dit-il en poussant la porte.

– C'est vrai, j'adore le poisson. Je mange très peu de viande.

– On dirait que c'est le cas de plus en plus de gens, non ? On devient végétariens.

– Vous, vous avez plutôt l'air d'avoir été élevé au steak ! plaisante-t-elle en faisant allusion à sa haute taille.

L'intérieur est décoré en style marin avec des instruments de navigation et des coquillages. On a tendu des filets au plafond. Les tables sont en pin brut, le plancher en bois blanc.

– Je ne savais pas où vous emmener.

Elle est émue à l'idée qu'il s'est soucié de réussir la soirée et qu'il s'en est même inquiété.

– Arrêtez de vous excuser. J'adore cet endroit.

– Alors, tout va bien.

Il lui adresse enfin un vrai sourire, détendu.

Une jeune serveuse les accueille et les guide jusqu'à

leur table. Les autres sont presque toutes occupées. La leur donne sur le port. L'eau scintille dans la nuit en ondes noir et argent. Les mâts des bateaux se balancent. Elle sent une vague de bonheur intense et pur la traverser.

Il l'a observée.

– Vous avez un visage très expressif.

– Vous trouvez ?

Elle est désarçonnée, sent une onde de chaleur monter dans sa nuque, se dérobe en feignant d'étudier le menu. Les prix sont corrects. Elle craignait que ce soit très cher, qu'il l'ait invitée dans un endroit ruineux pour l'impressionner, un endroit au-dessus de ses moyens. Elle choisit une barbue grillée avec une sauce citron et du melon en entrée.

– Je ne connais pas grand-chose aux vins, dit-il. En fait, je n'y connais rien. Y en a-t-il un qui vous ferait plaisir ?

– La réserve de la maison ira très bien.

– Vous êtes sûre ?

– Oui.

Si c'était Peter, elle lui aurait pris la carte des vins et aurait choisi elle-même.

– Du blanc, alors ? Je sais au moins ça, vous voyez, du blanc avec le poisson.

– Ça ira très bien.

Pourtant, elle a tendance à préférer le vin rouge, même avec le poisson.

– Alors, c'est donc vrai, ce qu'on raconte ? demande-t-il.

La serveuse a pris la commande et a apporté un sauvignon blanc.

– Vous êtes partie ?

Il a un regard si doux, si honnête ! D'ailleurs, en un sens, n'est-elle pas partie ?

– D'une certaine façon.

– Alors, il s'est mal conduit avec vous, votre mari ?

Elle pourrait lui raconter un mensonge, monter une histoire crédible pour se faire plaindre.

– Aidan, je n'ai pas envie d'en parler.

Bien sûr, cela peut passer pour un aveu.

– Bon, d'accord.

– Excusez-moi, je ne voulais pas être désagréable.

– Vous ne l'avez pas été. Et moi, je ne voulais pas me mêler de ce qui ne me regarde pas. C'est seulement parce que j'ai pour principe de ne pas sortir avec des femmes mariées.

Cela a toujours été sa règle de conduite à elle aussi. Ne pas sortir avec des hommes mariés.

Cela signifie donc qu'il ne voudra plus la voir.

– Mais puisque vous l'avez quitté, ça va.

Ils goûtent leur vin. Il n'est pas mauvais, un peu trop doux, peut-être.

– Et vous ? demande-t-elle.

– Divorcé. J'ai deux garçons, quinze et douze ans. On s'est réconciliés maintenant, mon ex et moi.

– Vous n'avez pas envie de revivre avec elle ?

– Aucun risque. De toute façon, elle vit avec quelqu'un d'autre. Les garçons ont l'air de bien s'entendre avec lui.

La serveuse revient avec le melon d'Isabella et les crevettes géantes d'Aidan. On joue *Les Quatre Saisons* de Vivaldi en musique de fond. Isabella confond toujours ces quatre concertos. Ils se ressemblent tellement ! Elle ne les supporte plus. Un jour, Peter lui a dit qu'il fallait faire sauter tous les hôtels, restaurants et magasins où on les entendait.

– Vous n'êtes pas jaloux ? lui demande-t-elle quand la serveuse s'est éloignée. Je veux dire : à l'idée que vos fils soient élevés par un autre homme ?

– Non. De quoi devrais-je être jaloux ?

Il paraît sincèrement étonné.

– La jalousie est un sentiment négatif, non ? En plus, je ne vois pas pourquoi il faudrait se rendre malade pour une chose à laquelle on ne peut rien. Je suis toujours leur père et c'est à moi de le prouver en étant là quand ils en ont besoin. C'est toute la question, être attentif à leurs besoins. Nous sommes des adultes, en principe. Les bagarres ne font pas de bien aux enfants.

Il casse avec décision la carapace d'une crevette et presse un citron par-dessus.

Bien. On a réglé les préliminaires !

C'est un homme extrêmement correct et il parle avec un bon sens rassurant. Son accent évoque une terre riche et fertile. Il est peut-être un peu trop sérieux, trop prosaïque. Elle l'imagine mal en train de raconter des blagues ou de répondre du tac au tac comme la plupart des hommes qu'elle a connus. Tom, par exemple. Ou d'autres, après Tom. Le dernier, Peter, était ainsi. Mais leur humour pouvait être méchant. Aidan n'est certainement pas du genre à épingler ses victimes en riant de leur défaite. Elle a souvent pensé que c'était un trait de caractère propre aux Britanniques. Elle trouve que les Anglais ne s'aiment pas beaucoup entre eux.

– Comment vous est venu votre intérêt pour les voitures ?

Il tire pensivement sur les côtés embroussaillés de sa barbe.

– En fait, j'ai toujours aimé les voitures. Quand j'étais gosse, les moteurs me passionnaient. Je passais mon temps à les bricoler au lieu de faire mes devoirs ! Les vieilles voitures, en particulier, me fascinaient. J'ai quand même fait deux ans d'université et j'ai laissé tomber.

– Dans quelle université ? Quelle branche ?

Elle ne peut s'empêcher d'être contente d'apprendre cela.

– À Exeter, en zoologie. J'ai toujours aimé les animaux et la nature. J'ai très sérieusement pensé à devenir vétérinaire. Maintenant, je regrette de ne pas avoir poursuivi. Mon père était chef forestier et garde-chasse d'un grand domaine du style de Bodmin. J'ai donc été élevé en pleine nature. La maison était toujours pleine de jeunes animaux de toutes sortes que nous élevions quand leurs parents avaient été tués. Le propriétaire collectionnait les voitures anciennes. Ça m'a sans doute influencé. Je suis tombé dedans, en quelque sorte ! Bref, quand j'étais à Exeter, j'ai pu avoir ma vieille Austin Seven pour trois fois rien. En deuxième année, j'ai eu une Morris et je les ai revendues avec un solide bénéfice après les avoir restaurées. Quelqu'un m'a alors demandé de lui remettre en état une Alfa Romeo de 1940. C'est comme ça que j'ai mis le doigt dans l'engrenage. J'ai annoncé à mon père que j'arrêtais la fac. J'ai cru qu'il allait devenir fou.

Ce souvenir le fait rire. Son rire ressemble à un lent et sourd grognement.

– Je me disais encore que j'allais faire l'école vétérinaire mais on continuait de m'apporter des voitures à retaper. C'était assez extraordinaire... Ça a vraiment bien marché pendant pas mal d'années. J'achetais, je restaurais et je revendais. Et puis il y a eu une chute brutale du marché et quelqu'un m'a fait une crasse. Je préfère ne pas revenir là-dessus mais ça a été très ennuyeux parce que c'était une relation de mon beau-frère. Bref, maintenant, j'ai le garage et ça tourne bien. C'est une affaire solide et, même si je ne trouve pas ça très excitant, je suis mon propre patron, ce qui me donne de quoi vivre tout en me laissant du temps pour d'autres choses.

– Quoi, par exemple ?

Ils ont à peine touché au contenu de leurs assiettes. La serveuse jette un coup d'œil à leur table et s'éloigne d'un pas dansant. Elle a une démarche provocante, une mini-minijupe et de grands yeux d'un bleu de porcelaine mais son regard reste professionnel.

– Excusez-moi, je parle trop, dit-il.

Il casse rapidement les carapaces de ses grosses crevettes et les dévore avec appétit.

– Elles sont toujours excellentes, ici, presque sucrées ! Voulez-vous goûter ?

Elle acquiesce de la tête et il lui en tend une, toute prête. Il lui sourit tandis qu'elle prend la crevette dans sa bouche directement. Une vague de chaleur se répand lentement en elle. Et lui, que ressent-il ?

Ils finissent les entrées, non sans qu'il ait redemandé du pain, car il a déjà presque fait disparaître le contenu de la première corbeille. Isabella s'émerveille de voir les quantités qu'il peut absorber.

– Cela doit coûter une fortune de vous nourrir ?

Il est en train de terminer le beurre posé sur son assiette à pain avec un petit pain au pavot.

– Eh oui, on dirait que j'ai toujours faim. Et je ne suis pas le plus grand. Mon frère aîné fait deux mètres trois.

– Et vous ?

– Presque deux mètres un.

– Comment faites-vous pour trouver des vêtements à votre taille ?

– C'est très difficile. Le pire, c'est pour les chaussures. J'ai des pieds de géant. Il me faut au moins du 46 comme pointure.

– *Madre !*

– Et maintenant, parlez-moi de vous. Je monopolise la conversation !

– Non, pas du tout.

– Bon, mais quand même...

On leur apporte la suite de leur dîner et ils attendent dans un silence un peu embarrassé que la serveuse ait fini de changer les assiettes et les couverts.

– Alors ? dit-il.

Alors...

Son visage exprime une attention patiente. Ce n'est pas un bel homme – son visage est trop large, sa lèvre supérieure trop fine, ses yeux gris relativement petits et quelconques, mais leur franchise est impressionnante. Il a un bon visage, un visage qui inspire la confiance, qui annonce que les choses sont ce qu'elles paraissent. Pas de secrets. Le visage d'un homme de caractère, avec quelques rides, et de la puissance. Isabella prend conscience qu'elle ne s'est pas trouvée dans une situation de ce genre depuis de longues années. Ses amis étaient invariablement beaucoup plus jeunes qu'elle et elle jouait toujours un rôle, parfois celui de la femme fatale, parfois celui d'une mère. Mais c'était toujours elle qui contrôlait la situation. Et entre deux relations plus durables, il y avait les petits flirts ou les rencontres d'une nuit. Depuis, elle n'a pas rencontré un seul homme dont elle ait seulement failli tomber amoureuse. Elle n'a jamais su ce que signifie pouvoir s'appuyer sur un homme, s'en remettre à lui, montrer sa vulnérabilité.

Elle tâte sa nourriture du bout de sa fourchette.

– Mon travail, vous voulez dire ?

– Ce pourrait être un début, répond-il.

– Je suis traductrice-interprète.

Elle goûte sa barbue. C'est délicieux, d'une fraîcheur parfaite.

– C'est intéressant, c'est vraiment intéressant.

Il se penche vers elle à travers la table, sourit, et elle découvre qu'il a une fossette à la joue gauche, à la limite de la barbe.

– J'étais sûr que vous faisiez quelque chose de pas ordinaire.

– Comment pouviez-vous en être certain ? demande-t-elle avec une petite moue.

Elle a envie de flirter.

– Pour mille raisons. Votre façon de vous habiller, votre façon d'être, vos yeux – la façon dont vous regardez les choses... Je ne peux pas l'expliquer. C'est juste votre façon d'être. Bref, que faites-vous donc exactement ?

Elle le lui explique, parle du contrat de traduction du livre, des articles, des brochures et des rapports de société, des magazines.

– En fait, tout ce que vous pouvez imaginer. Tout ce

qui a besoin d'être traduit. Ou bien les gens qui ont besoin d'une interprète, de quelqu'un qui les accompagne. Ça peut être aussi bien un diplomate qu'un dirigeant de société.

– C'est un travail pratique, alors, pour élever un enfant.

– Oui.

– Comment s'appelle-t-elle, déjà ? Désolé, j'ai oublié son nom.

– Hannah.

Cela fait environ une heure qu'elle n'a pas pensé une seule fois à Hannah et elle se le reproche. Une vraie mère aurait-elle réagi ainsi ?

– Aidan, je devrais peut-être appeler pour vérifier que tout va bien.

– N'avez-vous pas donné votre numéro de portable à Sophia ?

– Si, mais quand même...

– Dans ce cas, si ça vous inquiète, il vaut mieux l'appeler.

Ses sourcils expressifs bougent sans arrêt et forment en ce moment un pli indulgent.

Elle appelle depuis les toilettes des dames, profitant de la pause entre le plat principal et le dessert.

– Elle a été adorable jusqu'à présent, dit Sophia, essoufflée d'avoir descendu l'escalier à toute vitesse quand Dick est venu la chercher.

Les rires, les éclats de voix, le tintement des verres du bar lui parviennent en bruit de fond. Elle reconnaît la voix de Lizzie : « Qui a demandé un bœuf provençal ? »

– Elle a tendance à s'agiter, par moments.

– Il n'y a eu aucun problème. Je lui ai fait dire ses prières, on dirait que ça lui a plu.

Isabella essaye de dissimuler son étonnement.

– Elle a compris ?

– Elle était très contente quand j'ai dit « les chrétiens ».

– Oh ! je comprends ! Elle a dû croire qu'il s'agissait des chiens. C'est comme ça qu'elle les appelle, « hiens ».

À l'autre bout de la ligne, Sophia éclate de rire.

Quand Isabella appuie sur le bouton de fin d'appel, où est représenté un petit téléphone rouge, elle ne peut se défendre d'une certaine jalousie.

Aidan garde les yeux fixés sur elle tandis qu'elle traverse la salle pour rejoindre leur table. Plusieurs dîneurs la regardent passer. Elle se sent intimidée par Aidan.

Elle se rassied, rapproche sa chaise puis s'écarte un peu. On a apporté les desserts pendant qu'elle téléphonait : un sorbet pour elle, un pudding au caramel pour lui.

– Apparemment, tout va bien.

Il sent qu'elle est un peu démoralisée.

– Grâce à vous.

– Comment cela ?

– Elle va bien. Il est évident qu'elle se sent en sécurité. Il est évident que *vous* avez fait ce qu'il fallait pour qu'elle se sente en sécurité. Vous pouvez en être fière.

Elle n'avait pas envisagé les choses de cette façon. Huit jours. Et demi ! Et elle a permis à l'enfant de se sentir en sécurité. N'est-ce pas une belle victoire ?

– Merci d'avoir dit cela.

– C'est seulement la vérité... Qu'est-ce que vous avez fait, aujourd'hui, vous et Hannah ?

– On s'est promenées à pied. C'était merveilleux. On a trouvé une plage, à environ un kilomètre...

– La grève de Tregurran ?

– Oui, c'est ça. Il n'y avait personne, on a couru...

Il l'écoute parler avec intensité, observe la moindre de ses expressions et la façon dont elle bouge les mains.

– Je me suis sentie extraordinairement libre, dit-elle d'un air nostalgique.

Il demande l'addition. Elle veut partager mais il refuse d'en entendre parler. Il paraît presque vexé.

– Ni aujourd'hui ni une autre fois. Jamais ! dit-il d'un ton sans réplique.

Elle se demande si cette attitude la dérange, cette conception stéréotypée des relations homme-femme. Il considère visiblement qu'un homme se déshonore en laissant une femme payer pour lui. Elle n'a pourtant pas l'impression qu'il soit macho. Au contraire, il semble respecter vraiment les femmes. Après tout, décide-t-elle, cela ne la dérange pas, mais c'est très nouveau pour elle.

Le bar à vins, nommé Le Matisse, se trouve dans Church Street. Il occupe le sous-sol du magasin d'un tailleur pour hommes. À l'étage, la lumière brille encore et Isabella aperçoit des piles d'échantillons de tissus. Elle devine une tête aux cheveux noirs.

– Il y a quelqu'un qui travaille tard pour un samedi, remarque-t-elle.

– C'est M. Korowski. C'est lui qui a fait mon gilet, comme pour les autres. Les membres du groupe, je veux dire.

Tout en parlant, il a ouvert son veston pour lui montrer son gilet de brocart multicolore.

– Faut avoir le look, ajoute-t-il en souriant.

– Très spectaculaire !

– Et voilà, vous vous moquez de moi !

– Non. Juste un petit peu !

Le bar est décoré de reproductions de toiles fauvistes. Il y a foule, on se croirait à Londres. Elle lui demande s'il a le trac.

– Devant vous, je vais l'avoir, oui.

– Devant *moi* ?

– Oui. C'est beaucoup plus dur de jouer devant quelqu'un que l'on connaît.

– C'est vrai.

Elle se souvient de la première fois qu'elle a joué devant Tom. Il lui avait déclaré d'avance qu'il lui donnerait une « opinion impartiale ».

– Et encore pire quand ce quelqu'un vous plaît terriblement et que vous voulez l'impressionner.

La déclaration d'Aidan coïncide avec l'arrivée de deux autres membres du groupe, la guitare basse et le batteur, tous deux beaucoup plus jeunes qu'Aidan. Cela épargne à Isabella de trouver une réponse. Elle ne s'attendait pas à ce qu'elle vient d'entendre, d'autant plus qu'il a parlé de son ton le plus normal, sans aucune emphase. À présent, il se comporte comme s'il n'avait rien dit.

Il lui trouve un tabouret dans un coin d'ombre près de la scène. Elle a l'impression qu'on ne regarde qu'elle. La copine du leader du groupe... Voilà comment on doit la voir. C'est trop drôle ! Elle, *ici*. Quelle était la sortie prévue pour ce soir, à l'origine ? L'opéra ? Elle doute qu'il soit jamais allé à l'opéra. Fréquente-t-il les galeries d'art ? Sait-il seulement qui était Matisse ? Ou les Fauves ? Lui arrive-t-il de lire les pages culturelles des journaux ? D'ailleurs, *lit-il* les journaux ? *Madre !* Est-ce si important ?

– Vous êtes bien ?

– Oui. Très bien. Ne vous inquiétez pas pour moi.

Lui, intimidé par elle ? S'il savait !

Ils s'accordent. Les conversations s'éteignent peu à peu. La flamme des bougies vacille dans les courants d'air. L'atmosphère est pleine d'odeurs de vin, de bière, de fumée de cigarette et de moussaka. Des jeunes qui se pelotent. Des filles avec des derrières comme des petites pommes, moulés dans des jeans en satin...

Elle n'ose pas regarder Aidan.

« Je conduis, j'allume la radio, je t'attire vers moi », chante-t-il. C'est *Fire*, de Bruce Springsteen.

Il joue bien, avec sensibilité. Il a une voix lyrique et agréable à entendre. Elle se détend, soulagée. Un regard dans le bar : le public apprécie visiblement. Elle se redresse fièrement sur son tabouret. Elle veut qu'on la remarque. C'est elle qui sort avec Aidan !

À la pause, il la rejoint avec un demi dans une main

et un verre de rouge dans l'autre, pour elle. Il se glisse à côté d'elle.

– Merci, lui dit-elle en prenant le verre. Vous êtes tous vraiment bons. J'ai pris beaucoup de plaisir à vous écouter. Vous avez une voix formidable.

– J'ai passé l'examen avec mention, alors ?

De la paume de la main, il essuie son front brillant de transpiration.

Sa barbe ne lui tient-elle pas chaud ? Comment serait-il s'il la rasait ? Elle aimerait la peigner de ses doigts. Fume-t-il ? Comme elle ne l'a pas vu fumer de toute la soirée, elle en déduit que non. Ils sont vraiment très différents l'un de l'autre...

Pendant ce temps, les deux autres musiciens sont en train de bavarder avec deux filles. Elle observe la scène avec amusement : la façon dont ils s'appuient avec décontraction contre un pilier et dont les filles leur répondent en minaudant.

– Les garçons aiment bien rouler un peu des mécaniques, dit Aidan, qui a suivi son regard. En réalité, Paul, le batteur, a vingt-cinq ans et vit toujours chez ses parents, et Matt est avec la même fille depuis l'âge de quatorze ans.

La dernière chanson de la soirée est la *Wonderful Night* d'Eric Clapton. C'est un slow et la plupart de ceux qui ne dansaient pas encore se lèvent. Les couples, soudés l'un à l'autre, se laissent bercer par la musique. Elle a l'impression d'être un voyeur devant ces adolescents si ouvertement excités.

« Il est tard et elle ne sait pas quoi mettre, chante Aidan. Elle se maquille et brosse ses longs cheveux roux. Puis elle me demande : j'ai l'air bien ? Et je lui dis : oui, tu es magnifique, ce soir. »

Leurs regards se croisent. Y a-t-il eu quelqu'un pour remarquer qu'il a remplacé les « cheveux blonds » de la chanson par des cheveux roux ?

Le concert se termine juste après onze heures. Ils

remballent leur matériel et disent au revoir, amicaux mais indifférents.

Dans la voiture, il lui explique les relations des membres du groupe.

– Nous n'avons rien en commun à part la musique. Nous sommes en affaires, c'est tout.

Elle a posé la main sur le bord du siège, à côté du frein. Celle d'Aidan ne quitte pas le levier de vitesse. Quelques centimètres les séparent et elle ne cesse d'y penser.

– En tout cas, qu'est-ce qu'il y avait comme fumée, ce soir ! Ça n'avait jamais été à ce point. Je ne supporte pas.

Donc, il ne fume pas. Il semble tout faire avec modération, y compris boire.

– L'ambiance a dû vous dépayser un peu, non ?

La pluie commence à tomber et il met l'essuie-glace en marche.

– Comment cela ?

– Vous devez avoir l'habitude d'aller dans des endroits plus branchés, je me trompe ?

– Parfois, mais le plus souvent, non. Je vais dans toutes sortes d'endroits. J'ai des goûts très éclectiques.

– Mais à Londres, insiste-t-il. Si vous vivez à Londres...

Il hausse les épaules et laisse sa phrase en suspens.

– Pourquoi les gens ont-ils si peur de Londres quand ils ne le connaissent pas ? On n'est pas obligé de tout découvrir à la fois ! Vous connaissez cette phrase : « Quand un homme est fatigué de Londres, il est fatigué de vivre. »

– De qui est-ce ? Oscar Wilde ?

– Non. Un siècle plus tôt. Samuel Johnson.

– Je sens que je vais passer pour un idiot.

– Mais non, pas du tout. Vraiment pas !

– Je connaissais cette citation, mais j'en ignorais l'auteur, précise-t-il.

– Vous savez, moi, je ne connais rien aux voitures, ni aux animaux ou à la nature.

– Alors, ça doit vous manquer, Londres ?

Elle revoit tout ce qui formait sa vie. Parfois, elle était prise tous les soirs de la semaine.

– C'est trop tôt pour le savoir mais je ne crois pas. On a des phases dans l'existence, non ? Cette phase est finie.

– Quant à moi, j'ai l'impression de faire la même chose depuis une éternité, dit-il. Je crois que je suis un peu casanier.

– Qu'est-ce que vous aimez faire ?

– Eh bien, il y a le groupe, bien sûr. Et mes fils. J'aime marcher, aussi. J'adore les longues balades à pied dans la nature. Et les voitures. J'aime beaucoup lire, également, et écouter de la musique, toutes sortes de musiques. Vous savez, j'aime la tranquillité. J'ai mis presque trois ans à aménager ma maison. Il n'y a toujours pas de rideaux et il reste plein de détails à terminer. Je ne suis pas très doué pour ce genre de choses. Les femmes le sont beaucoup plus. Ça vous plairait de voir où j'habite ?

Et mes estampes japonaises ? ajoute-t-elle en elle-même.

– Oui, beaucoup, mais ça m'ennuie de faire attendre Sophia.

– Cinq minutes, ça ne prendra pas plus de cinq minutes.

Donc, pas de grande scène de séduction au programme !

Il tourne dans un chemin non signalisé à un kilomètre de Zerion. Elle redoute que sa maison ne soit de mauvais goût et ne lui donne envie de fuir. En même temps, elle se reproche d'être aussi snob.

C'est un ancien bâtiment de ferme converti en habitation. Le jardin est clos d'une barrière qui le sépare de la maison principale.

– J'ai planté des cyprès. Encore deux ans et on ne verra plus mes voisins.

À l'intérieur, la charpente et les chevrons ont été décapés à la sableuse et laissés à nu. Le sol est entièrement constitué de grandes dalles d'ardoise. La cuisine se trouve dans le prolongement du salon, sans séparation.

– *Madre !*

– Alors, ça vous plaît ?

Il a l'air d'un petit garçon très content de lui.

– C'est superbe.

Elle préfère ignorer le canapé recouvert de tissu marron brillant, le rocking-chair à pieds en teck et la banale photo d'éléphants en train de charger dans un encadrement criard.

– Comme je vous disais, il manque la touche finale pour qu'on s'y sente vraiment bien. Pendant que je la retapais, je vivais dehors dans une caravane. Je vous garantis que ce n'était pas drôle. J'étais très à l'étroit et, en plus, en hiver je gelais.

– Vous avez tout fait vous-même ?

– Sauf l'électricité. Je ne me sentais pas suffisamment sûr de moi. Mais j'ai fait la plomberie, le chauffage et tous les gros travaux. Il suffisait de trouver de bons livres sur la façon de s'y prendre.

– J'ai du mal à croire que ce soit aussi facile. Reconnaissez que vous avez fait un travail fantastique !

– Vous avez peut-être raison.

Son visage exprime un évident manque d'assurance. Cet homme réellement modeste n'a pas l'habitude des compliments.

– Ça me plaisait, reprend-il. En plus, ça m'empêchait de penser à certaines choses. Vous savez, j'étais en train de divorcer.

– Je comprends, ce sont des moments pénibles.

Un silence s'installe entre eux. Elle se demande

pourquoi il a divorcé. Si seulement Sophia ne l'attendait pas...

– On va tourner un film à Pengarris Cove dans quelques semaines. Vous le saviez ?

– Non. Quel genre de film ?

– Un documentaire télé sur les habitants d'ici, les pêcheurs. Le vieux Charlie est complètement excité. Il a près de soixante-dix ans et une patte folle mais ça ne l'empêche pas de partir tous les jours à l'aube avec les autres. Bon, et maintenant que vous avez vu ma maison, vous me faites confiance pour vous aider chez vous ?

– Je ne peux pas accepter.

– Ça me ferait plaisir, j'aime ça. Je sais quels matériaux il vous faut. Vous pourrez me les rembourser. Mais seulement le matériel !

– Alors, c'est d'accord.

– Euh... Je crois que les cinq minutes sont écoulées, Cendrillon...

Sa voix laisse percer du regret.

– Je crois, répond-elle avec, elle aussi, du regret.

– Je peux quand même vous offrir un verre, quoique je n'aie pas grand-chose. Du vin ou de la bière, ou un café instantané. Mais...

– Non, il est tard. Je dois vraiment y aller.

Ils se tiennent debout au milieu de l'immense cuisine, face à face. Dehors, il fait noir. Pas un bruit, à l'exception du léger tapotement de la pluie sur les vitres. Isabella n'a pas l'habitude d'un silence aussi complet.

– Je ne veux pas m'imposer, vous savez, dit-il d'un ton brusque. Je veux dire : si vous ne souhaitez pas que je me mêle de votre installation. C'était un peu présomptueux de ma part, quand j'y pense.

Elle lui sourit.

– Vous avez déjà dit ça. Que vous étiez présomptueux.

– Vraiment ?

Il fait un petit pas vers elle.

– Quand ?

– Quand vous m'avez invitée à sortir avec vous. Pas à sortir, en réalité. Vous vous en souvenez, c'était vendredi... Vous m'avez proposé de venir vous écouter jouer.

– Non, je vous ai demandé de sortir avec moi. Avec moi. Et ça paraissait présomptueux, avec une femme sophistiquée comme vous.

– Je ne suis pas sophistiquée !

– Bien sûr que si !

– C'est seulement une apparence.

Que signifie ce mot, en réalité ? À présent, cela représente pour elle tout ce qui est superficiel.

– Bref, que disiez-vous, à propos de m'inviter à sortir avec vous ?

Elle rejette la tête en un geste provocant.

Il esquisse un autre pas vers elle puis se retient. Il y a quelque chose d'électrique entre eux.

– Vous me plaisez terriblement, déclare-t-il avec un calme impressionnant. C'est fou. Je ne vous connais pas et vous ne m'avez presque rien dit de vous. Mais vous avez des yeux merveilleusement doux. Et j'adore votre façon de parler avec les mains... Écoutez, je ne veux pas vous choquer, c'est tout. On voit bien que vous avez été suffisamment secouée.

– Je vous en prie, ne vous inquiétez pas.

– Si jamais vous aviez besoin de parler, je suis assez doué pour écouter.

Il ne la lâche pas des yeux et elle a du mal à respirer.

Il s'approche enfin d'elle pour la prendre très tendrement dans ses bras. Il la tient un moment contre lui et elle se sent toute petite, bien à l'abri. Puis il se penche vers elle, pose les lèvres sur les siennes avec une sorte de chasteté avant de l'embrasser, d'abord timidement puis avec une intensité empreinte d'une grande douceur. Il pousse un léger gémissement qu'elle sent retentir dans tout son corps. Il l'enserre un peu plus étroitement et elle s'accroche à sa chemise, glissant les mains sous sa veste. La barbe lui caresse les joues et elle s'étonne de la trouver si soyeuse. Elle aurait cru que c'était plus rêche. Il lui prend le visage dans une main et, de l'autre, suit la ligne de ses paupières. Elle en ferme les yeux de plaisir.

– Vous avez des cheveux magnifiques, dit-il en lui caressant la tête. La couleur d'un bel écureuil !

Il s'écarte d'elle.

– Je dois vous ramener, maintenant.

– Bien.

Mais non, ce n'est pas bien, elle le désire à en mourir. Tout son corps lui fait mal à force de frustration. Elle se rend compte qu'elle doit être dans un état affreux : les cheveux ébouriffés, le rouge à lèvres effacé mais répandu sur son menton. Quant à ses yeux, elle doit avoir un maquillage de panda, maintenant !

– Comme vous êtes belle ! s'exclame-t-il.

À la porte de l'auberge, il la retient un instant.

– J'espère que vous ne m'avez pas trouvé...

– Présomptueux ? finit-elle à sa place.

– Non, je veux dire... disons : rapide.

Rapide ! Comme ce mot la ramène loin dans le passé, quand elle était encore une gamine ricanant avec ses copines à propos des garçons qui étaient rapides, qui avaient des MB – des mains baladeuses –, vous embrassaient avec la langue et vous faisaient des suçons que vous cachiez avec une écharpe nouée autour du cou, tout en les laissant deviner ! Elle n'a pas entendu ce mot dans ce sens-là depuis lors. Rapide ? Il la connaît peu ! Vraiment peu. Oh ! *Madre*, elle n'a pas le droit d'avoir une relation avec lui ! Ni avec lui ni avec aucun autre. C'est sa pénitence.

– Vous avez l'air triste.

Il lui relève le menton du bout du doigt et lui caresse la gorge. Elle en a des frissons.

– Non, je ne suis pas triste. C'était une soirée merveilleuse. Merci.

– Pour moi aussi, c'était merveilleux. Bon, je vous vois lundi au cottage. Je dispose de deux bonnes heures après mon travail au garage.

– Formidable !

Il l'embrasse en lui souhaitant une bonne nuit. Elle écoute la voiture qui s'éloigne dans l'obscurité, quand elle ne la voit déjà plus.

Sophia s'est allongée sur son lit pour dormir. Hannah dort de son côté, le pouce dans la bouche, le lapin tricoté et son ours en peluche tout neuf contre elle. La télévision est restée allumée mais avec le son réduit. La veilleuse diffuse une lueur paisible dans la chambre. Garibaldi se précipite vers elle avec un de ses petits bruits de gorge, presque un roucoulement. Elle le prend dans ses bras. Il grimpe sur son épaule avant de sauter à terre. Elle touche le bras de Sophia qui s'éveille instantanément.

– Oh ! bonsoir... j'espère que cela ne vous ennuie pas, dit-elle en s'asseyant, la voix rauque de sommeil.

– Bien sûr que non ! Je suis désolée de rentrer si tard.

Elle parle à voix basse pour ne pas réveiller Hannah.

– Non, ça ne fait rien, dit Sophia.

Elle se lève en bâillant.

– Elle a été adorable. Tout s'est très bien passé.

– Je suis ravie. Ça vous intéresse de revenir une autre fois ?

– Oh ! oui, j'aimerais bien !

– Je m'installe à Pengarris. Vous pourriez me donner quelques heures ?

– Oui.

– Vous avez un moyen de transport ?

– Oui, j'ai une Mini, précise Sophia avec une nuance de fierté dans la voix.

Isabella la paye et note son numéro de téléphone.

– *Ciao*, Sophia.

– Oh ! ça, c'est un mot que je connais !

L'espace d'un instant, son petit visage pincé devient presque attirant. Elle a un ravissant sourire qui transforme son expression de souris effarouchée et donne un peu de rondeur à ses joues.

– *Ciao*, renvoie-t-elle à Isabella.

Elle part, toute contente, mise en joie par un banal mot d'italien.

Isabella ne se lave pas, même pas les dents. Elle veut garder l'odeur et le goût d'Aidan. Allongée entre les draps de Nylon, elle revoit la soirée, repense à ce qu'il a dit, à la moindre nuance de sa voix. Elle s'attarde sur l'image de son visage, ses sourcils si mobiles et ses yeux si calmes. Elle sent encore ses lèvres sur les siennes et la chaleur de son corps. Et sa tendresse. Comme s'il se souciait d'elle.

Madre, et quoi encore ? Où allons-nous comme ça, Isabella, *cara* ?

7

Lundi. Dixième jour. Son répondeur téléphonique, à Londres, fait peser sur elle le poids d'une autre existence. Comme une peau de serpent abandonnée qui aurait encore sa vie propre. Son élève de français a passé le stade contagieux et est prêt à reprendre les cours. Pourquoi ne m'avez-vous pas rappelée ? demande sa mère. Pourquoi ne m'as-tu pas rappelé ? Pourquoi ne m'avez-vous pas rappelé ? demandent ses amis et son comptable. Je suis désolé mais je vais devoir vous compter le rendez-vous que vous avez manqué, annoncent son dentiste et son coiffeur. Un flot d'appels qui attendent une réponse. Elle éprouve une certaine satisfaction à les ignorer. En revanche, c'est différent pour le courrier : elle imagine très bien le tas devant sa porte, la boîte aux lettres qui déborde de prospectus et proclame ainsi au monde entier son absence. Il faut qu'elle aille à Londres et cela l'angoisse. Au moins, elle possède une adresse où se faire réexpédier son courrier : 4, The Rise. Les autres cottages ont des noms mais Timothy Abell ne s'intéressait pas à la vue sur la mer ni aux bruyères des collines.

En ce dixième jour, l'été revient avec un après-midi lumineux, bourdonnant d'insectes. Le sable brille sur la grève découverte par la marée. La lumière les éblouit et la chaleur pénètre leur peau. Le va-et-vient des vagues en fin de course fait un bruit de respiration. La mer inspire en se retirant, expire en s'étalant sur le sable qui absorbe l'écume. On aperçoit de petits nuages de moucherons et on entend les grillons.

– C'est incroyable, dit Babs Carrick en se rallongeant. Qui l'aurait cru ?

Elle plisse les yeux sous le soleil. Ils sont d'un bleu pâle presque transparent. Ses cheveux striés d'argent sont tirés en arrière, dégageant son front lisse.

Elles sont allées pique-niquer au bas du promontoire est. Hannah cueille des pâquerettes et les met une à une dans son seau de plastique. Elle chantonne. C'est son dernier progrès, chantonner. Elle ne suit pas une mélodie particulière : il s'agit simplement d'un ronronnement satisfait.

– Il était sculpteur et potier.

Babs est en train de parler de son mari à Isabella, installée au soleil à côté d'elle.

– Nous nous sommes rencontrés dans l'Ontario, où nous séjournions tous deux. J'étais venue passer les vacances d'été dans la cabane d'un de mes amis. Lui, il faisait du camping. Il avait quinze ans de plus que moi. J'ai quitté la fac et je suis partie avec lui quand il est rentré à Londres. Aussi simple que ça ! Il y a treize ans, il a voulu revenir en Cornouaille, où il avait grandi, et nous avons acheté la boutique. Je vous montrerai quelques-unes de ses œuvres, si ça vous intéresse.

– Volontiers.

– Il est tombé malade quatre ans après notre installation ici.

La sclérose en plaques, pour un sculpteur... Babs n'a pas essayé de le dissuader. Au contraire, ils en ont discuté ensemble : la meilleure méthode, les conséquences, sa vie à elle, après lui, sans lui.

– Je l'aurais aidé s'il me l'avait demandé.

Isabella est profondément émue par un amour aussi désintéressé. Elle ne peut imaginer cela : ce que cela peut représenter de le trouver puis de le perdre. Elle se sent un peu jalouse, lui envie même un peu son chagrin.

– Et vous ? Tout ce qu'on raconte ? C'est vrai que vous vous êtes enfuie parce que votre mari vous battait ?

Elle prend une pomme dans la boîte en plastique et y plante les dents. Le jus lui coule sur le menton tandis que le soleil chauffe ses bras nus. Le battement du ressac contre les rochers retentit avec régularité. Isabella s'imprègne de ce calme.

– Ce n'est pas exactement cela.

– Vous allez retourner avec lui ?

– Il n'y a *personne* avec qui retourner, Babs.

Ce qui peut se comprendre de plusieurs façons, qu'on le prenne littéralement ou non.

– Je ne voulais pas être indiscrète, s'excuse Babs. Écoutez, si jamais vous avez vraiment besoin de quelqu'un...

– Je sais, Babs. Merci.

Aidan a dit la même chose.

– Vous connaissez Aidan...

Elle s'interrompt en constatant qu'elle ignore son nom de famille.

– C'est lui qui a le garage de Zerion.

– Aidan Argall ! Bien sûr ! Tout le monde le connaît. C'est quelqu'un de bien.

– Il va m'aider à arranger la maison.

Babs se redresse et ferme à moitié les yeux.

– Vous avez de la chance, on peut lui faire confiance. Il est son propre maître et je ne crois pas qu'il se choque pour un rien.

La déclaration de Babs, cette appréciation de la personnalité d'Aidan la remplissent de plaisir. Plus que quelques heures à attendre pour le retrouver.

Babs lui signale les bateaux de pêche dans le lointain.

– Il y a celui du vieux Charlie parmi eux. C'est votre voisin le plus proche. Il est facile à reconnaître, même à six heures du matin quand ils descendent tous aux mouillages. On l'entend traîner la jambe. Son frère jumeau est mort en mer il y a cinq ans.

– C'est horrible !

– Charlie a épousé sa belle-sœur, Joyce, deux ans plus

tard. Ça a fait jaser dans les chaumières, je vous le garantis ! On dirait des jeunes mariés. C'est vraiment drôle. Vous savez qu'on va bientôt tourner un documentaire pour la télévision, ici ?

– Aidan me l'a dit.

– Ah, encore lui ! s'exclame Babs avec un grand sourire.

– D'accord, d'accord ! répond Isabella en levant les mains.

Depuis combien de temps a-t-elle détourné son attention d'Hannah ? Quelques secondes ? Quelques minutes ? Toujours est-il qu'à l'endroit où se trouvait l'enfant il n'y a plus que son petit seau.

Elle pousse un cri et saute sur ses pieds, renversant le gobelet de Babs, qui était plein de cidre.

– Hannah ! Elle a disparu.

La panique la submerge, la rend totalement incapable de quoi que ce soit pendant quelques instants. Elle ne peut que regarder l'endroit. Une sorte de mirage lui fait brièvement entrevoir Hannah.

– Elle n'a pas pu aller bien loin, lui dit Babs. On va chercher chacune dans une direction.

Son calme arrache Isabella à sa paralysie. Elle se met à appeler l'enfant, escalade le sentier, passe un tournant, sans cesser d'appeler. Encore un tournant. La première chose qu'elle entend, c'est le bourdonnement d'Hannah.

Elle est là, à quatre pattes, souriant de son sourire d'ange.

– Papin ! s'exclame-t-elle, le doigt pointé.

À un ou deux mètres d'elle se trouve le lapin qu'elle a dû suivre. Il doit être vieux ou malade car les bonds qu'il fait pour se sauver sont très lents.

– Oh, *madre* ! *Carina*...

Le soulagement l'envahit. Elle tombe sur les genoux à côté d'Hannah et la serre contre elle de toutes ses forces avant de l'écarter d'elle, la tenant à bout de bras.

– Hannah, il ne faut pas te sauver. C'est très vilain. Tu comprends, Hannah ? Tu dois rester avec les grandes personnes.

Est-ce son ton de reproche ou un mot qui a ravivé un souvenir de l'enfant ? Hannah se raidit, son visage devient rouge et elle se débat pour s'échapper. Elle se transforme en une vraie furie, hurlant, faisant tomber une grêle de coups de poing sur Isabella. L'émotion lui donne une force incroyable pour frapper à coups de pied et arquer tout son corps vers l'arrière. Isabella est bouleversée. Elle ne l'a jamais vue dans cet état.

– Papin, *papin*... Hannah veux *pati* !

Les hurlements s'amplifient, se répercutent sur la falaise, si fort que tout le monde doit l'entendre : les habitants du village, les pêcheurs, les clients assis devant le Ship Inn – absolument tout le monde.

Isabella est livide.

– Je t'en prie, *carina*, arrête, arrête !

Elle est trop affolée pour trouver un comportement approprié. Elle ne sait que s'accrocher à l'enfant, qui lui martèle les tibias de ses pieds chaussés de sandales. Sa crise d'hystérie finit par s'épuiser d'elle-même et Hannah enfouit son visage trempé de larmes dans les bras d'Isabella. Elle lui enserre le cou de ses petits bras qui tremblent encore.

– Maman, maman, gémit-elle.

Isabella est incapable de bouger tout de suite. Hannah continue de s'accrocher à elle de toutes ses forces. On dirait qu'elles ne forment qu'une seule personne, impossibles à distinguer l'une de l'autre. On ne peut dire où commencent les jambes de l'une, où finissent celles de l'autre. Leurs visages n'en sont plus qu'un, avec une seule chevelure.

– *Carina, cara, carina*...

– Ma-man-an...

– Eh oui, ils sont terribles, à deux ans ! lui dit Babs un peu plus tard. Je suis contente que les miens soient grands. On oublie les crises de colère.

– C'est normal ?

– Malheureusement, oui !

Que connaît-elle des enfants de deux ans – ou de trois ans – et de leurs crises de colère ? Que connaît-elle, d'ailleurs, de cette enfant en particulier ? Elle est pleine d'appréhension, craint que le lien naissant n'ait été endommagé.

– C'est parce qu'ils se sentent frustrés. Ils ne peuvent pas encore s'exprimer. On ne croirait pas que quelqu'un d'aussi petit possède des poumons aussi puissants, n'est-ce pas ?

– Non !

Elle n'a plus la force de parler, épuisée par la scène, traumatisée.

Elles redescendent à pied vers le magasin de Babs. Hannah dort dans sa poussette d'un sommeil agité.

– Isabella, vous n'avez rien à vous reprocher.

– Je l'ai quittée des yeux. Il aurait pu lui arriver n'importe quoi.

– Mais il ne lui est rien arrivé. En quelques secondes, c'est impossible. Si vous saviez ! Les miens se fourraient sans arrêt dans des situations invraisemblables. Je ne sais pas par quel miracle ils ont survécu. Par moments, je les oubliais complètement.

Isabella sourit malgré elle à l'image de gamins déchaînés comme une bande de singes en liberté.

– Pourquoi ne mettez-vous pas Hannah au jardin d'enfants ? suggère Babs. Cela lui ferait du bien. Il y en a un près de Zerion. Je vous trouverai le numéro.

Elles se séparent devant le magasin, et Isabella la remercie.

– J'ai honte de moi ! Normalement, je ne suis pas du genre qui s'affole.

– Mais non, vous n'avez pas à avoir honte. Ne soyez pas si dure avec vous-même.

Elle remonte lentement la colline, poussant toujours Hannah. Elle dépasse les fenêtres fermées sur leurs secrets et sur les chats endormis, puis tourne dans l'allée qui mène au cottage. Un cuisant sentiment d'échec la taraude. Elle s'arrête devant la porte de Timothy Abell.

Janet Abell a écrit « BIENVENUE » sur une feuille de papier qu'elle a coincée sous le heurtoir.

Ce simple mot suffit à tout relativiser et la fait instantanément changer d'humeur. Elle n'a aucune raison de se décourager, après tout ! Hannah est en sécurité et il ne lui est rien arrivé de fâcheux. C'est la seule chose qui compte.

Je dois apprendre, c'est tout, se dit Isabella.

Elle détache Hannah, qui s'éveille. Qui lui sourit en se dressant sur des jambes encore engourdies de sommeil. Isabella se penche pour l'embrasser.

Aidan est en train de repeindre le salon au rouleau, en blanc.

– D'après une légende, raconte-t-il, un géant habitait par ici. Il passait d'une falaise à l'autre en un seul pas et se nourrissait d'enfants. S'il ne mangeait pas un enfant par jour, il tombait malade. Un jour, pourtant, il est tombé malade et l'une des petites filles qu'il avait kidnappées l'a soigné jusqu'à ce qu'il guérisse. Mais il s'était mis à aimer cette petite fille et il a compris qu'il ne pourrait plus jamais manger d'enfant. Alors, il a décidé de mourir. Il s'est jeté dans la mer de cette falaise, là-bas, pendant une tempête, et il a été changé en pierre. Le gros rocher qui est tout seul vers le large, on dit que c'est lui !

– Je n'ai jamais vécu dans un endroit où il y avait autant de légendes, commente Isabella tout en peignant la porte.

À côté d'elle, Hannah joue avec un pinceau.
– Mais reconnaissez que c'était un geste assez noble, non ?
– Un vrai personnage de Thomas Hardy.
– *Le Maire de Casterbridge* ?
– Vous l'avez lu ?
– Ah, ça l'étonne ! Le béotien lit Thomas Hardy !
– Mais non, je ne voulais pas...
– Je plaisante, voyons. C'est juste une plaisanterie.
Pourtant, son ton dit le contraire.
– Je t'ai dit que j'aime lire, reprend-il avec un soupir. Attends...
Il repose son rouleau dans le pot, et va l'embrasser par-dessus la tête d'Hannah, qui se trouve entre eux.
– Maman et un monsieur, dit l'enfant.
– Si tu savais comme j'ai pensé à vous... À toi, lui dit-il sans lâcher ses lèvres. J'ai...
Il secoue la tête, se redresse lentement.
– Je ne dois pas faire ça devant la petite.
– Tu n'avais pas l'air particulièrement heureux de me revoir, tout à l'heure ! dit-elle pour le taquiner.
En fait, elle s'était demandé comment il se conduirait et n'avait donc éprouvé aucune surprise quand il l'avait saluée comme une simple connaissance.
Elle s'assoit dans la poussière du plancher et il la rejoint.
– Je ne savais pas comment faire. Je ne savais pas comment tu serais. Tu aurais pu regretter... tout. Et puis, je m'étais demandé pourquoi une femme raffinée comme toi... Enfin, je ne suis pas de ton milieu. Je ne suis qu'un type tout ce qu'il y a d'ordinaire !
– Ne dis pas de bêtises. Tu n'es pas du tout ordinaire. J'aimerais que tu arrêtes de le penser.
– Bien, j'obéirai ! dit-il.
Et il se donne une petite tape sur la joue tout en lui souriant.
– Il s'est passé une chose horrible, tout à l'heure.

Il écoute avec attention tandis qu'elle lui raconte la scène.

– Cela m'avait déjà causé un choc de ne plus la voir, mais la crise qu'elle m'a faite après ! C'était incroyable !

– Pourtant, il faut bien lui poser des limites, non ? Les enfants doivent apprendre qu'ils peuvent faire certaines choses et d'autres pas. Je me souviens, un jour, d'avoir dû réprimander Sam. Nous étions en pleine rue, à Truro, et il s'est mis à hurler d'une façon épouvantable. Les gens le regardaient, sidérés. C'était très embarrassant. Il ne faut donc pas t'inquiéter pour ça. Regarde-là, maintenant.

Oui, regarde : Hannah est en train de taper joyeusement avec son pinceau sur la porte sans cesser de chantonner.

– C'est juste qu'elle a un caractère volontaire, comme sa mère !

Elle le dévisage. Il lui prend la main et lui masse doucement les phalanges.

– J'aime tes mains.

– Pourtant, elles sont affreuses, énormes et carrées !

– Tu dis des bêtises. Moi, j'appelle ça de vraies mains.

Le qualificatif la fait rire.

– Ça, c'est sûr ! Ce sont de vraies mains !

Elle les lève à hauteur de ses yeux et fait mine de vérifier.

– Non, corrige-t-il en riant lui aussi. Tu sais ce que je veux dire. Ce sont des mains qui travaillent, des mains utiles.

Il reprend son sérieux :

– Écoute, ce n'est pas facile d'être seule avec la petite. Tu dois t'occuper de tout. Je sais ce que c'est. Je vais réparer la clôture du jardin pour qu'elle soit en sécurité. Ce sera un souci de moins. Et on trouvera un vrai portail.

Il est tellement attentif ! Elle n'a jamais connu quelqu'un comme lui.

– Je n'ai jamais connu quelqu'un comme toi, lui dit-il.

Elle sourit.
– Qu'est-ce qui t'amuse ?
– Rien, rien... Merci pour tout, merci.
– Ne sois pas stupide !
– Je ne suis pas... Aidan...
– Oui ?
– Écoute, il y a des choses... Je ne veux pas que tu puisses penser un jour que je t'ai menti.
– Tu veux dire que je ne te plais pas ?
– Qu'est-ce qui peut bien te faire croire que tu me plais ? s'exclame-t-elle en riant.
– Alors, je te plais.
– Oh, oui !
– Tout va bien, dans ce cas. Écoute, je te l'ai déjà dit. Je n'ai pas l'intention d'exiger des confidences si tu n'es pas prête à m'en faire. Peut-être qu'un jour, quand nous nous connaîtrons mieux, tu auras envie de me parler.

Quand nous nous connaîtrons mieux ! Il n'a pas dit « si ». Il a dit « quand ».

Elle aime les inflexions douces de sa voix, les voyelles rondes et atténuées. Il la contemple à présent de son regard calme et direct. Elle a l'impression que les yeux d'Aidan pénètrent les siens, qu'ils utilisent la même paire d'yeux. L'envie qu'elle a de lui la taraude.

– Je n'ai pas arrêté de penser à toi, dit-elle.
– Je peux encore t'aider mercredi soir, si tu veux. Ensuite, vous pourriez venir chez moi, toutes les deux. Je me débrouillerai pour vous faire à dîner.

Ses sourcils se lèvent en un mouvement moqueur.

– Je ne suis pas libre, demain soir, précise-t-il.

Ainsi, mercredi sera le Grand Soir ? Et que fait-il donc, demain ?

L'information ne tarde pas.

– Je vais à Bath pour voir une MGA et je rentrerai assez tard.

Il est sans ruse ni calcul. Il lui offre sa vie sans secrets sur un plateau nu. Elle redoute le jour où elle le décevra.

– Allez, au travail, dit-il en l'aidant à se relever.

Il brosse de la main la poussière de son jean, là où elle s'est assise.

Au cours de l'heure qui suit, tandis qu'ils transforment la pièce – elle remarque le soin qu'il apporte aux finitions des coins et recoins –, ils échangent à peine un mot. Mais leur silence est celui de deux compagnons qui travaillent ensemble. Comme un explorateur assoiffé buvant sa dernière gorgée d'eau, elle savoure ce moment de délicieuse normalité. Elle joue au jeu des Familles Heureuses. Chaque fois que leurs yeux se croisent, c'est dans une longue communion. Dehors, par la fenêtre ouverte, ils voient les goélands revenir tranquillement à leurs avant-postes dans la lumière rouge du couchant ; les corneilles regagnent leurs nids en bandes et des nuées d'étourneaux se dirigent à tire-d'aile vers les mélèzes de la falaise. Hannah chantonne de sa drôle de voix sans modulation : « Ma-man-an-an, Ma-man-an-an... »

Mon Dieu, faites que ça continue...

– Amenez-la demain, lui dit Margaret. On verra comment elle s'adapte.

Margaret est la responsable du jardin d'enfants et Isabella vient de l'appeler au téléphone.

– J'ai beaucoup entendu parler de vous, ajoute Margaret.

– Par qui ?

– Mon Dieu ! Demandez-moi plutôt qui ne m'a *pas* parlé de vous !

Isabella est ennuyée, elle n'a pas l'habitude de ce genre d'intrusion dans sa vie. Cela lui donne une impression de rideaux à demi soulevés sur des yeux qui l'épient, une impression d'oreilles aux aguets et de langues de vipère.

Le soir, devant le miroir du lavabo, elle détaille son corps. Comme elle ne voit pas plus bas que la taille, elle monte sur la chaise pour inspecter ses hanches, ses fesses et ses jambes. Elle se tortille en s'examinant sous tous les angles. Est-ce que son corps lui plaira ?
– Ceveux maman, dit Hannah en désignant son pubis.

Mardi, 10 septembre. Qui aurait pu imaginer, quinze jours plus tôt, que ce matin-là elle se trouverait en train de confier une petite fille au jardin d'enfants d'un village de Cornouaille ?
Margaret est une femme gigantesque et rayonnante dont les chairs imposantes cascadent jusqu'à de tout petits pieds.
– Eh bien, bonjour, Hannah.
Elle les accueille alors qu'elles entrent d'un pas hésitant et se baisse difficilement pour se mettre au niveau d'Hannah. Elle lui sourit comme une affreuse gargouille. Hannah la fixe d'un œil méfiant jusqu'au moment où son attention se détourne vers d'autres enfants qui arrivent avec leur mère ou – dans l'un des cas – leur père. Sa main s'énerve dans celle d'Isabella.
– Hannah pa-ti. Pa-t-i !
– D'accord, *cara*... Je crains qu'elle ne soit très timide.
– Ils le sont tous, au début. Regardez-les, maintenant.
Margaret adresse de grands gestes aux petits qui envahissent la pièce, filles et garçons qui se rassemblent ou courent vers les deux assistantes, vers le piano ou la maison de poupée installée dans un coin.
– Vous pouvez rester jusqu'à ce qu'elle s'habitue, si vous voulez.
– Cela ne vous dérange pas ?
– Pas du tout, on a l'habitude ! Et je vais vous dire quelque chose : c'est plus dur pour les mères que pour les enfants quand ils restent ici la première fois.
Elles se tiennent serrées l'une contre l'autre, les deux

étrangères, toutes deux observant, l'une les enfants, l'autre les mères. Des regards discrets qu'on lui lance, Isabella conclut que certaines savent qui elle est. Quelles rumeurs ont circulé ? Cela lui rappelle le jeu du téléphone arabe auquel on jouait dans son enfance et cela l'irrite. Elle colle sur son visage un sourire de commande. Hannah, elle, a l'air très perplexe. Un garçonnet vient se planter devant elle d'un air assuré et lui tire la langue.

« Fiche le camp, sale gosse », grogne Isabella en elle-même.

Elle n'en continue pas moins d'afficher un imperturbable sourire.

– Allons, allons, tout le monde par ici ! appelle Margaret en tapant dans ses mains. On chante tous ensemble.

Elle range les enfants en un grand cercle.

À côté d'Hannah se trouve une petite fille qui lui dit qu'elle s'appelle Becky. Elle prend fermement la main d'Hannah et la secoue plusieurs fois de haut en bas. Becky se révèle aussi bavarde qu'Hannah est taciturne.

– Et un, et deux, et trois, s'égosille Margaret. *Ring a ring of roses, a pocket full of posies...*

Les enfants se mettent tous à chanter. Le piano résonne avec un bruit de casserole. Les mêmes comptines aux paroles absurdes chantées par des générations et des générations qui répètent le refrain sans comprendre. Qui se souvient, se demande-t-elle, que *Ring a ring of roses* évoque une épidémie de peste ?

Ensuite, les enfants sont regroupés deux par deux. D'autorité, Becky s'est adjoint Hannah pour jouer avec la maison de poupée. Isabella est émerveillée de la voir s'ouvrir, imiter les autres, s'enhardir de seconde en seconde.

– Non, pas là, dit résolument Becky quand Hannah met un petit cheval de plastique dans une porcherie.

Becky désigne un autre bâtiment miniature.

– Les chevaux vont dans les écuries !

– Là' dans ? s'enquiert Hannah en déplaçant le cheval.

Tous ces petits visages d'enfants heureux, en train de gazouiller, forment un spectacle délicieux. Des êtres encore malléables qui attendent d'être formés, qu'on les aide à se construire ou qu'on les détruise. L'expérience et le savoir pétriront leur esprit pour le meilleur et pour le pire.

Quand elle quitte enfin, seule, le jardin d'enfants, elle se sent déconcertée. Bizarrement inutile. Triste. En trop. Une histoire pathétique lui revient à l'esprit, celle d'une femme âgée qui s'était fait prendre dans un magasin en train de voler des chaussettes d'homme. Elle prétendait que c'était pour son mari. Il était malade et ils n'avaient pas d'argent. Mais elle n'avait pas de mari. L'enquête démontra que c'était une vieille fille qui vivait seule dans un studio.

Elle monte dans sa voiture et, par réflexe, vérifie la sangle du siège d'enfant. Ses doigts rencontrent le lapin et l'ours. Puis elle allume la radio pour avoir des nouvelles. Au lieu de la radio, c'est le lecteur de cassettes qui s'enclenche : « Si tu vas dans les bois aujourd'hui, attends-toi à une grosse surprise... »

Elle reprend la route de Pengarris, chantant avec la cassette. Une image lui revient encore, très nette, celle de son propre jardin d'enfants : à côté de la fenêtre se trouvait un piano avec des bougies dans les appliques. Les adultes paraissaient tous terriblement vieux. En fait, il n'y avait que des religieuses. L'une d'elles, qui avait des yeux rouges de lapin albinos, avait été amputée d'un doigt. C'était elle qui jouait du piano pendant les prières. Isabella entend encore les sons discordants qu'elle produisait pendant qu'elles chantaient *All Things Bright and Beautiful*... Après, elles faisaient de la peinture vêtues de blouses bleues, puis sculptaient des bonshommes en pommes de terre avant la leçon où on leur apprenait l'alphabet. Vingt enfants portant la même tenue et dressés à respecter une stricte discipline. Peut-elle vraiment se souvenir d'un événement aussi éloigné dans le temps ou bien mélange-t-elle les écoles qu'elle a fréquentées ? En revanche, elle se souvient bien de son amie Mélanie car elles ont été très proches pendant plusieurs années, jusqu'à ce que la famille de Mélanie déménage. Mélanie avec son air d'ange qui la pinçait sans arrêt et lui volait ses crayons. Isabella la laissait faire parce que Mélanie lui avait assuré être une princesse cachée.

Plusieurs écoles après, Isabella est devenue une adolescente. Des garçons mal élevés avec des voix en train de muer parient sur son tour de poitrine et se lancent des défis pour savoir lequel sera le premier à lui toucher les seins. Des filles, jalouses. Isabella, toujours seule. Toujours en train d'observer les autres. En train de penser, penser...

Je suis importante.

Des années plus tard, alors qu'elle se prépare à entrer à l'université, elle s'assoit dans les cafés, anonyme derrière ses lunettes noires, étudiant la façon dont on vit. Elle est en train de créer son personnage.

Environ un kilomètre avant Zerion, alors qu'elle freine dans la descente, sa voiture émet un vilain bruit de métal qui grince. Elle traverse résolument le village pour poursuivre en direction de Pengarris.

– Tiens bon, là-dedans, dit-elle à sa MG.

L'été indien continue. Le soleil brille de tous ses feux à travers la voûte des arbres et les insectes s'écrasent par centaines sur son pare-brise poussiéreux. Mais le grincement de la voiture ne s'arrête plus et, quand elle veut freiner dans une descente très raide, son pied ne rencontre aucune résistance. Rien.

– *Madre mia !*

Ses mains agrippées au volant deviennent moites. Son vieux cauchemar serait-il en train de se réaliser ? Va-t-elle s'écraser au bas de la colline ? Elle passe en première – le moteur émet une vigoureuse protestation – et serre le frein à main. Elle arrive en bas, les dents incrustées dans la lèvre inférieure. Elle s'arrête, à cheval sur l'accotement. Pendant un moment, assise la tête entre les mains, elle reste incapable du moindre mouvement. Elle se trouve le long d'un champ où des chevaux sont en train de paître. Par le toit et la vitre de la voiture, grands ouverts, lui parvient le bruit d'un cheval arrachant de l'herbe. Un bruit très apaisant. Comme l'animal passe la tête par-dessus la barrière et allonge le cou vers elle, elle tend la main et lui caresse le chanfrein.

Que faire ? Appeler l'AA[1] sur son portable ? Marcher jusqu'à Zerion ou Pengarris pour qu'on la dépanne ? Ou prendre le risque de rouler jusqu'au garage d'Aidan ? Si elle rebrousse chemin, la route sera en montée ou plate. Elle se décide donc à faire demi-tour pour rejoindre le garage par ses propres moyens. Elle adresse une courte prière au ciel pour ne pas croiser un véhicule qui l'obligerait à s'arrêter dans la montée. La MG progresse lentement dans un bruit de ferraille. Arrivée au garage, Isabella se gare à l'extérieur et descend de voiture.

Derrière les portes entrebâillées, elle entend un moteur qui ronfle. Elle avance la tête pour voir qui est là. La silhouette d'un homme en bleu de travail, une lampe torche à la main, est penchée sur le moteur d'une Ford Escort. Il est en train de tester un câble et, chaque fois qu'il le touche, le moteur rugit. Elle se rend compte que c'est Luke et le même incompréhensible malaise l'envahit. Elle s'approche de lui d'un pas volontaire.

– Bonjour, crie-t-elle pour couvrir le bruit de l'Escort.

Luke se redresse lentement et se retourne. Il ne dit rien. Il a des yeux presque laiteux dans son visage sali, des yeux qui lui vrillent le cerveau.

1. AA : Automobile Association, l'équivalent de notre Touring Club. *(N.d.T.)*

– Mes freins ont lâché, explique-t-elle d'un ton qu'elle veut décidé. Je pense que ce sont les disques.

Il s'essuie les mains sur son bleu – il a des bras anormalement longs et simiesques – puis, toujours sans un mot, se dirige vers la voiture, de sa curieuse démarche oblique.

– La clé, dit-il quand il voit qu'elle n'est pas sur le contact.

Juste ce mot : « la clé », d'une voix nasillarde et cassante. Ses dents surplombent sa lèvre inférieure comme celles d'un lapin. Elle lui donne la clé et il s'éloigne, non sans l'avoir bousculée d'une façon qui semble délibérée. Il monte dans la MG et la fait démarrer. Il appuie plusieurs fois sur la pédale de frein puis rentre la voiture et l'amène sur le pont élévateur.

Elle l'a suivi à l'intérieur et le regarde démonter les roues avant. Pour le moment, elle a oublié sa colère et son malaise. Luke a de très petites oreilles, collées contre sa tête, et des cheveux coupés en brosse, très courts. Il se dégage une impression de violence latente du haut de son corps, la nuque, les épaules puissantes, les longs bras musclés. Cela contraste tellement avec la faiblesse du reste ! On l'imagine dans un gymnase, les yeux exorbités tandis que ses muscles tremblent dans un défi à la souffrance.

– J'étais ennuyée d'avoir gardé Sophia si tard, l'autre soir, dit-elle dans une tentative pour rompre la tension.

Il se contente d'un grognement et va dans le bureau. Elle le voit téléphoner mais, si sa voix lui parvient, elle ne peut pas comprendre ce qu'il dit. Une terrible colère la saisit. Elle est tout autant furieuse contre elle-même, de se laisser impressionner par lui.

Il revient.

– C'est une habitude, de laisser tomber vos clients pour téléphoner ?

– J'ai téléphoné pour commander les pièces.

– Oh !

Elle se sent stupide.
– Alors, quand... ?
– Cet après-midi.
Et il lui tourne le dos. Il se penche à nouveau sur le moteur de l'Escort, qui reprend son vrombissement.

Son contrat de traduction pour le livre est arrivé et, de retour dans sa chambre à l'auberge, elle entreprend de l'étudier avec soin. Elle se souvient soudain d'un article qu'elle a lu voilà un certain temps. Signé par un psychologue, il traitait de l'agression passive. C'était la première fois qu'elle voyait utiliser cette expression. D'après l'auteur, cela pouvait se révéler beaucoup plus angoissant que l'agressivité exprimée, car la victime ne pouvait pas évaluer les émotions ni les intentions de l'agresseur, ni se défendre. Elle comprend mieux, à la lumière de cet article, pourquoi elle se sent si menacée par le mécanicien.
Lizzie, la femme de Dick, l'emmène au jardin d'enfants quand il est l'heure d'aller chercher Hannah.
– Alors, c'est vrai ce que j'ai entendu dire, que vous sortez avec Aidan ?
– Je...
Isabella se sent horriblement choquée par une question aussi directe, aussi indiscrète. Lizzie fait un effort pour se montrer amicale mais, Isabella le sait, en même temps elle se méfie d'elle, cette Londonienne qui est venue accaparer les hommes d'ici.
Elle résiste à son envie de la remettre à sa place.
– Il m'aide à rendre la maison habitable, c'est tout.
Même de profil, il n'y a pas à se tromper sur l'expression incrédule de Lizzie.
Hannah et sa nouvelle amie attendent ensemble, tenant à bout de bras des peintures dégoulinantes.
– Voir, dit Becky en embrassant Hannah sur la joue.
– Voir, répond Hannah avant de se précipiter sur Isabella. A fait peintu' ! A fait peintu' !

Elle parle d'une voix enthousiaste et exhibe ses barbouillages avec des grands gestes du bras.

– Elle a été adorable, dit Margaret.

– Elle n'a pas pleuré ? Pas de crise de hurlements ?

– Pas une seule larme ! Pas vrai, Hannah ?

– Aut' 'oiture, fait remarquer la fillette quand Isabella l'installe sur le siège arrière de la Volvo de Lizzie.

– J'ai oublié, dit Lizzie tout en conduisant. Vous avez une lettre. Vous l'avez trouvée ? Je l'ai mise dans votre chambre. Une grande enveloppe kraft à l'air officiel. On dirait un document légal.

– Vous avez raison, c'est un contrat de traduction que m'a envoyé mon agent. Merci.

– Oh !

Au ton de ce simple « Oh ! », il est clair que, pour elle, ce document concernait le « divorce » d'Isabella. Sans doute, comprend Isabella, Lizzie en espérait-elle une fructueuse conversation pleine d'informations à répéter partout.

L'après-midi, au garage, tandis qu'elle rédige un chèque, elle perçoit sur sa nuque l'haleine du mécanicien.

Elle se redresse et se dirige vers la porte vitrée du bureau.

– Ensuite, ce sera la suspension, dit-elle dans un dernier essai de communication.

Il l'ignore totalement, comme si elle n'avait rien dit.

Elle aide Hannah à s'installer dans la voiture et s'occupe de boucler la ceinture du siège enfant quand le mécanicien chuchote quelque chose. Elle s'interrompt net. Ce n'est pas possible, elle a dû se tromper. Pourtant, elle a le visage brûlant quand elle se glisse derrière le volant. Elle sent ses yeux posés sur elle, des yeux qui la suivent dans le moindre de ses mouvements. Jamais elle n'a eu aussi clairement conscience de la forme de ses cuisses et de leur ligne quand elle s'assoit.

Elle a cru l'entendre dire : « Toi, je vais te baiser ! »

8

Mes centres d'intérêt – mes violons d'Ingres. Isabella avait seize ans et demi quand elle a écrit cela. Elle vivait chez un couple sans enfants, âgé d'une petite soixantaine, un médecin à la retraite et sa femme, une botaniste. Ils connaissaient tous les deux par cœur le *Systema Naturae* de Linné. À la question sur ses centres d'intérêt, Isabella avait répondu : « Les animaux, tous les styles de musique, danser, jouer de la guitare et chanter en m'accompagnant, le cinéma, l'actualité, nager, aller à des expositions, lire, la mode. » Elle portait des bustiers trop justes et des jupes minuscules. Des rase-bonbon, comme on les appelait au lycée.

Mon livre préféré : « Le Petit Prince. »

Celui que je déteste : « Jane Eyre. »

Mes plats préférés : « La fondue au fromage, les cannelloni, la glace vanille avec des copeaux de chocolat. »

Les plats que je déteste : « Le steak, ça a l'air affreusement vivant. Les oignons crus, ça me donne des nausées. L'ananas, ça me fait peler la langue. »

La personne que j'aime le plus... Ici, elle avait hésité, essayant de trouver une seule personne importante pour elle. Personne. Elle avait laissé un blanc.

La personne que je déteste le plus... Cette fois, plus d'hésitation. Elle avait écrit le nom de l'assistante sociale qui soupirait en la voyant et lui donnait l'impression d'être une cause perdue.

J'aime... Ce qu'elle aime, c'est ce qui la fait vivre, ce qui lui donne des frissons, adoucit l'air qu'elle respire, la remplit d'espoir, d'envies et de joie, la transporte sur d'autres plans, la fait danser et chanter dans l'intimité de sa chambre, lui obscurcit les yeux à force de rêves et lui fait battre le cœur. « Le jaune, le bleu et le vert, écrivit-elle. C'est le soleil, la mer et le ciel ; les arbres, les plantes et l'herbe. Les papillons, les mouettes et les rouges-gorges. Le rugissement des avions – où vont-ils ? Je m'imagine dans l'un de ces avions, direction les palmiers. J'aime sentir le soleil sur ma nuque – cela me donne chaud tout en me faisant frissonner. J'aime manger des sandwiches sur un banc dans un parc. Jeter du pain aux canards et les regarder nager avec leurs drôles de pattes palmées. L'odeur des chiots et un chat qui ronronne. L'odeur des chevaux, le bruit de leurs sabots sur le sable compact. L'odeur du café. Les affiches publicitaires et les réverbères. Le bruit du thé que l'on verse et sa couleur orangée. Déballer un cadeau très lentement. Les bus. Les centrales électriques – parce qu'elles donnent une impression très excitante de réelle puissance. Les "chatons" jaunes qui pendent aux branches des arbres au printemps. Boire du Coca à la bouteille. Les pigeons – parce qu'ils sont rebondis comme des protège-théière, et parce que leur roucoulement est apaisant. Les cours d'eau que l'on entend glousser de rire si on approche suffisamment l'oreille et où l'on voit les cailloux sur le fond. Les collines. La terre brune fraîchement retournée. L'art des gens qui dessinent sur les trottoirs. Les accordéons. Le sable. Les chaussures à semelle compensée. Les écharpes indiennes nouées sur les hanches. Les marchés. La voix de Richard Burton. La totalité (!) de Steve McQueen. Être pieds nus. Mes oreilles récemment percées. Danser le swing. Spike (son cactus)... »

La liste des « j'aime » couvrait toute une page et elle aurait pu encore s'allonger. Cela l'étonne. Elle n'aurait jamais cru qu'elle aimait tant de choses.

Je n'aime pas : « Me lever le matin. Le ciel gris. L'école. Les familles d'accueil. L'étroitesse d'esprit. L'avarice. Le snobisme. Les préjugés. Les crocodiles. La cruauté. Le violet et le marron – cela me fait penser à la mort. La guerre. Les ongles longs. La neige. Les clôtures en fil de fer barbelé. Les gens qui se disputent en criant. La façon dont mes doigts deviennent gourds et jaunes quand j'ai froid. Le brouillard parce que ça désoriente complètement, on ne sait plus où l'on est. L'idée de mourir, le néant. Le bruit de la laine qu'on arrache à un pull. Les cauchemars. Les éclairs parce qu'on attend le tonnerre après. La puanteur du champ d'épandage des égouts, au bout de la route. La géographie. L'étude des religions : la religion a causé plus de guerres que n'importe quoi d'autre. Les gens qui vous regardent d'une telle façon qu'on pense qu'ils sont en train de se moquer de vous. La bière. Le métro parce qu'on est coincé contre de parfaits étrangers, c'est tellement agressif ! Les chiens qui aboient toute la nuit et vous empêchent de dormir. Les hommes saouls. Les garçons qui se moquent de vous et vous empêchent de passer. Les garçons qui croient que c'est agréable de vous enfoncer leur langue dans la gorge quand vous ne les aimez même pas. Les bourgeois bien-pensants ; je... »

Là, elle s'arrêta et ajouta les ballons à la liste des choses qu'elle aime.

Ma silhouette ; les bons points. Pour répondre à cette question, elle a dû s'examiner dans la glace fixée à la porte de sa chambre. Elle l'allongeait un peu. Elle le savait car elle avait toujours l'air plus grosse dans les magasins. Très timidement, elle avait demandé qu'on lui achète un miroir.

– Je ne peux pas voir si je suis correctement habillée, avait-elle expliqué.

– Mais bien sûr, mon enfant, il faut nous dire de quoi vous avez besoin.

Elle, la botaniste, et son mari n'avaient aucun contact avec les jeunes et le monde moderne, avec tout ce qui était léger ou scandaleux. Ils paraissaient stupéfiés par la modernité et se retranchaient dans leur étroit domaine scientifique, bien plus réel pour eux que le reste. Le bruyant tic-tac de l'horloge sur la cheminée du salon où ils passaient la soirée ensemble avec des livres (il n'y avait pas la télévision), ce tic-tac rendait folle Isabella. Elle l'entendait de plus en plus fort, cela lui emplissait la tête, et en fin de compte elle n'entendait plus rien d'autre. Mais ils mettaient tant de bonne volonté pour qu'elle se sente bien ! La botaniste faisait de maladroites tentatives pour lui témoigner de l'affection, mais ces démonstrations d'une femme à la peau flétrie, coiffée avec la raie au milieu, chaussée de richelieus portés sur des socquettes, ces démonstrations la remplissaient de répugnance.

Elle leur reste pourtant reconnaissante de leurs efforts, et de la stabilité qu'ils lui ont procurée pour ses deux dernières années en famille d'accueil. De plus, elle a beaucoup appris avec eux. Le savoir était tout, et le sien ne cessait de croître.

« J'aime mes cheveux, écrivit-elle. Mes yeux. Mes sourcils, qui sont noirs et non pas roux comme mes cheveux. Ma bouche a une assez jolie forme mais j'ai des lèvres un peu pâles qui ne ressortent pas beaucoup sur ma peau. Ma peau est très bien. Elle est assez claire et rougit facilement mais je n'ai pas de taches de rousseur. J'aime aussi mes seins et mes épaules, et ma haute stature. »

Mes points faibles : « Je n'aime pas mon nez, il est trop pointu. Et mon menton trop marqué. J'ai le visage trop large, un peu fort. J'aimerais mieux un petit visage délicat avec les reliefs et les ombres très marqués. J'ai les fesses, les hanches et les cuisses trop grosses. Même si je fais un régime et que j'ai les os des hanches qui pointent, je reste trop grosse. »

Mes buts, mes ambitions : « Échapper au système. Aller à l'université. Voyager. Avoir beaucoup d'amis. Réussir ma vie professionnelle et m'offrir tout ce que je n'ai jamais eu, à commencer par l'argent. Je ne suis pas sûre de me marier. Et je n'aurai jamais d'enfants. Je ne trouve pas que les enfants soient si merveilleux. Je préfère les animaux. J'aurai un chat et je posséderai un appartement ou une maison à moi, avec beaucoup de plantes et de beaux objets. Personne ne se moquera de moi et on ne me laissera pas de côté. J'aurai de beaux vêtements et une voiture de sport. J'apprendrai l'équitation, j'irai au théâtre et à l'opéra, et j'aurai les moyens d'assister aux concerts d'Eric Clapton à l'Albert Hall. Je ne compterai que sur moi. Je vais rendre tout cela réel. Je le veux. »

Le mot s'est répandu qu'Isabella sort avec Aidan. La marchande de journaux-bureau de poste de Zerion accueille Isabella avec un visage fermé quand celle-ci vient acheter le journal. Après tout, c'est une femme mariée. Il est bien possible – selon la rumeur générale – qu'elle ait quitté un mari qui la battait mais cela ne change rien à son statut.

Le soir, il règne une certaine tension entre Isabella et Aidan, mais une tension très différente de celle d'il y a deux jours. Cette fois, c'est la tension presque intolérable de l'attente qui fait vibrer l'atmosphère. Le moindre effleurement de la main, ses doigts qui lui caressent rapidement le haut de la tête, un chaste petit baiser sur les lèvres, un regard chargé de désir, tout cela lui donne l'impression de décharges électriques dans tout le corps.

– J'ai acheté la voiture que j'étais allé voir, annonce-t-il depuis la cuisine où il installe la chatière.

Même à genoux, comme il l'est actuellement, il semble occuper tout l'espace.

– C'est pour Grabla, dit Hannah, qui observe l'opération.

Depuis deux jours, elle accomplit des progrès extraordinaires. Isabella en est aussi ébahie qu'heureuse. Elle se demande si la fillette savait parler avant qu'elle la rencontre mais se sentait trop traumatisée pour s'exprimer, ou si elle est en train d'apprendre à toute vitesse. Dans un cas comme dans l'autre, c'est une victoire.

– Elle n'est pas en si mauvais état, poursuit Aidan. Et elle sera superbe quand je l'aurai restaurée. Elle est d'un beau rouge cerise traditionnel. Et le cuir est très clair. Je revendrai cette belle dame facilement.

Son enthousiasme fait sourire Isabella.

– « Voiture » ! le reprend-elle en s'interrompant pour vérifier les étagères de cuisine qu'elle est en train de peindre. Une voiture n'est pas une « dame » ! insiste-t-elle.

– Oh ! c'est comme tu veux mais je crois que, à l'origine, si on parle d'elles au féminin en anglais, c'est à cause des bateaux. Les marins aimaient leurs bateaux comme une femme.

– Encore plus, probablement, réplique-t-elle d'un ton désabusé.

Il suspend son geste, laissant le volet de plastique à moitié engagé dans son cadre.

– J'aimais ma femme, dit-il pensivement. J'ai toujours pensé qu'il était important pour un homme d'exprimer ce genre de chose. Mais elle n'a pas voulu.

– C'est dommage.

– Oui, vraiment.

Elle veut, elle désire de toutes ses forces et tout de suite ce que cette femme n'a pas voulu. Elle éprouve même de la colère contre cette femme incapable d'apprécier son bonheur. Elle se tourne pour le regarder. Il est en train d'étirer l'une de ses jambes, ankylosée dans son inconfortable position de travail, et il la secoue. Leurs yeux se croisent et ne se quittent pas.

– Par moments, lui dit-il, tu as une expression... Ça dément ton apparence de femme décidée. Tu parais soudain si vulnérable, si fragile, secrète, humaine et triste... C'est à faire fondre les pierres. Quand j'étais gamin, j'ai eu un renardeau. Il avait beau être toujours prêt à mordre, il adorait qu'on lui caresse le ventre. Lorsque je le faisais, il avait dans les yeux exactement la même expression que toi.

– La soumission ? demande-t-elle pour le taquiner.

– Non, je ne suis pas macho, répond-il de son ton sérieux.

– À titre d'information, j'adore qu'on me caresse le ventre.

– À titre d'information, j'adore le faire. Partout.

Elle sent sur elle son regard brûlant.

– *Madre !*

Quelle frustration !

– Oui, je sais ! dit-il en secouant la tête avec un sourire piteux.

Quand il se relève – sa tête touche presque le plafond – elle le prend dans ses bras et l'embrasse. Il lui rend son baiser avec passion et, à travers son T-shirt, lui caresse les seins. Puis il s'écarte.

– Ça ne va pas ! Nous sommes là pour travailler et il y a ta fille... Je suis peut-être à part mais c'est comme ça.

C'est un homme de principes, aux valeurs fortes, très maître de lui-même. Cela le lui rend infiniment respectable.

– Tu es à part pour beaucoup de choses... Oh ! je ne t'ai pas dit, pour ma voiture, ajoute-t-elle alors qu'il s'apprête à lui répondre.

Elle lui raconte comment ses freins ont lâché, la veille.

– Tu n'aurais jamais dû faire un mètre de plus ! Tu es complètement folle ! Tu aurais pu te tuer, ou être affreusement blessée. Enfin, bref ! Luke s'est occupé de la réparation ?

– Oui.

– Je vais entièrement la réviser. Ça prendra deux jours mais on fera tout ce qu'il faut. La suspension, tout !

– Ça risque de me coûter cher.

– Non. Je te ferai seulement payer les pièces détachées au prix coûtant. Pas la main-d'œuvre.

– Je ne peux pas accepter. Je veux payer. C'est ton gagne-pain.

– Et toi, tu es mon...

Il s'interrompt brusquement avec un petit rire suivi d'un haussement d'épaules.

– Nous sommes amis, voyons, et je refuse de te laisser jouer avec ta sécurité. J'insiste. Je ne supporte pas l'idée que tu roules avec une voiture en mauvais état.

L'émotion l'envahit. Elle frotte une tache de peinture blanche à l'intérieur de son poignet.

– Tu es tellement gentil...

Elle connaît une femme qui méprise les hommes gentils et pour qui c'est de la faiblesse, une absence d'ambition qui l'ennuie. Pour Isabella, la gentillesse d'Aidan est une des choses qui la séduisent le plus. Cela lui donne la sensation de pouvoir s'appuyer sur lui.

– Je me sens peut-être concerné, dit-il.

Mais elle n'aime pas l'idée que Luke travaille sur sa voiture. Elle le croit capable de trafiquer le moteur.

– C'est toi qui le feras, ou Luke ?

– Je ne sais pas.

Comme elle n'émet pas d'autre commentaire, il lève les sourcils d'un air interrogateur.

– Un problème ?

– Non, pas vraiment. C'est juste... Il me fait une impression... Je ne peux pas l'expliquer.

– Essaie.

– Eh bien, franchement, je le trouve bizarre.

– Mais il *est* bizarre !

– Il me donne la chair de poule. Il a quelque chose de malveillant, sa façon de fixer les gens sans rien dire. C'est... angoissant.

– Je ne m'étais pas rendu compte qu'il faisait aussi mauvaise impression. Veux-tu que je lui dise un mot ?

– Non ! Ce ne serait pas juste.

– Tu n'es pas obligée d'avoir affaire à lui.

– Je sais, mais j'aurai de temps en temps besoin de Sophia. Il faudra bien que je lui téléphone pour m'organiser.

– Il ne répond jamais au téléphone. C'est toujours elle. Écoute, je suis sûr qu'il est inoffensif. C'est seulement sa façon d'être. Il est très timide et tu dois le terroriser.

Cela fait rire Aidan.

– Bon d'accord.

« *Toi, je vais te baiser !* »

– Je veux dire : quelqu'un comme toi, qui... Écoute, oublie-le. Et pour ta voiture, je m'en occuperai moi-même.

– Tu n'as pas le temps.

– Je le trouverai.

– *Madre !* Hannah, non !

L'enfant a soulevé jusqu'à sa bouche le pot de peinture et s'apprête à boire. Isabella se rue sur elle. Elle soulève Hannah à toute vitesse et la berce dans ses bras sans lui laisser le temps de se mettre à hurler.

– La peinture te ferait du mal dans ton ventre, *carina*. Tu aurais très mal au ventre.

– Hannah vilaine ?

L'enfant la regarde, les yeux fixes, au bord des larmes.

– Non, chérie. Tu es très gentille mais tu aurais très mal au ventre.

Le visage d'Hannah, qui s'était crispé, se détend à nouveau.

– A peintu' mal au vent' ?

– Oui, *cara*.

– A peintu' mal au vent', reprend Hannah.

Elle hoche la tête d'un air convaincu et se tortille dans les bras d'Isabella pour qu'elle la repose. Elle répète plusieurs fois les mêmes mots, tapotant son petit ventre, tout rond dans sa salopette.

– Elle est vraiment intelligente, dit Aidan.

– Oui, je sais !

Elle jubile intérieurement. C'est comme cela qu'il faut régler la question des réprimandes. À présent, elle sait que l'enfant est capable de comprendre ce qu'on lui dit. Il suffit donc de lui expliquer les choses clairement.

– Tu te débrouilles bien avec elle. Tu es patiente... J'ai envie de faire l'amour avec toi, dit-il doucement. De le faire très lentement, en faisant durer le plaisir. Pour moi, le plus important est de donner du plaisir à la femme avec qui je suis. Il n'y a rien de plus excitant pour un homme.

Elle s'appuie contre lui, frotte son visage contre le bras musclé et ferme les yeux. Hannah se précipite aussi vers Aidan. Ils se retrouvent tous les trois dans les bras les uns des autres, au milieu de la cuisine de Timothy Abell, dans les odeurs de peinture. La douceur de l'instant, sa beauté lui coupent le souffle.

Par la fenêtre, elle voit qu'on est à marée haute. Il y a encore quelques bateaux dehors et elle reconnaît la coque rouge de celui de Charlie, le plus éloigné. Elle les a rencontrés pour la première fois, lui et sa femme, la veille au soir. Ils se conduisent comme des collégiens amoureux, elle une femme alerte à la permanente argentée, lui le boiteux à la peau mangée par le sel et aux yeux bleus de rêveur. À sa façon prolixe, il lui a expliqué le mouvement des marées, l'influence de l'attraction lunaire. Elle, elle leur a versé un vin de sureau dans ses plus beaux verres.

– Charlie connaît tant de choses ! Je pourrais l'écouter toute la journée, a-t-elle dit en passant des biscuits au fromage disposés sur une assiette verte ornée de roses.

– C'est pasque t'entends que d'la moitié d'une oreille ! l'a-t-il taquinée.

À les voir ensemble, Isabella s'est demandé s'ils

n'avaient pas toujours été amoureux l'un de l'autre, si Charlie avait été jaloux de son frère dès le début et si Joyce s'était rendu compte qu'elle s'était trompée d'homme.

– C'est la pleine lune, ce soir, dit-elle à Aidan.

Elle écarquille les yeux et grogne. Il l'empoigne pour la chatouiller et elle lui échappe en riant. Il la suit et ils se poursuivent dans toute la maison, Hannah accrochée à Isabella ; tous trois rient et crient.

Il sait faire la cuisine. De la bonne cuisine. Il n'utilise pas de presse-ail mais un couteau bien aiguisé et hache la tête d'ail finement avant de l'écraser avec du sel en se servant du plat de la lame. Il passe un pinceau trempé dans de l'huile d'olive vierge sur les morceaux de poulet avant de les rouler dans la préparation à l'ail et d'y presser le citron frais. Des bouquets d'herbes aromatiques séchées sont suspendus à une poutre. Il prend le romarin et en détache quelques brins dont il masse la peau du poulet. Il travaille avec des gestes efficaces et pleins de grâce. Isabella se souvient des mouvements brusques et nerveux de Tom dans tout ce qu'il faisait. Sur le plan de travail en bois, il a posé des tomates et une laitue de son potager. Les branches de tomates ont encore leurs feuilles. Dans la passoire se trouvent de petites pommes de terre qu'Isabella vient de gratter. À côté, un petit panier de fraises qu'elle équeute paresseusement. À la radio, c'est l'heure de l'émission *The Archers* et ils écoutent sans parler.

D'où elle se tient, à côté de l'évier, elle voit le potager. La nuit arrive rapidement mais elle distingue quand même le carré bien net avec ses rangées vertes. Le carré est délimité par un cordon en Nylon tressé auquel sont attachées, à intervalles réguliers, des bandes de papier alu destinées à écarter oiseaux et lapins.

Tout cela dénote un homme consciencieux.

Cette scène de la vie domestique à laquelle elle

participe est tellement inhabituelle qu'elle ne peut s'empêcher de sourire. Aidan porte avec son jean un sweat-shirt violet d'une laideur incroyable, autant pour la couleur que pour le style. Quant à ses chaussures, elles sont d'un hideux marron rouge qui lui rappelle les rutabagas (d'où ce souvenir qui lui revient brutalement : dans son enfance, elle avait horreur des rutabagas et des navets). Dans la poche revolver de son jean, le petit carnet à reliure rigide qu'il emporte partout. Il lui a confié qu'avec les années ce carnet a fini par prendre la forme de ses fesses ! Curieusement, l'absence de recherche vestimentaire d'Aidan la fait également sourire au lieu de l'épouvanter. Avant, elle aurait éprouvé le besoin d'envoyer de toute urgence chez Armani un amant aussi mal habillé. Elle doute qu'Aidan ait jamais entendu parler d'Armani. Il y a tant d'aspects de son ancienne vie qu'il n'aimerait pas... Il y serait aussi déplacé, aussi incongru qu'un baobab dans l'Antarctique. Elle l'imagine très bien s'abritant derrière une attitude dédaigneuse. Ici, il est dans son élément, vivant sa vie tranquille à son rythme personnel, faisant, comme il le lui a dit, les choses qu'il a toujours faites.

Ce n'est pas un homme à ruer dans les brancards ou à prendre des risques.

Il glisse le poulet sous le gril. *The Archers* se termine et il coupe la musique du générique en éteignant la radio.

– Désolé, mais je suis drogué !

– Toi et quelques millions d'auditeurs en même temps, répond-elle.

Il est doué pour la peinture animalière. Avec une fausse timidité, il lui montre ses dessins à l'encre, ses pastels de chiens et de chevaux, et un blaireau dessiné à partir d'une photo qu'il a prise un soir au flash.

– C'est vraiment beau, Aidan.

– Je reçois des commandes, dit-il en refermant la

fermeture Éclair du portfolio. Mais je ne le fais pas pour l'argent.

– Tu as de la chance. J'aimerais tellement savoir peindre ! Des paysages, le ciel, des scènes de rue. Pas les gens. Cela ne m'intéresserait pas du tout.

– Tu as essayé de dessiner ou de peindre ?

– Pas depuis l'école.

– Alors, comment sais-tu que tu n'en es pas capable ?

– Eh bien, on le sait, non ? En tout cas, j'étais un cas désespéré ! Je n'étais pas seulement mauvaise. J'étais nulle.

En revanche, elle aimerait écrire. Parfois, quand elle traduit les livres des autres, elle se dit qu'elle pourrait mieux faire. Le désir d'écrire est parfois si puissant qu'elle y cède. Elle gribouille une phrase, un paragraphe, parfois même une page ou deux. Il lui arrive aussi de taper à l'ordinateur une idée subite, éventuellement inspirée par un article ou une émission. Ces fragments sont entassés dans un de ses tiroirs et n'en ressortent jamais. Le tiroir déborde presque, à présent. Si elle ne persévère pas dans ses tentatives littéraires, c'est qu'elle a peur de la page blanche. Dès qu'elle écrit plus d'une centaine de mots, il semble que cela la fait plonger trop loin en elle-même, que tout la ramène à elle.

– J'aimerais écrire, dit-elle.

– Un livre ? Tu veux dire un roman ?

– Oui. Comme tout le monde !

– On s'en moque, de tout le monde. Tu devrais le faire.

– Je ne peux pas.

– Pourquoi ?

Il remarque l'angoisse dans ses yeux.

– Isabella ? Qu'est-ce qu'il y a ?

Le passé, voilà ce qu'il y a. Elle croyait avoir depuis longtemps dépassé tout cela. Or, en quittant Londres et les accessoires de sa réussite si soigneusement construite, elle a laissé derrière elle l'identité qu'elle s'était forgée. Elle se trouve à nouveau confrontée à elle-même, dans l'état d'un embryon informe qui recommence de zéro, prêt à se réinventer.

– Je vais voir si tout va bien du côté d'Hannah, dit-elle, fuyant les bras d'Aidan et son regard soucieux, si franc.

La porte de la chambre d'amis est entrouverte pour que filtre la lumière du palier. Hannah dort, roulée en boule sous la couette. La fenêtre est ouverte et les rideaux tirés. Ils ondulent dans la brise, d'abord aspirés, bien lisses, avant de se gonfler en s'agitant. Leur mouvement suit le même rythme que la respiration de l'enfant. Des champs environnants monte de temps en temps le bêlement d'une brebis auquel répond le meuglement vindicatif des vaches dérangées dans leur repos. Le calme de la campagne finit par la gagner. Voilà ce qu'Aidan a choisi, de la même façon qu'elle avait choisi sa vie. Elle n'a pas le droit de briser cette paix.

Il apparaît dans l'encadrement de la porte, sa large silhouette empêchant la lumière de passer.

– Elle va bien ?

– Très bien.

– Et toi ?

– Moi aussi.

– Je me demandais... bref, j'ai cru que tu ne voulais plus de moi.

– Bien sûr que si !

Il tend les bras vers elle tout en traversant la chambre. Elle se relève et se niche dans l'abri de son corps.

– J'ai éteint le gril, lui chuchote-t-il à l'oreille.

– Ah bon ? Pourquoi ? questionne-t-elle sur le même ton, souriant, le visage enfoui au creux de son cou.

La barbe d'Aidan lui chatouille le nez.

– Je ne veux pas faire... être...

– Présomptueux ?

Elle sent ses bras se détendre et le rire muet qui secoue son grand corps.

– Quelque chose comme ça !

– J'aimerais bien que tu le sois. À condition que toi, tu en aies envie.

Il l'observe quelques secondes d'un regard scrutateur puis l'entraîne sur le palier jusqu'à une porte fermée. Il l'ouvre. Quand il referme derrière eux, il n'a plus l'air tout à fait à l'aise. La chambre est assez grande, avec des murs blancs et une moquette marron usée qui vient visiblement d'une habitation précédente. La fenêtre a des rideaux bleu et marron à tissage ajouré et, hormis le lit, tout le mobilier se limite à une affreuse penderie en chêne et à une commode moderne en pin. La housse de couette et les taies d'oreiller assorties sont d'un imprimé criard, jaune et violet.

– Je ne suis pas très doué pour la décoration, reconnaît-il, comme s'il voyait la chambre pour la première fois. Tu vois ce que je veux dire, les choses qui vont ensemble, les couleurs, tout ça.

Il hausse les épaules d'un air tellement gêné qu'elle a soudain envie de le protéger.

– C'est le cas de la plupart des hommes, le console-t-elle. Ne t'en fais pas, c'est très bien.

– Non. J'ai tout faux, mais je suis incapable de dire pourquoi !

Il se tient droit, les bras le long du corps, les traits tirés vers le bas, l'air découragé.

– Tu comprends, avant, il n'y avait aucune raison pour que j'y fasse attention. Les femmes que je connais, enfin, que j'ai connues, euh...

Il laisse sa phrase en suspens.

Isabella sait que la nervosité d'Aidan n'est pas seulement due à la décoration de sa chambre.

– Aidan, c'est très bien, je t'assure. On n'est vraiment pas là pour ça.

– Tu as tellement de style ! Même en jean avec des baskets, tu te débrouilles pour rester chic. Et ton accent qui est si distingué ! Enfin, tout ça. J'ai l'impression d'être un affreux péquenot.

Il y a une angoisse véritable dans sa voix.

– Chut ! dit-elle en lui donnant une tape sur la cuisse.

Il lui attrape la main et l'enfouit dans la sienne.

– Quant à mon accent, reprend-elle, ma mère était écossaise et mon père italien.

Était italien ? Il est probablement toujours en vie. Peut-être s'est-il remarié. Peut-être a-t-elle un demi-frère. *Était* italien. Pour elle, il est mort.

– J'ai travaillé mon accent, explique-t-elle.

Ses yeux tombent à ce moment sur la croix en bois fixée au-dessus du lit. Elle essaye de ne pas trahir sa surprise.

– Tu pratiques ?

– Je suis un chrétien convaincu. Ça te dérange ? demande-t-il d'un ton déjà sur la défensive, tandis que sa main commence à relâcher son étreinte.

– Non.

Pourtant, qu'elle le veuille ou pas, cela la dérange. Elle est, elle-même, farouchement contre toutes les religions.

– Je ne suis pas très assidu. Je crois seulement qu'il faut essayer de bien se conduire. Être équitable, entre autres. J'aime étudier les choses sous tous les angles. Je ne fréquente pas beaucoup les églises mais je crois en Dieu. Appelle cela un besoin viscéral, si tu veux. Le monde n'existe pas sans raison. Du moins, je l'espère. Le Christ représentait tout cela. Ce n'est pas pour autant que c'était le fils de Dieu ! Il ne faut pas tout prendre au pied de la lettre.

Ils restent là, dans la chambre d'Aidan, à discuter d'élégance, d'accents et de religion tandis que leurs ardeurs se refroidissent à toute vitesse. On dirait qu'ils se replient sur eux-mêmes alors que, quelques minutes plus tôt, ils n'avaient qu'une idée en tête. Comme s'ils n'arrivaient pas à retrouver leur chemin entre les écueils de l'incompréhension.

– Tu m'embrasses ? demande-t-elle en lui tendant le visage.

– Oh, mon Dieu ! Isabella !

Il se penche vers elle en vacillant et la rattrape au moment où elle perd l'équilibre. Il l'aide à se redresser et l'embrasse avec passion. Ils ne parlent plus. Elle défait les lacets de ses baskets tandis qu'il extrait ses grands pieds de ses chaussures, puis de ses chaussettes, avant de jeter le tout à travers la chambre. Ses grandes mains se débattent avec la petite boucle de la ceinture d'Isabella, avant de trouver comment la défaire. Puis il tire sur son étroit T-shirt noir et le lui fait passer par-dessus la tête. Elle secoue sa chevelure. Il hésite, la regarde. Elle porte un soutien-gorge de dentelle noire et, impatiente, le dégrafe elle-même pour le laisser glisser au sol. Debout devant lui, elle a les épaules larges et la taille étroite. Ses seins, lourds mais fermes, sont très écartés.

– Oh ! ma chérie, ma chérie...

Il penche la tête et enfouit son visage dans la douceur de sa poitrine avant de la caresser lentement. Isabella pousse un profond soupir avant d'essayer de lui enlever son sweat-shirt. Il l'aide d'abord puis termine lui-même. Ensuite, chacun se déshabille aussi vite que possible, tremblant d'impatience.

Il est beau, plus fort au niveau de la taille et du ventre qu'elle ne le pensait, mais son corps est ferme. C'est aussi un homme très poilu. Ses cuisses et ses mollets possèdent la puissante musculature d'un footballeur. Isabella recule pour mieux le voir et, sous le regard qui scrute sa nudité, il paraît embarrassé et se frotte vigoureusement la tête. Elle tend la main et le caresse enfin.

– Non.

Il se met lentement à genoux tout en la caressant lui aussi. Elle sent l'odeur de son corps mais aussi le parfum de son savon. Il la fait frissonner de plaisir et, à son tour, elle l'embrasse et le caresse.

– C'est extraordinaire, murmure-t-il. Isabella, viens, je ne peux plus attendre. Mais je veux que ça dure toujours.

Elle se sent soulevée de terre puis il la dépose délicatement sur le lit. Il se révèle un amant imaginatif, attentionné et capable de se contrôler. Isabella lui prouve bientôt qu'elle peut se montrer tout aussi attentive et maîtresse de son corps. Il ne cesse de la regarder dans les yeux et elle crie de plaisir. Elle n'a jamais rien connu de semblable.

– Je n'ai jamais rien connu de semblable, lui dit-il. Tes caresses sont merveilleuses.

Elle le serre encore plus et le plaisir fait passer des éclairs de couleur devant ses yeux. Leurs respirations s'accélèrent.

– Isabella, ma chérie...

Sa voix a un effet presque hypnotique sur elle, elle n'entend plus que cela, les mots de tendresse et de passion. Des images surgissent dans son esprit, des images du passé, encore des couleurs, des noms oubliés... Elle a à peine conscience d'être en train de crier, de griffer son dos tandis qu'il se laisse emporter, lui aussi. Quand elle remonte à la surface, il est en train de lui caresser les cheveux, de lui embrasser le front. Elle se sent totalement épuisée.

– Aidan, s'il te plaît... Tu m'écrases, j'ai besoin de respirer...

Il se soulève sur les coudes mais ne la quitte pas. Il ne bouge plus, la laisse reprendre son souffle. Elle se sent le visage et les yeux brûlants, la bouche sèche. Quand sa respiration s'est calmée, il la fait doucement basculer sur le côté et ne tarde pas à recommencer.

Plus tard, ils sont allongés l'un contre l'autre, leurs membres enchevêtrés. Elle a la bouche parcheminée et amère et, quand il l'embrasse, il a le même goût qu'elle. L'après de l'amour... Dans la chambre silencieuse, il fait très chaud.

– C'était incroyable, chuchote-t-elle.

– Pour moi aussi, lui répond-il. Comme si toute ma vie se concentrait là. Je n'ai jamais rien connu de pareil !

Elle se pelotonne contre lui à la façon d'un chat et il suit les lignes de son corps du bout des doigts. Il a des mains à la peau rude mais cette rudesse combinée à la délicatesse de son toucher produit un effet très sensuel.

– C'est comme si je dessinais la carte de ton corps, murmure-t-il. Je me sens si proche de toi, tu sais. C'est drôle...

Il laisse sa phrase inachevée.

Elle se sent pleine d'un contentement serein. Et aussi, à ce moment précis, de quelque chose qui ressemble beaucoup à l'amour.

– Moi aussi, lui dit-elle.

Elle se souvient brusquement de l'enfant.

– *Madre !* J'espère qu'Hannah n'a rien entendu.

– La porte est très épaisse.

– Et, en principe, elle a le sommeil profond, dit-elle pour se rassurer.

– Prends donc ma robe de chambre et va la voir, si tu veux.

Elle se lève sans enthousiasme, ne le quitte qu'à regret, et s'arrache à la chaleur humide du lit. Elle sent son regard sur elle tandis qu'elle traverse la chambre, pieds nus, pour prendre la robe de chambre accrochée à la porte. Le vêtement est immense.

– Tu es mignonne avec ça ! On se demande où tu as disparu !

Il s'est dressé, appuyé sur le coude, et lui sourit.

Hannah dort à poings fermés, couchée sur le ventre, le visage à moitié tourné vers le haut, ce qui fait pointer son épaule. Elle ne bronche pas quand Isabella lui caresse la tête. Sa respiration, profonde et régulière, est celle d'une enfant fatiguée et satisfaite. Le matin, elle est retournée au jardin d'enfants. Becky lui a fait la bise en lui disant bonjour. C'est si important, l'amitié, se dit Isabella. Ce qu'il y a eu de merveilleux dans le fait de faire l'amour avec Aidan, c'est précisément de faire l'amour avec un ami. La relation sexuelle avait l'attrait de la nouveauté mais, en même temps, lui a donné une sensation de familiarité. Elle s'aperçoit que, peut-être à l'exception de Tom – et c'est si vieux qu'elle s'en souvient à peine –, elle a toujours été en situation dominante, au lit. Son objectif était d'impressionner son partenaire par son habileté. Avec Aidan, elle voulait seulement avoir du plaisir et jouir de toutes les sensations qu'il éveille en elle, avec la conscience de vivre un moment d'intimité et de confiance qui allait plus loin que la simple relation physique.

Elle revient dans la chambre d'Aidan. Il est en train de s'habiller.

– Tu n'as pas faim ? dit-il en l'embrassant, un bras encore à moitié engagé dans la manche de son sweat-shirt.

Elle l'aide à finir d'enfiler l'horrible vêtement.

– Elle dort à poings fermés, lui annonce-t-elle.

– Parfait... Tu peux rester dormir ici, si tu veux. Qu'en penses-tu ?

– J'aimerais bien mais je devrais partir très tôt pour donner à manger à ce pauvre Garibaldi.

Elle s'imagine se glissant dans sa chambre au petit jour. La réaction de Lizzie, les yeux de Dick, brillants d'un désir impossible à satisfaire.

Entre-temps, la nuit est tombée. Isabella va à la fenêtre, nue. Elle croit distinguer quelqu'un à côté des cyprès éclairés par la lune. Elle s'accroupit pour se cacher.

– Aidan ! Il y a quelqu'un dehors, près des cyprès.

Il la rejoint immédiatement et regarde au-dehors.

– Je ne vois rien, dit-il au bout de quelques instants.

Elle regarde à nouveau. Il n'y a plus que les sombres silhouettes des cyprès qui se balancent avec souplesse.

– Je te jure qu'il y avait quelqu'un.

– Je vais aller voir avec la torche.

Il sort de la chambre, la laissant seule. Elle se sent brusquement désemparée. L'impression qu'elle avait d'être en sécurité, bien à l'abri, a volé en éclats.

La salle de bains possède des installations turquoise qu'elle aimerait jeter par la fenêtre. Le papier toilette est couleur pêche et les rideaux en tissu-éponge jaune vif. Après s'être lavée, elle s'essuie avec une serviette orange et violet. Elle examine les objets de toilette : un gel de douche en tube, un rasoir jetable, des ciseaux à ongles, du dentifrice dans un tube à pompe, un peigne en plastique noir, un flacon d'after-shave qui a perdu son bouchon. La salle de bains d'un homme.

Dans la chambre, elle remet son jean et son bustier mais se passe de ses chaussures, puis elle descend le rejoindre. Il est penché sur la cuisinière. Elle l'entoure de ses bras.

– Bouh !

L'odeur du poulet en train de griller, le bruit réjouissant des légumes en train de bouillir, et Placido Domingo – elle est sûre que c'est lui – qui chante *La Tosca*.

– Tu aimes l'opéra ?

– Tiens ! On dirait que je t'étonne encore une fois !

– Mais non, ce n'est pas ça... C'est seulement...

Elle se rend compte qu'elle peut paraître très condescendante, rougit et se tait.

– Pas de problème, ma chérie ! Ma mère adorait l'opéra. Tu sais, elle était professeur de musique. Enfin, oui, j'aime ça.

– Ah !

Cela la rend heureuse, presque au-delà du raisonnable. Il aime l'opéra.

– Toi aussi, si je comprends bien, dit-il d'un ton pince-sans-rire.

Elle ne répond rien et mord sa lèvre inférieure comme un enfant pris en faute, ce qui le fait rire.

– Eh oui ! C'est l'apprentissage. Nous devons apprendre à nous connaître, dit-il. À part ça, je n'ai rien vu du tout. Peut-être quelqu'un qui cherchait l'autre maison et qui s'est trompé. Ça arrive assez souvent.

Il dispose sur les assiettes d'énormes portions de nourriture. Pendant ce temps, elle allume une bougie fichée dans une vieille bouteille de bière. Ils s'assoient l'un en face de l'autre et lèvent leurs verres en un toast réciproque. Comme il est encore tout ébouriffé, elle tend la main et le recoiffe du bout des doigts.

Comment le fait d'avoir fait l'amour va-t-il changer leurs vies ? Aidan n'est pas homme à accepter que l'on joue avec ses sentiments. Ce n'est pas un libertin qui s'abrite derrière une façade. Tôt ou tard, il lui demandera pourquoi elle est venue ici. De son côté, elle se sent heureuse mais angoissée à l'idée de toutes les complications qui vont forcément surgir. Elle ne peut pas séparer l'attachement naissant qu'elle éprouve pour Aidan et ces moments d'amour avec lui.

Il lui parle d'un air sérieux.

– Écoute, je veux que tu saches une chose. Je ne fais pas partie de ces hommes qui... pour qui... zut ! soyons direct. Beaucoup d'hommes font la chose pour elle-même. Pas moi. Je ne vais pas avec n'importe quelle femme. J'ai besoin que ça ait un sens. Ce soir... il y avait plus d'un an que je n'avais pas fait l'amour.

– Tu plaisantes !

Elle, cela fait à peine quinze jours. Elle a honte.

– Je dois être un romantique, un idéaliste.

Elle a peur de saboter cet idéalisme.

Cela semble tellement normal d'être assise en face de lui, dans son adorable maison à la décoration consternante ! Elle s'est habituée à lui, ces derniers jours, à sa façon d'être, aux nuances de son comportement, son côté vieux jeu qu'il entretient envers et contre tout, sa fiabilité et sa gentillesse. Pour elle, il a fini par représenter tout ce que la Cornouaille peut offrir de meilleur, lui, ce géant sensible, si proche de la nature et si bien dans sa peau.

– Tu veux bien me parler de ton enfance ? Je ne sais

presque rien de toi, lui demande-t-il. Je veux savoir comment tu es devenue toi.

Il remarque immédiatement la lueur de panique qui s'allume dans les yeux d'Isabella, puis l'espèce de bouclier qui obscurcit son regard. Il se hâte de la rassurer.

– Je ne veux pas t'obliger à évoquer des choses dont tu n'as pas envie de parler. Je voudrais juste savoir... tes parents, par exemple. Tu as dit que ta mère était écossaise et ton père italien. C'est un drôle de mélange.

Elle coupe une bouchée de poulet et prend le temps de la mastiquer avant de reposer ses couverts sur son assiette et de boire lentement son vin rouge. Elle le regarde d'un air circonspect dont il ne peut mesurer toute la portée.

– Mon enfance, dit-elle sur le ton d'une écolière qui annonce le titre d'une récitation.

Et elle entreprend de lui raconter ce qu'elle n'a jamais raconté à aucun homme, même pas à Tom, qui proclamait que seul le présent comptait. Bien sûr, à aucun de ses autres amants non plus, car aucun n'a eu d'importance pour elle. Elle n'omet rien. Comment son père est entré dans sa chambre et l'a réveillée par le contact de ses mains. Qu'il est parti pour toujours. Et la mort de sa mère. Et l'annonce pour la caser : jeune fille disponible pour une bonne maison...

Les yeux d'Aidan débordent de compassion. Ils sont environnés de silence. La flamme de la bougie vacille légèrement. Isabella parle pendant deux heures et il remplit leurs verres à plusieurs reprises. Il a pris sa main à travers la table et, de temps en temps, la serre un peu plus à cause d'une révélation particulière. Il la laisse fumer et ne pose pas une seule question.

Elle arrête son récit au moment où elle a atteint ses dix-huit ans, juste avant la rencontre avec Tom.

9

– Souris, dit Hannah.

Elles se sont installées dans le cottage de Timothy Abell, avec des douzaines de rongeurs qu'en l'espace de quinze jours Garibaldi a rapidement décimés. Parfois, il en perd une qu'il venait d'attraper et, pendant des heures, fait le guet devant la télévision louée par Isabella. Celle-ci l'enferme alors dans une autre pièce et libère la souris réfugiée derrière la télévision. Une fois la petite bête à l'abri dans son trou, elle laisse Garibaldi revenir dans le salon et il reprend aussitôt sa surveillance.

Elle l'a déjà plusieurs fois surpris à rapporter dans la maison une souris capturée à l'extérieur. Dans ce cas, il reste là, à moitié engagé dans la chatière, sa malheureuse victime poussant des cris pitoyables et dépassant de chaque côté de sa mâchoire comme une moustache à la Zapata. Quand il voit Isabella, il s'arrête, hésitant, couche les oreilles contre sa tête rayée et ouvre de grands yeux pleins de défi quand elle l'empêche d'entrer. Mais il est bien obligé de battre en retraite et, lentement, il recule et la chatière se referme silencieusement.

Elles sont partout, courant sur les serviettes de toilette, surgissant de derrière les rideaux, nichées dans les bottes en caoutchouc d'Isabella – qui s'en est aperçue quand elle a voulu les enfiler... pieds nus !

Isabella va tous les jours faire une promenade à pied. Les deux promontoires possèdent chacun une personnalité différente. Celui de l'ouest est sauvage, avec un sol rude où ne poussent que les ajoncs et les fougères. L'autre est verdoyant et cultivé. Un jour, elle y a même vu un écureuil roux. D'après Aidan, ils sont virtuellement éteints dans toute la Grande-Bretagne, sauf en Écosse. Elle s'est arrêtée net, étonnée et ravie. Le nez frémissant, l'écureuil l'a observée depuis le buisson de ronces où elle l'avait surpris. Ses yeux brillaient comme des perles noires serties d'ivoire. C'était un tout petit animal, bien plus petit que l'écureuil gris qu'elle connaît. Sa queue touffue formait comme un point d'interrogation derrière lui. Il s'est assis brusquement sur ses pattes de derrière en frottant ses mains presque humaines, puis il est retombé sur ses quatre pattes, pointant la tête sur le côté puis vers elle. Ils sont restés à s'observer pendant plusieurs minutes, à moins de deux mètres l'un de l'autre, n'osant pas bouger. Enfin, d'un mouvement rapide et nerveux, il a fait demi-tour et s'est enfui dans les broussailles.

Aidan lui a dit qu'il avait dû s'échapper. Au lit, il l'appelle « mon petit écureuil ».

Il lui a appris à distinguer les différentes variétés de goélands et elle commence à savoir les reconnaître toute seule. Elle confond encore le goéland commun et la mouette mais elle sait faire la différence entre les autres – le goéland à tête noire, le goéland argenté, le petit et le grand goéland à dos noir. Elle s'assoit sur une éminence près du phare, d'où elle peut parfaitement identifier chaque crique, chaque avancée, chaque découpure de la falaise de l'autre promontoire grâce aux jumelles d'Aidan, une paire de réserve qu'il lui a prêtée. Le rocher qui lui sert de siège est aussi confortable qu'un coussin, en raison de l'herbe dont il est couvert, une herbe comme une chevelure verte. Isabella pourrait y passer la journée, à observer les goélands et le mouvement de la mer. Parfois, sa tranquillité est brisée par un avion de l'armée de l'air qui passe à basse altitude et rompt le silence avec une brutalité terrifiante. La première fois que cela s'est produit, elle a crié de surprise, choquée par la violence de l'irruption. Les oiseaux avaient réagi par des hurlements et une grande agitation, s'enfuyant à tire-d'aile vers le haut du ciel.

À marée basse, elle descend le sentier abrupt qui mène à la crique et traverse à pied sec jusqu'à l'autre promontoire, suivant le sentier jusqu'à l'endroit où Hannah a disparu en courant après un lapin, le jour du pique-nique avec Babs. Ensuite, le sentier se sépare en deux et elle prend celui qui tourne le dos à la mer et se poursuit dans la campagne. Là, elle passe une clôture et continue à travers champs, croisant des troupeaux de moutons, de vaches et de bouvillons pleins de curiosité. Ce chemin aboutit à un hameau où l'un des cottages porte un panneau qui la fait toujours sourire : « Vers à vendre (vers rouges) : une livre le seau. » Plus loin, elle a découvert une poterie. La potière avait levé les yeux de son tour et les a vues, elle et Hannah, en train d'essayer de regarder par la fenêtre. Elle les a fait entrer et leur a montré comment elle travaillait. Isabella lui a acheté deux gobelets et une cruche dont elle aime la forme simple et la finition naturelle.

Ces derniers jours, le vent a soufflé avec violence. Du côté des promontoires, on l'entendait même hurler. La pluie est également tombée très fort deux ou trois fois. Isabella n'a pourtant jamais renoncé à sa promenade, que ce soit avec Hannah ou après l'avoir conduite au jardin d'enfants. Avec sa peau claire, Isabella n'a jamais été adepte de la grande chaleur et ce climat lui convient, en réalité, très bien. La vivacité de l'air lui donne des couleurs tandis que le sel et le vent lui ont légèrement décoloré les cheveux tout en les faisant un peu boucler. Elle ne se maquille plus du tout, elle a minci et se sent plus en forme, avec plus d'énergie qu'elle n'en a eu depuis des années. Elle se laisse aller à un bonheur prudent. Le sable s'infiltre dans ses chaussures de sport et dans ses vêtements, colle à sa peau et à ses cheveux, et, quand elle rentre, elle en retrouve dans les tapis, dans la baignoire, dans son lit. Elle fait mine de s'en plaindre mais, en réalité, elle adore ça. Ce sable qui envahit tout symbolise tout ce qu'elle n'a jamais eu.

Un jour, lors d'une petite promenade avec Hannah, elles ont découvert un chêne creux dans un bosquet. Il y avait juste assez de place à l'intérieur pour qu'Hannah puisse s'y glisser. Elles l'ont baptisé l'Arbre d'Hannah.

– On va à l'Arbre d'Hannah ? demande la petite en tirant sur la main d'Isabella.

Elle s'émerveille des progrès d'Hannah depuis un mois. Juste un mois ! On la reconnaît à peine. Quant à elle, Isabella s'est parfaitement adaptée à sa vie ici. Elle considère sa précédente incarnation, comme elle l'appelle, avec une sorte de dédain. Elle avait désiré vivre ainsi parce que c'était le modèle qu'elle avait en tête depuis ses seize ans. Ici, avec Aidan, avec Hannah, c'est comme si tous ses sens avaient été éveillés. Elle se sent très vulnérable sans la façade derrière laquelle elle s'est protégée pendant si longtemps. Ses émotions sont plus sincères, plus puissantes. En revanche, elle se sent libérée. Elle n'a sans doute jamais été aussi près de devenir réellement ce qu'elle est. Et cette femme qui est elle commence à lui être un peu plus familière.

Sur le plan professionnel aussi, tout va bien. Elle se lève tôt, pleine d'enthousiasme. Traduire ce livre est à la fois une gageure et une grande fatigue. Elle ne peut pas travailler plus d'une heure et demie d'affilée mais elle sait que, dans ce laps de temps, elle abat plus de travail que la plupart des gens, elle sait qu'elle est très efficace et que sa connaissance de la langue s'enrichit.

Aidan a remarqué qu'elle a changé. Il en sait bien plus sur elle que n'importe quel homme. Il connaît ses idées et ses valeurs. Il encourage l'émergence de cette nouvelle femme. Il n'achète plus que du vin rouge. Il connaît par cœur la moindre de ses réactions physiques, le moindre de ses gestes et de ses expressions. Mais il ignore aussi tout d'elle.

Elle aime les changements de temps apportés par

l'automne qui commence. Avant, elle s'en serait à peine aperçue : l'air plus frais, l'altération des couleurs sur la falaise, la course plus rapide des nuages, les reflets métalliques de la mer et la crête blanche des vagues. Elle aime que la nuit tombe plus tôt et que le vent vienne siffler une étrange chanson autour des fenêtres. Et parfois elle pense à Timothy Abell en train de se balancer et de lancer des malédictions depuis ce fauteuil de Skaï marron que sa fille a brûlé.

Elle adore la vision des lumières du village, le soir, qui brillent comme les bougies d'un gâteau d'anniversaire (elle qui, dans quelques semaines, aura quarante ans... *Quarante ! Madre !* Il y a deux jours, elle a eu la surprise de découvrir un poil gris dans son sourcil gauche, incongru parmi les poils noirs). À marée haute, les lumières se refléteront sur l'eau sombre de la crique en des bannières jaunes ondulantes qui illuminent les bateaux. Au-delà des récifs, Charlie et les autres seront peut-être encore en train de pêcher. On distingue leurs feux de navigation fixés au bossoir – rouge sur bâbord, vert sur tribord – montant et descendant sur l'horizon avec la houle.

Elle s'est aussi habituée aux faisceaux du phare qui éclairent sa chambre selon un rythme immuable – deux longues, trois brèves – comme s'il clignait de l'œil ou avait des battements de cœur irréguliers. Elle s'est habituée à l'épaisse brume qui peut, tôt le matin, monter de la mer et empêcher de voir à plus de quelques pas. La première fois, quand elle s'est réveillée pour découvrir qu'on ne discernait plus rien au-dehors, elle a paniqué. Pas la moindre forme, pas même un contour vague – rien. C'était comme si on avait peint la vitre en gris pendant son sommeil, ou qu'on avait occulté la fenêtre avec des planches. Et la corne de brume qui répétait toutes les douze secondes son appel lamentable.

– Je déteste ça, on dirait que tout est mort, que plus

rien n'existe, a-t-elle dit à Aidan en se serrant plus fort contre lui dans la chaleur du lit.

– Ça va se lever dans la matinée.

Et la brume se leva, comme il l'avait dit, bien sûr. Elle se retira lentement, comme un papier d'emballage que l'on défait en l'enroulant sur lui-même. Le paysage réapparut peu à peu. Elle en aurait chanté de soulagement.

Elle s'est habituée à l'odeur du poisson fraîchement pêché sur la grève ; au bruit de la porte que Charlie referme derrière lui quand il part à six heures du matin ; à la chanson qu'il siffle et dont l'air s'évapore au fur et à mesure qu'il s'éloigne ; aux cocoricos triomphants du jeune coq. Plus tard dans la matinée, Joyce sortira pour étendre les salopettes de son mari sur le fil à linge où elles claqueront dans le vent.

À présent, prendre le ferry est devenu pour elle une routine. Elle arrive quelques minutes avant l'embarquement et n'a donc pas besoin d'attendre. Elle va faire ses courses dans une grande surface aux abords de Truro et parfois s'accorde un peu de lèche-vitrines en centre-ville. Le rythme de la vie de tous les jours à Pengarris lui est devenu familier. Lundi, ramassage des poubelles, mardi et jeudi le boulanger ambulant, mercredi le bibliobus. Depuis ces deux semaines au cottage, chaque jour qui passe lui donne la sensation de respirer plus librement.

Dans le village, tout le monde la connaît, au moins de vue. La curiosité s'est en général calmée. À la place sont venues les offres d'aide et de conseils. Elle est très touchée par la gentillesse des habitants.

Charlie lui a offert un calamar et Joyce un bouquet de bruyère séchée en guise de porte-bonheur le jour où elle a emménagé. Le même soir, ils sont venus dîner. Aidan s'est occupé de préparer le calamar car elle n'y aurait touché pour rien au monde, et, de toute façon, n'avait pas la moindre idée de la façon de l'accommoder. Après le dîner, à mesure que la soirée se prolongeait et qu'une bouteille de vin remplaçait l'autre, Charlie est devenu de plus en plus loquace. Il s'est lancé dans de longues explications sur les vents de terre et les vents de mer, leur effet sur la mer, puis s'est embarqué dans une longue diatribe contre la grande pêche industrielle, les lois européennes et le gouvernement.

– Je vais leur dire tout ça, aux gens de la télévision, déclare-t-il. Pas question de laisser la politique se mêler de notre façon de vivre !

– Si quelqu'un peut leur faire comprendre, c'est bien toi, Charlie, a ajouté sa femme, loyale mais aussi un peu pompette.

Aidan avait les yeux brillants de sourires tacites. Sous la table, son pied cherchait celui d'Isabella. Et, sur les genoux d'Isabella, Hannah dormait tranquillement.

Quelques jours plus tôt, elle se promenait avec Hannah sur la plage de Tregurran. Un épagneul est venu vers elles en bondissant et a sauté sur Hannah. Sous l'impact, l'enfant est tombée assise dans le sable. Le chien a commencé à lui lécher la figure et à japper.

Isabella a voulu relever Hannah pour la libérer du chien. Elle croyait que l'enfant pleurait puis a compris qu'elle avait en réalité une crise de fou rire.

Une femme est arrivée en courant.

– Je suis navrée, je suis absolument désolée...

Elle a écarté le chien d'Hannah en tirant d'un coup sec sur son collier.

– Il est encore très jeune, a-t-elle ajouté avant de se lancer dans de nouvelles excuses.

C'était une femme d'âge moyen, assez séduisante, dans un genre sophistiqué. Épouse d'un chirurgien, a-t-elle dit à Isabella.

– J'ai invité des amis à prendre un verre, dimanche midi, faites-nous le plaisir de vous joindre à nous.

Isabella a accepté mais elle demeure sur ses gardes. Elle connaît ce genre de femme qui s'adonne au bénévolat, porte des bijoux en or pour promener son chien et réunit ses amis pour prendre un verre. Et vit dans une des propriétés de Rhododendron Drive !

Sur la plage de Tregurran, elle a aussi rencontré la cavalière. Elle était entrée dans la mer avec son cheval, qui, de l'eau jusqu'au jarret, la faisait gicler avec un plaisir visible, les oreilles pointées et la tête dressée. Sa queue toute mouillée se balançait avec énergie, faisant voler les embruns tandis qu'il dansait dans l'eau, suivant la courbe de la plage. La cavalière a remarqué Isabella et est remontée vers le haut de la grève.

– Il adore ça, a-t-elle dit.

– Il est très beau, je vous envie.

– Vous montez ?

Elle a un visage rond, le teint rougeaud et des yeux vert-de-gris. Des cheveux presque de la même nuance, rassemblés en une longue tresse qui dépasse de son foulard.

– Quand j'en ai l'occasion.

– Ce vieil animal va sur ses vingt-sept ans. Je l'ai élevé moi-même. Nous sommes deux inséparables. Quand il mourra, je me mettrai une balle dans la tête. Aucun homme n'est resté aussi longtemps dans ma vie que Nabokov.

Elle s'est présentée. Mary Anne Evans.

– Comme dans George Eliot, a remarqué Isabella.

– Exactement !

La femme l'a regardée avec plus d'attention. Elle est écrivain, elle aussi, a-t-elle ajouté. Des romans porno.

Isabella a cru qu'il s'agissait d'une plaisanterie et a souri.

– Pendant un instant, j'ai cru que vous étiez sérieuse.

– Mais je suis sérieuse !

– *Madre !* s'est-elle exclamée, avec un éclat de rire. C'est trop drôle ! Mais vous devez avoir l'habitude des réactions des gens ?

– Oui. En général, des vantardises !

– Il faut dire que vous laissez tomber cela dans la

conversation comme si vous annonciez que vous allez chercher des gâteaux !

– À propos de quoi, je vous prie de venir prendre le thé cet après-midi.

C'était presque dit sur le ton d'un ordre.

– Je crois que vous me plaisez, ce qui est rare, a-t-elle ajouté.

Isabella a donc pris sa voiture dans l'après-midi pour se rendre chez Mary Anne Evans, qui habite un pavillon préfabriqué sur la route de St. Austell. Les pièces sont remplies d'antiquités et il y a une prairie pour Nabokov derrière la maison. Devant, parmi les rosiers, trône la statue d'un homme nu qui abrite son érection derrière sa main.

– Monsieur tout dur, dit Hannah.

– C'était mon second mari, explique Mary Anne.

Enfin, il y a Aidan qu'elle a vu presque tous les jours depuis son emménagement ici. Elle l'a accompagné à un autre concert et Sophia a gardé Hannah. Il a chanté une chanson qu'il a composée pour elle.

« Femme secrète, flamme la nuit, lutin le jour, qui se fond dans le sable... »

Elle se tortillait sur sa chaise, affreusement embarrassée. Elle a remercié le ciel que personne n'ait fait le rapprochement avec elle.

– Lutin ? a-t-elle remarqué d'un ton moqueur quand il l'a rejointe. Je suis bien trop grande pour un lutin !

– Ne gâche pas les choses, je t'en prie.

– Excuse-moi, a-t-elle dit d'un ton contrit.

Comme sa gêne se dissipait, elle s'est rendu compte qu'elle l'avait blessé et cela l'a bouleversée.

– Cela me touche beaucoup, tu sais, a-t-elle avoué.

La veille au soir, ils ont joué de la guitare et chanté ensemble. Elle était assise à ses pieds et Hannah se roulait sur le tapis, cherchant à attraper les franges et riant aux fausses notes. Elle chantait avec eux à son étrange façon, d'une voix atone.

Plus tard, couchés dans le grand lit, il lui a caressé lentement le dos.

– C'est si confortable d'être avec toi ! a-t-il murmuré. Ça t'ennuie ?

– Non, je le prends comme un compliment.

– En général, les femmes supportent mal le silence. Elles ont besoin de remplir les vides. Toi, j'ai l'impression que tu n'es pas très portée sur les confidences, non ?

– Je ne crois pas, non.

Elle se rend compte qu'elle a grandi sans avoir personne à qui parler. Elle ne sait même pas comment on fait.

– C'est tout un art et je crois que je ne suis pas douée dans ce domaine.

– C'est ce que j'aime chez toi. Je trouve ce genre de chose sans intérêt.

Il lui caresse doucement le bas du dos.

– Et moi, j'aime ce genre de choses-là !

– Tu as la peau si douce, et ces rondeurs délicieuses, si accueillantes... Je tiens beaucoup à toi, tu le sais, non ?

– Oui.

– Est-ce... ? commence-t-il.

– Présomptueux ? poursuit-elle.

Elle le sent sourire dans l'obscurité.

– Non, pour une fois ce n'est pas ça, répond-il. J'allais dire : prématuré.

Oh ! mon Dieu ! Elle aimerait tellement pouvoir s'abandonner à ses sentiments et le lui dire...

– Ce n'est pas une question de « prématuré », lui dit-elle. Non. C'est que... il y a des... des complications dans ma vie. De vraies complications dont je ne peux pas ne pas tenir compte.

Cela ne le décourage pas.

– Alors, tu tiens à moi.

– Oui, beaucoup. Vraiment beaucoup.

– Alors, tout va bien. C'est l'essentiel.

Et il a de nouveau basculé au-dessus d'elle et ils se sont de nouveau perdus dans les bras l'un de l'autre.

– Je me moque de ce que cela peut être, lui a-t-il dit en lui prenant le visage dans ses grandes mains. Je m'en moque à partir du moment où nous sommes ensemble. Je me fiche du reste, ça n'a aucune importance.

En ce matin pluvieux du mercredi 2 octobre, huit heures moins le quart, elle s'apprête à partir pour Londres. Elle surveille le chemin depuis la fenêtre de la chambre d'Hannah, guettant l'arrivée de Sophia. Une camionnette s'arrête devant la maison, au lieu de la Mini qu'elle attendait. Deux personnes en sortent. Luke est avec Sophia et l'accompagne jusqu'à la porte. Isabella ne veut pas de lui dans sa maison. Elle éprouve la sensation d'oppression que lui donne la simple vue de Luke, ou même la seule mention de son nom.

La sonnette retentit et elle descend lentement l'escalier.

Sophia paraît embarrassée. Sans même dire bonjour, elle se lance dans des explications précipitées.

– J'ai un problème de voiture, l'embrayage est mort. Alors, Luke a dû m'amener. Il a soif. Est-ce qu'il peut avoir un verre d'eau ?

Ne peut-il donc pas le demander lui-même ?

Au lieu de cela, elle s'entend répondre poliment :

– Bonjour. Bien sûr. Entrez.

Sophia se comporte comme un moineau inquiet, avec des gestes nerveux, tandis que son mari examine la maison sans se presser et inspecte le petit salon de son regard insolent. Il évalue l'ordinateur, les plantes, les lourds rideaux blanc écru, les simples chaises de bois. Il laisse avec décontraction courir sa main sur les coussins gris et blanc du canapé-futon.

Isabella, qui ne le lâche pas des yeux, retient sa colère devant ce comportement.

Dans la cuisine, elle lui verse un verre d'eau et il le prend, toujours sans prononcer un mot. Elle s'affaire autour de l'évier, faisant mine d'être occupée mais, soudain, ses yeux rencontrent ceux de Luke qui la surveille par-dessus son verre. Ce sont des yeux de reptile. Elle est frappée de la ressemblance qu'elle lui découvre avec Timothy McVeigh, le poseur de bombes de l'Oklahoma, dont elle a vu la photo dans un journal. Elle a l'impression qu'il se livre délibérément à un jeu avec elle, un jeu qu'il est le seul à comprendre. Mais elle n'a pas l'intention de jouer au chat et à la souris. Elle lui rend son regard. Les yeux de Luke s'étrécissent et prennent une expression malveillante qui la fait frissonner. Elle essaye de ne pas faiblir, refuse de baisser les yeux, et c'est lui qui, finalement, cède. Mais elle sait qu'elle a éveillé son hostilité. Pendant tout ce temps, Sophia n'a cessé de les observer, son regard passant avec anxiété de l'un à l'autre. Il finit de boire son verre d'eau.

Quand il quitte enfin la maison et que le bruit de la camionnette disparaît, c'est comme si un verrou venait de sauter à l'intérieur de Sophia. Son soulagement est palpable. Elle se lance dans une grande tirade, soudain très volubile.

– Vous avez encore amélioré la maison depuis la dernière fois. De nouvelles étagères, des plantes, un futon. Vous avez vraiment réussi quelque chose de très joli ! Je ne vous l'ai pas dit, mais je sais comment c'était avant. Je suis venue deux ou trois fois avec Luke – c'est pour ça qu'il regardait partout, c'est tellement différent !

Elle essaye visiblement de l'excuser.

– Il travaillait régulièrement pour M. Abell.

Isabella se dit que cela pourrait, en effet, expliquer la conduite du mécanicien. Pourtant, elle ne peut oublier la méchanceté de son expression.

Elle demande à Sophia ce qu'elle pensait de Timothy Abell.

– Il me faisait pitié. Je crois qu'il était très seul. Les

gens ne l'aimaient pas. Pourtant, je pense qu'il était sensible, malgré les apparences... J'ai dit à mes parents que vous êtes à moitié italienne. Ils sont contents. Je veux dire : contents que je fasse du baby-sitting pour vous.

– Ça ne vous ennuie vraiment pas de rester cette nuit ? Vous serez bien sur le futon ?

– Aucun problème. Luke passe son temps à regarder des cassettes vidéo. Vous savez, des films d'horreur, ce genre de choses. Il aime ça... Si vous voulez, je peux aussi vous faire du ménage ?

Isabella imagine le mécanicien devant la télévision, absorbé par une scène de violence. Il se penche vers l'écran, fasciné par le couteau que l'on retourne dans la poitrine d'une femme...

– Je vous dis ça parce que l'autre soir vous avez dit que vous aviez plein de travail et que vous ne saviez pas comment faire, et que le sable se mettait partout, alors je...

Isabella s'oblige à revenir au présent.

– Excusez-moi. Oui, ce serait une bonne idée.

– Je n'aurais peut-être pas dû en parler, c'est comme si je vous forçais la main. Je ne veux pas que vous vous sentiez obligée.

– Non, pas du tout.

Un moment plus tôt, Isabella se jurait de ne plus employer Sophia à cause de son mari, et la voilà qui s'entend lui suggérer de venir deux fois par semaine. Il faut aussi se mettre d'accord sur un salaire convenable, ajoute-t-elle.

Le visage de Sophia s'illumine.

– J'ai apporté des nounours en chocolat pour Hannah. J'espère qu'elle aime ça.

Elle farfouille dans son grand fourre-tout, ouvre le paquet de confiseries avec les dents puis le donne à Hannah, en train de jouer assise par terre.

– Tiens, mon chaton.

Hannah remercie comme Isabella lui a appris à le faire. Elle dit encore « ci » au lieu du mot entier.

– Alors, mon petit chou, tu as encore fait des progrès, j'en suis sûre, non ?

Et Sophia se penche pour l'embrasser. Isabella éprouve un pincement de jalousie.

– J'attendais ça avec impatience, dit Sophia. Vous savez, rester toute la nuit.

Elle a parlé avec timidité, comme pour un aveu, les cils baissés sur ses joues creuses.

– N'oubliez surtout pas que le portillon d'entrée doit rester fermé *en permanence* !

– Vous pouvez avoir confiance. Je ferai très attention.

Et le bébé qui est mort de la mort subite du nourrisson, dans son berceau ? Y a-t-il longtemps que c'est arrivé ?

Isabella a du mal à s'en aller. Elle soulève Hannah, qui enroule ses jambes autour de sa taille, et l'embrasse à plusieurs reprises.

– Un bisou pour aujourd'hui et un pour demain matin, *carina*.

Elle lui chatouille le bout du nez et Hannah éclate de rire.

– Je n'ai pas envie de la laisser, soupire-t-elle.

– Ne vous en faites pas, tout ira bien, dit Sophia.

Impulsivement, Isabella l'embrasse aussi.

Sophia a l'air étonnée puis un grand sourire illumine son visage. Une fois de plus, Isabella remarque l'incroyable changement opéré par ce sourire, la façon dont le maigre visage échappe soudain à sa banalité.

Depuis deux semaines, Isabella s'est inventé sans cesse de nouvelles excuses pour ne pas aller à Londres. Tandis que les kilomètres défilent sous ses roues, que ses essuie-glaces dansent la grande danse de la pluie et de l'automne et que les poids lourds font gicler l'eau sur leur passage, elle sent sa tension monter. Elle n'a pas la sensation de rentrer chez elle mais, au contraire, de partir pour un endroit qui la ramène en arrière, contre son gré, afin de la piéger. Elle redoute sa propre faiblesse : qu'elle puisse se laisser séduire par les choses qui l'ont déjà séduite. Elle craint de découvrir que, après tout, c'est sa vie de Londres, sa vie de célibataire sans souci, qui lui convient le mieux. Elle fait une crise d'eczéma, comme d'habitude à la pliure du bras, et cela la démange un peu plus à chaque seconde. Elle a toujours été sidérée par la vitesse à laquelle son eczéma apparaît ou disparaît. Elle frotte son bras contre elle. Kilomètre après kilomètre, bretelle d'autoroute après bretelle d'autoroute, pendant que sur les panneaux indicateurs la distance qui reste à parcourir pour arriver à Londres décroît – cent kilomètres, cinquante, vingt-cinq... –, les dernières semaines deviennent du passé.

Elle retrouve la circulation du périphérique nord, typique de l'heure du déjeuner, quand tout le monde fonce. Elle a l'impression d'avoir rêvé qu'elle a trouvé une petite fille, un jour, dans ce centre commercial, de l'autre côté du périphérique. Des femmes épuisées poussent leurs chariots sur les trottoirs sales devant le supermarché ; des hommes, le mégot aux lèvres, se glissent dans les officines de paris tout en vérifiant le contenu de leurs poches ; et, dans les laveries, les machines tournent, pleines de linge sale. Devant la vitrine du marchand de journaux, il y a une autre poussette, avec une petite fille.

Hampstead High Street bruit d'animation malgré la pluie. Sous le cortège serré des parapluies, les passants ont des visages crispés. Chacun suit sa trajectoire en évitant celle des autres. De la musique s'échappe des boutiques dont les lumières se reflètent dans la grisaille du jour. Le marchand de fruits et légumes s'abrite sous son store rayé. La foule qui flâne chez Waterstone apparaît comme autant de silhouettes sombres. Les cafés bondés. Les voitures qui cherchent en vain une place de stationnement... Tout ce monde si familier. Si familier.

Et qui a représenté tout ce que, autrefois, elle a désiré de toutes ses forces. Et voici le pressing où la vendeuse emballe les vêtements dans un film de plastique transparent, avec amour, avant de s'en séparer. Ici, c'est la pharmacie où on lui a conseillé d'essayer de mettre du yaourt sur son eczéma au lieu d'acheter des crèmes coûteuses... Et le marchand de journaux oriental où elle achète – achetait – toujours ses journaux. Et encore le Café Rouge... Peut-être ira-t-elle un peu plus tard s'y asseoir dans son ancien coin. Derrière les façades des magasins, d'étroits passages mènent à des terrains vagues où pousse de la bruyère. Elle avait l'habitude de venir s'y promener avec Peter. À la fin, il essayait de la distancer, de marcher plus vite qu'elle pour prouver sa supériorité et rassurer son ego de mâle encore vacillant. Le quartier cosmopolite et bohème de Hampstead, avec sa clientèle de gauche aisée et large d'esprit, son intelligentsia, ses clans, ses préjugés et son élitisme. Aujourd'hui, elle voudrait pouvoir considérer tout cela avec mépris pour de nouveau lui tourner le dos, mais cette fois totalement.

Elle découvre une place dc stationnement pas trop loin de chez elle... sort de la voiture, se dirige vers la maison sous les érables qui dégoulinent de pluie ; des feuilles brillantes jonchent le trottoir. Quelques pas la séparent de sa porte. Son cœur bat à se rompre.

Une grisaille glauque l'accueille. Comme elle s'y attendait, le courrier s'est entassé sur le paillasson. Une quantité encore plus impressionnante déborde de la boîte aux lettres. Rien qui sorte de l'ordinaire, pourtant. Isabella marche sur la pointe des pieds, avec la prudence d'un cambrioleur. Son appartement lui en veut. Il lui paraît bizarrement mort, comme s'il avait perdu toute personnalité. Les fenêtres sont embuées ; une fine couche de poussière recouvre les tables et les étagères ; de la suie est tombée dans le foyer de la cheminée ; les plantes sont mortes ou flétries, au dernier stade de l'agonie. Isabella passe de pièce en pièce, ouvre les armoires et les tiroirs, allume toutes les lampes, fait tout pour avoir l'impression de se retrouver chez elle. Il y a du désordre, preuve de son départ précipité. Des vêtements sont restés sur une chaise ; des mouchoirs en papier roulés en boule et des sacs traînent partout, ainsi que les jouets qui n'ont pas pu entrer dans la voiture.

Elle se réfugie dans la cuisine et se prépare un café noir. L'eau jaillit du robinet, comme contenue trop longtemps. En attendant que l'eau se mette à bouillir, elle ouvre la radio dans un nouvel effort pour donner un air de normalité à son appartement, mais le présentateur est en train de relater les horreurs qui se passent en Albanie. Elle préfère éteindre. Quand elle ouvre le réfrigérateur, l'odeur de la nourriture avariée lui donne l'impression d'un coup de poing olfactif. Sa tasse de café à la main, elle écoute ensuite les messages enregistrés par son répondeur téléphonique. Elle note les nouveaux avant d'effacer la bande. Ensuite, elle entreprend d'éplucher le tas de courrier, en commençant par jeter les prospectus et autres publicités. L'une d'elles retient son attention. C'est une photo, envoyée par un organisme de protection des animaux, qui représente un ours noir de Chine dans une cage pas plus grande que lui. Il y restera, dit la lettre, emprisonné jusqu'à son dernier jour, un cathéter fixé à son corps, drainant un liquide physiologique supposé bénéfique pour la santé des humains. Isabella est horrifiée par l'image et rédige immédiatement un chèque de vingt-cinq livres. Cela ne l'aide pourtant pas à oublier l'abominable spectacle, le museau de l'ours coincé contre les barreaux de la cage, ses yeux pleins de désespoir. Isabella n'a pas l'habitude de se laisser aller à la sensiblerie, mais elle n'a jamais été aussi bouleversée par le calvaire d'un animal.

Pour se libérer de cette image de cauchemar, elle décide de faire un grand ménage. Une heure plus tard, l'appartement a recouvré son visage habituel, celui de son « chez moi », son refuge dont chaque objet, chaque meuble, ont été choisis avec le plus grand soin pour refléter les différents aspects de sa personnalité. Elle n'éprouve pourtant à leur égard qu'un détachement affectueux, un peu comme si elle revenait vers un amant uniquement pour lui dire qu'elle le quitte pour de bon.

À l'étage, dans sa chambre, elle trie les affaires qu'elle veut emporter. La plupart de ses vêtements la remplissent de dégoût, à présent. Les robes chics et les tailleurs, symboles de sa réussite. D'autres, des achats faits sur une impulsion, qu'elle n'a presque jamais portés et ne portera sans doute jamais. Il lui vient alors l'idée de les donner à Sophia. Dans la valise, elle ajoute encore des livres, des partitions, des bijoux fantaisie, des CD, le courrier dont elle ne peut pas s'occuper tout de suite, et quelques objets personnels.

Vers quatre heures et demie, elle se sent brusquement affamée et se rend compte qu'elle n'a pas mangé depuis le matin. Elle décide d'aller au Café Rouge prendre un de leurs délicieux croques au *saumon fumé*[1] avec des frites. Une fois sa porte refermée, elle se dirige à pied vers High Street, prenant plaisir à se perdre dans l'anonymat de la rue à une heure de pointe. Les conducteurs à bout de nerfs. La queue aux arrêts de bus. Les vibrations du métro sous ses pieds. Elle les sent encore chez son marchand de journaux.

– On ne vous a pas vue depuis une éternité, lui dit le petit homme coiffé d'un énorme turban.

Il a des joues comme des raisins italiens et les plus belles dents blanches, la plus belle bouche qu'elle ait jamais vues.

– J'étais partie.

Une idée lui vient alors.

– Monsieur Shastri, est-ce que votre femme ne voudrait pas...

1. En français dans le texte. *(N.d.T.)*

Sa femme descend par l'escalier qui relie l'appartement au magasin. Elle a une silhouette maigre et nerveuse, et porte un sari vert émeraude. Elles conviennent qu'elle ira, une fois par semaine, nettoyer la poussière chez Isabella et, d'une façon générale, veiller sur tout. Isabella lui verse une avance et lui donne son numéro de téléphone avec l'adresse où faire suivre son courrier. Elle repassera demain matin pour lui donner un double des clés.

– Vous ne pouvez pas savoir comme je me sens l'esprit plus libre, à l'idée de pouvoir compter sur vous !

– Mais que faites-vous en Cornouaille ? demande Mme Shastri.

– Je me découvre, répond Isabella.

– Tout le monde a l'air de courir dans tous les sens pour se trouver, de nos jours, remarque M. Shastri.

Il se pince les joues d'un air perplexe.

– Je ne comprends pas, ajoute-t-il. Que peut-on trouver ailleurs si on ne le trouve pas en restant chez soi ?

À la poste, ensuite, Isabella remplit un formulaire de réexpédition de courrier. « Avec effet immédiat », écritelle.

Le Café Rouge est plein et elle doit attendre. Le serveur gay, avec qui elle avait l'habitude de discuter des films de Peter Greenaway, bavarde avec elle pendant ce temps. Sa table habituelle, près de la fenêtre, finit par se libérer et elle peut s'installer devant son croque et ses frites, avec une cigarette et un cappuccino. Elle lit son magazine et regarde les gens si typiques de Hampstead qui passent, dehors, marchant à pas précipités. Elle s'amuse en voyant deux ou trois personnes qu'elle connaît.

Plus tard, elle appelle Sophia. Le téléphone sonne une quinzaine de fois avant qu'on décroche. Elle en a le front moite d'anxiété.

– J'étais en train de lui donner son bain, explique Sophia. Je ne pouvais pas la laisser pour répondre.

Le soulagement envahit Isabella.

– Ce n'est pas grave. Comment ça se passe, toutes les deux ?

– Formidable. On a eu une journée géniale.

Sophia raconte d'une voix animée comment elles se sont occupées et Isabella l'écoute, allongée sur la soie fraîche de son dessus-de-lit, laissant paresseusement courir ses doigts sur son corps.

– J'ai vraiment hâte de rentrer, dit-elle.

Cette nuit-là, elle dort mal. Elle étudie tous les bruits de son appartement et les juge dérangeants plutôt que rassurants. Elle n'arrive pas à se les réapproprier. Au contraire, elle éprouve la sensation d'une dissonance, de n'être ni cette femme ni l'autre, comme un fantôme de sa vie passée. L'enfant lui manque, ainsi que le chant de la mer et du vent. Et Aidan. Elle souffre de son absence dans tout son corps, elle a besoin d'entendre sa voix, son accent aux voyelles doucement infléchies. Elle l'imagine, dans son lit, sous la couette violette et jaune à moitié rejetée. Et dans son lit à elle, au cottage. Les yeux clairs qui plongent dans les siens, la douceur de sa barbe, ses cuisses aux muscles durs comme de la pierre, le contact de ses lèvres sur sa peau, et encore la caresse de sa barbe... Quand ils ont fait l'amour, ils superposent et croisent leurs pieds, et s'endorment ainsi. Et quand il commence à ronfler tout doucement, elle se sent apaisée par sa présence.

Très tôt le lendemain matin, elle charge sa voiture et s'en va. Elle s'arrête pour laisser la clé chez M. Shastri, qui vient lui ouvrir en robe de chambre.

– Eh bien, il fait meilleur qu'hier, on dirait ! s'exclame-t-il en jetant un coup d'œil au ciel gris où un soleil pâle essaye de percer.

Il ajoute :

– Vous avez l'air très en forme pour une heure si matinale.

C'est vrai. Elle est impatiente de prendre la route du

retour. Elle sort de Londres facilement. C'est dans l'autre sens que les embouteillages se forment, dans une brume de gaz d'échappement. Elle se donne des points de repère le long du trajet pour avoir l'impression que le chemin est moins long et, au fur et à mesure de son avance, sa sensation d'étouffement disparaît.

Quand elle arrive à la hauteur de Bodmin Moor, elle appelle Aidan sur son portable. En entendant sa voix lui répondre, elle sent une vague de plaisir l'envahir, qui lui fait presque tourner la tête.

– Salut, vous, lui dit-elle.

– Oh, bonjour !

À son ton retenu, elle comprend aussitôt qu'il n'est pas seul.

– Il y a quelqu'un ?

– Je suis dans l'atelier avec Luke. Ne quitte pas.

L'écho de ses pas lui parvient tandis qu'il rejoint son bureau. Mais la seule mention du nom du mécanicien a détruit son bien-être.

– Bien.

Le « bang » de la porte que l'on claque retentit dans le téléphone.

– Voilà, je suis seul, maintenant.

– J'appelais seulement pour te dire bonjour.

– Je suis content de t'entendre.

Il a retrouvé sa voix chaleureuse et tendre.

– Où es-tu ?

– En train de traverser Bodmin. *Madre !* C'est tellement déprimant, ici ! Je n'aimerais pas tomber en panne dans ce coin.

– Je volerais à ton secours ! Alors, comment vas-tu ? Comment ça s'est passé ?

– Bien. J'ai fait tout ce que j'avais à faire.

Elle hésite un instant.

– Tu m'as manqué.

– Toi aussi, tu m'as manqué. Je n'arrivais plus à te situer, c'était comme si tu flottais.

– Je t'imaginais dans ton lit. Veux-tu venir ce soir ?

Le téléphone émet des craquements et la réponse d'Aidan se perd dans la friture. Elle l'appelle en criant deux ou trois fois, dans une réaction disproportionnée. Elle s'apprête à presser le bouton rouge d'arrêt de la communication pour le rappeler quand sa voix revient.

Et, avec ce son, revient aussi la joie d'Isabella.

– Tu as entendu ? lui demande-t-il.

– Non.

– Ça vaut mieux. Ce n'était pas poli du tout !

Elle sourit à son téléphone.

– Alors, tu viens ce soir ?

– Si tu insistes, je pourrais peut-être me laisser convaincre !

Elle sait qu'il est en train de sourire, lui aussi. *Madre !* pense-t-elle. Je l'aime.

Il se passe quelque chose dans la grand-rue de Pengarris, à peu près à mi-hauteur. Un Land Cruiser Toyota est garé sur le côté et, arrêtée en parallèle, une Alfa Romeo rouge bloque la rue, ses feux de détresse clignotant. L'arrière du Toyota est ouvert, révélant tout un équipement technique. Trois hommes discutent à côté du véhicule. Ce doit être une équipe de télévision, pense-t-elle. Un attroupement s'est créé autour d'eux, des habitants de Pengarris qui contemplent ce débarquement, bouche bée. L'événement leur fournira des sujets de conversation et des souvenirs pour au moins les cinq prochaines années. On sait enfin où est Pengarris Cove ! La célébrité arrive parfois par d'étranges chemins. Babs fait partie des curieux et, de la main, elle salue Isabella. Puis le conducteur de l'Alfa Romeo garée en double file arrive en courant pour déplacer sa voiture. Il fait un geste d'excuse dans sa direction. Elle ne le voit qu'un instant mais le reconnaît immédiatement. Vingt ans après... Il a les cheveux gris, à présent, mais elle ne peut s'y tromper. Le même physique ramassé, le même style de mouvements précis et rapides pour se glisser derrière le volant et démarrer. Il ne savait pas conduire quand elle l'a connu. Sauf les motos.

Tom.

Quand elle entre dans le cottage, Hannah se rue sur elle et lui jette les bras autour du cou. C'est la première fois qu'elle se conduit de façon aussi démonstrative. Sophia paraît très détendue. Une odeur de soupe à la tomate et de pain grillé flotte dans la maison. Il y a des jouets éparpillés aux quatre coins du salon.

Elle devrait se sentir si heureuse d'être de retour...

– On dirait que tout s'est bien passé, non ?

– Très bien, aucun problème. Elle a été adorable... Vous avez l'air fatiguée.

– Oui, un peu.

– Les gens de la télévision sont là. On est allées se promener au village.

– Oui, je sais, je les ai vus.

Sophia l'aide à décharger la voiture.

– Mon 'val bascule ! s'exclame Hannah quand Isabella le pose dans le salon.

Elle grimpe dessus sans perdre une seconde.

– Je t'aime, ma chérie, lui dit Isabella en l'embrassant.

Hannah tend la main et lui touche les paupières.

– Je t'aime, maman.

Isabella en est bouleversée. Elle n'en croit pas ses oreilles et ne peut que serrer l'enfant dans ses bras.

Hannah continue à se balancer sur le cheval comme s'il ne s'était rien passé d'important.

D'ailleurs, est-ce bien le cas ? Comprend-elle ce que cela veut dire ? Y a-t-il quelqu'un qui comprenne ce que cela veut dire ?

– J'ai quelques affaires pour vous, dit-elle à Sophia. Je ne sais pas si cela vous conviendra.

Elle prend les vêtements qu'elle a posés par-dessus ses propres affaires dans la valise, ainsi qu'un sac à main qu'elle n'utilise plus et où elle a mis des bijoux fantaisie. Elle donne le tout à Sophia avec une sorte de brusquerie, dans un effort pour dissimuler son embarras. Elle n'a jamais rien fait de semblable de toute sa vie.

Sophia se plaque ses mains contre les joues, dans un geste d'incrédulité. Elle est au bord des larmes et s'exclame de plaisir en dépliant chaque vêtement tour à tour. Elle est si heureuse qu'Isabella se sent gênée. Ce sont ses « rebuts », des choses achetées trop vite, certaines à peine portées, d'autres dont elle s'est lassée. Il y en a pour environ cinq cents livres, dont elle se débarrasse sur cette gamine, qui portera ces habits pour aller au pub ou sortir entre amies. Du moins, si cela lui va.

– Il faudra presque tout reprendre. Je suis beaucoup plus grande que vous.

– Oh ! je me débrouille très bien en couture.

Elle en est toute rouge. Il est clair que Sophia n'a pas l'habitude qu'on lui fasse des cadeaux. Mieux que quiconque, Isabella comprend ce que cela signifie.

– Sophia, je ne suis pas en train de vous faire la charité. Je serais désolée que vous puissiez le penser, ou croire que je veux faire du parternalisme avec vous.

Sophia ne répond pas. Elle est en train de secouer la tête et de rire en regardant une jupe de satin rouge qu'elle tient devant elle.

Son plaisir fait mal à voir. Isabella se demande si elle paradera en jupe de satin rouge et chemisier noir devant son mari. Et lui, imaginera-t-il que c'est Isabella, alors ?

– Je vais vous raccompagner maintenant, si vous voulez, dit-elle gentiment.

Le 4x4 et l'Alfa sont partis, rendant la rue étroite à son calme habituel. Elle se demande si elle pourra éviter de le rencontrer.

À côté d'elle, Hannah est en train de compter sur ses doigts.

– Un, deux, trois, un, deux, un, deux, trois...

– Ici, vous prenez à droite, lui explique Sophia.

... Je veux être heureuse. Ne permettez pas que cela soit détruit...

– À gauche, après la cabine téléphonique.

Isabella s'arrête devant une maison en pierre reconstituée qui fait partie des logements sociaux de la commune. Une clôture de bois peint en blanc longe un parterre de fleurs très coloré.

Elle en fait la remarque tout en aidant Sophia à s'extraire de la voiture.

– Luke est un maniaque du jardinage, explique Sophia. Les films d'horreur, le jardinage et les voitures. Bon, à lundi, alors. Du moins, si vous voulez toujours que je vienne faire du ménage.

– Absolument. Je vous demanderai peut-être même d'aller chercher Hannah au jardin d'enfants si je suis trop prise par mon travail. Est-ce que votre embrayage sera bientôt réparé ?

– Oh, oui ! Luke est très fort pour ces choses-là.

Encombrée de tous les cadeaux d'Isabella, elle désigne les sacs du coude.

– C'est vraiment gentil d'avoir fait ça. Je ne sais pas comment vous remercier. Personne n'a jamais...

– Sophia, vous n'avez pas besoin de me remercier, vous l'avez déjà fait. Votre plaisir me suffit. Je suis sincère. Et maintenant, dépêchez-vous de rentrer chez vous.

Elle la regarde remonter l'allée vers la porte d'entrée et poser les sacs pour fouiller dans sa poche, à la recherche de sa clé.

– Alors, au revoir, dit-elle en pénétrant dans la maison qu'elle partage avec son mari.

Isabella donne un coup de klaxon et démarre.

Est-ce que cela t'irait, ma chérie ? lui avait demandé la botaniste en lui tendant un chemisier en Nylon pêche avec des boutons-perles. Des vieilleries.

Voir Tom l'a déstabilisée.

Aidan lui a acheté des fleurs. Il l'embrasse avec passion puis soulève Hannah et la fait voler dans l'air avant de l'installer à califourchon sur ses épaules.

– Qui est aussi haut que la montagne ? Qui est aussi haut que la montagne ?

– Moi ! Moi ! Moi !

Ce jeu est devenu un rituel. Isabella adore les voir s'amuser ensemble, le géant et l'enfant minuscule. Elle aime sa présence. Ils sont devenus un couple normal. Et il évoque l'avenir : *Nous allons fêter ton anniversaire comme il faut ! Je vais t'inviter... tu verras !* Ou encore : *Je veux vérifier que ton toit est suffisamment isolé pour cet hiver !* Et puis : *Il ne faudra pas oublier de mettre de l'antigel dans ta voiture.* Ou bien il parle de les emmener toutes les deux à la réserve des phoques, à Gweek. Pour lui, s'il y a des changements, ce sera seulement dans le sens d'une amélioration. On rencontre des affaires à lui un peu partout chez Isabella : un peigne, une brosse à dents, un magazine automobile, son bleu de travail... Elle le taquine à ce sujet. C'est pour mieux marquer ton territoire, lui dit-elle.

De plus, elle ne l'aurait pas cru possible, mais leur relation sexuelle est chaque fois meilleure. Ce soir-là, tandis qu'il la caresse et la fait gémir de désir, tout son corps tendu vers lui, il lui dit qu'elle doit s'être rendu compte, à présent, qu'il l'aime. Que, sans cela, il ne pourrait pas faire l'amour comme ils le font.

Et cela alors qu'elle se sent menacée...

– Tu pleures ? Oh ! ma chérie, ne t'inquiète pas ! dit-il de cette voix tendre qui, pour elle, est devenue la voix de la Cornouaille elle-même. Tout va s'arranger, on trouve toujours une solution, ajoute-t-il.

10

« ... Tu vois », écrit Isabella à Sally. Elle lui destine la première de ses lettres d'explication. « Tu vois, je pense que nous traversons tous une phase où nous nous remettons en question – quels sont nos besoins et nos buts. Apparemment, c'était mon tour de passer par ces interrogations. » Pour l'instant, tout cela est vrai. « Et maintenant, la grande nouvelle ! Attends-toi à un choc. J'ai adopté une petite fille de Bosnie... »

Si seulement elle avait donné cette explication à tout le monde dès le départ ! Mais il y a toutes les histoires qu'elle a racontées : sa filleule, sa nièce, sa propre fille. Et maintenant une orpheline de Bosnie.

C'est facile de mentir sur le papier. Le destinataire est à distance, à la fois au sens strict, sur le plan géographique, et au sens figuré, sur le plan émotionnel. C'est comme si tous les gens qu'elle connaissait avant de trouver Hannah avaient cessé d'exister. Est-elle sans cœur ? Lui manque-t-il quelque chose ? Elle n'a pas la sensation d'être mauvaise et, pourtant, elle débite un mensonge à sa plus vieille amie.

Elle est pensive, déçue par elle-même, tandis qu'elle signe cette première lettre.

La femme du chirurgien fait le tour des invités avec une assiette de petits sandwiches. Sa fille accomplit également son devoir avec un plat de bouchées au fromage piquées de bâtonnets à cocktail.

– Tomate et fines herbes, dit-elle quand on lui demande à quoi est la sauce.

– Tout cela est absolument délicieux, Deirdre, crie quelqu'un à travers le salon.

Le jeune homme, lui, aide son père à servir les boissons.

– Pimm's ou Bucks fizz ? suggère-t-il à chaque invité avec le même sourire décontracté que son père, la même voix de pensionnaire d'une bonne école.

À quelqu'un qui lui pose la question de son avenir, Isabella l'entend répondre : *La banque. Je veux entrer dans la banque.*

La jeune fille a presque dix-huit ans, environ un an de moins que son frère. Elle est massive, avec un visage lunaire. Un regard las comme celui de son père l'empêche d'être laide.

– Ce n'est pas moi qu'il faut féliciter, dit sa mère. C'est Emma qui a tout préparé. Nous l'avons même payée, n'est-ce pas, ma chérie ?

Elle a posé la main sur la nuque de sa fille.

– Emma fait une école de restauration, n'est-ce pas, ma chérie ?

Emma confirme d'un hochement de tête.

L'épagneul renifle les pieds de tout le monde, se précipitant sur les miettes qu'on laisse tomber. Isabella étouffe un éclat de rire en le voyant lever la patte sur un sac à main, posé près du canapé recouvert de tissu moiré couleur turquoise.

– ... alors, je lui ai dit que ses genoux lui survivraient pendant au moins dix ans !

C'est leur hôte – le chirurgien orthopédiste – qui raconte une opération, d'une voix destinée à couvrir les autres. Il regarde dans la direction d'Isabella pour s'assurer qu'elle a bien entendu. Il l'a déjà complimentée pour sa jupe en cuir et pour la « merveilleuse couleur de sa chevelure ». Un homme qui trompe sa femme, et la malheureuse le sait probablement. Isabella s'étonne qu'elle ait pris le risque de l'inviter.

Tout est comme elle l'avait imaginé, la réception, la maison, les invités.

– Oui. Il y a environ un mois. Oh ! depuis deux semaines à Pengarris même.

– J'ai entendu dire que vous avez loué la vieille baraque du bout du chemin. Le type qui avait le garage. Comment c'était, déjà... ?

– Timothy Abell.

– Ah ! oui, c'est ça. Il y a eu un scandale avec sa...

– Voulez-vous un sandwich au saumon ? propose Emma, qui passe avec un plateau.

– Merci, volontiers.

Elle en prend deux. Sa nervosité lui donne faim. Emma lui tend une serviette à motif floral et lui adresse un sourire timide. Pauvre fille, pense Isabella, sans trop savoir pourquoi.

Elle cherche le moyen de se soustraire aux attentions de son interlocuteur. À son grand soulagement, Mary Anne vient de faire une entrée théâtrale, drapée dans une cape vert foncé.

– C'est bizarre d'élire un endroit de ce genre pour s'installer, non ?

Il parle tout en détaillant la jupe provocante et le petit bustier noir moulant qu'une inconsciente perversité lui a fait choisir.

Cet homme aussi, elle en avait prévu la rencontre, à ceci près qu'il n'a pas les cheveux argentés. En fait, il est chauve. Mais, pour le reste, il est exactement comme elle l'avait imaginé en voyant les maisons de Rhododendron Drive : maintien militaire, regard sévère, blazer bleu marine.

Et encore pire...

– Que faites-vous ? lui a-t-elle demandé quelques minutes plus tôt, de son ton le plus poli.

– Je suis à la retraite, maintenant, mais je suis toujours magistrat...

Littéralement.

À présent, elle répond à sa remarque sur son choix de vie.

– C'est un endroit parfait pour élever un enfant, dit-elle.

Ensuite, elle s'excuse de le quitter. Il s'apprête visiblement à lui poser d'autres questions et ne cache pas un froncement de sourcils désapprobateur quand elle fait signe à Mary Anne et l'abandonne pour aller à sa rencontre.

– Enfin, un visage humain ! s'écrie-t-elle.

– Ma chère enfant ! Vous êtes délicieuse, j'adore votre tenue.

Mary Anne l'embrasse et la régale aussitôt de détails biographiques sur chacune des personnes présentes.

– Le type avec qui vous parliez – horrible, un radin. Le genre à aimer se faire fouetter sous ses grands airs. Il est veuf. Je suis sûre qu'elle est morte à cause de lui. Elle était devenue alcoolique. Il fait partie du tribunal, mais il vous l'a certainement déjà dit. Il nous mettrait tous derrière les barreaux, s'il le pouvait ! Ah ! Lui, là-bas, à côté de ce caoutchouc aux feuilles briquées à mort, c'était un officier des SAS[1], un membre de l'escadron de la mort. Mais il a vu la lumière...

Elle dessine des guillemets dans l'air en prononçant le mot « lumière ».

– Et il a tout laissé tomber pour entrer dans les ordres. Et cet homme avec des touffes de poils qui lui sortent des oreilles comme si c'était un lynx, là, juste à côté de la femme aux cheveux noirs en choucroute, lui, il était vraiment prêtre. Mais il a vu la lumière, lui aussi ! Il a découvert le sexe et il a *quitté* l'Église...

Isabella n'en peut plus de rire, au point que plusieurs

1. Special Air Service, l'équivalent du GIGN *(N.d.T.)*

invités se tournent vers elle. Les yeux d'un ou deux hommes restent rivés sur elle. Une jeune femme blonde, d'un geste énergique, ramène vers elle le visage de son mari. Elle le menace du doigt en lançant un clin d'œil à Isabella.

– Elle, elle est sympathique, indique Mary Anne. Une psychothérapeute, enfin quelque chose de ce genre... Et cette autre femme, près de la porte, vous voyez ? – la beauté tragique –, elle est lesbienne et elle vient juste de piquer l'amazone qui est avec elle *à son mari* ! La fille avait une liaison avec lui, avant... Vous savez, mon chou, notre hôte adore les scandales locaux. Il s'en délecte, cela lui donne l'impression d'être un homme moderne ! Sa femme est bien obligée de s'en accommoder. Mais regardez son sourire. C'est un rictus, pas un sourire. Ça lui fait des rides affreuses autour de la bouche. On voit bien qu'elle n'est pas heureuse.

– *Madre !* Mary Anne, vous me coupez le souffle. Est-ce que vous les avez mis dans l'un de vos livres ?

– Chacun à son tour, ma chère. Pas *en masse*[1].

– J'ai l'impression que personne ne doit se sentir en sécurité avec vous.

– À dire vrai, quelques-uns se tiennent à l'écart mais je pense qu'ils le feraient de toute façon. Un des plaisirs de l'écriture, c'est que vous pouvez prendre modèle sur quelqu'un que vous connaissez pour construire un de vos personnages tout en sachant que votre modèle se reconnaîtra rarement. Très peu de gens sont conscients de leurs tics ou de leurs manies. Vous, par exemple...

Isabella adopte un air de défi.

– J'ai remarqué que vous avez une façon peu banale et très abrupte de vous fermer complètement.

Elle se sent intriguée.

– Que voulez-vous dire ?

– Eh bien, vous avez un visage très expressif – vous

1. En français dans le texte. *(N.d.T.)*

avez des yeux remarquables et vos sourcils peuvent se lever indépendamment l'un de l'autre. Vous avez aussi cette façon très latine de parler avec les mains, et en même temps vous pivotez sur vous-même en avançant une épaule. L'instant d'après, vous vous transformez en statue de marbre. Vous devenez indéchiffrable. Comme si vous étiez deux femmes en une.

– Oh ! la la ! Je me sauve, s'exclame Isabella, feignant de s'en aller. Vous m'inquiétez !

– Et le parfum, insiste Mary Anne. Le parfum suggère tant de choses, envoie des messages si différents selon les personnes ! Il y a des femmes qui s'en inondent, ce qui signifie, bien évidemment, qu'elles n'aiment pas leur propre odeur. Vous, vous portez quelque chose de subtil, à base de fougère. Vous voyez, je suis en train de construire une image, de créer un personnage. Mais vous, vous ne sauriez pas que c'est vous. Je vous donnerais des cheveux d'une autre couleur, un autre nom, et le tour serait joué !

– Et vous ? Vous vous mettez dans vos livres ?

– Une grande partie des descriptions sexuelles est tirée de mon expérience ! Mais la dernière fois, c'était il y a longtemps, maintenant, et mes textes n'ont plus la même vie... Parfois, je ne me rends même pas compte que je suis en train de me plagier.

– Y a-t-il tellement de façons d'écrire sur la même chose ?

Mary Anne se prend le visage à deux mains, d'un air scandalisé.

– Ma chère ! Comment pouvez-vous dire une chose pareille ! Vous êtes bien la dernière dont j'aurais imaginé ça ! Il y a des centaines de façons de pratiquer la sexualité, ou de faire l'amour, si vous préférez des expressions plus chics. Nous avons le plus riche des langages possible, avec des variations sans limites.

– Vous avez raison, j'ai dit une sottise.

– Mais non. Et pour être honnête, je vous avoue que

j'ai lu bien plus de scènes de sexe mal écrites que de bonnes. Ou bien c'est comme si vous étiez en train de lire un ouvrage clinique, ou bien tout est exprimé de façon si métaphorique que vous pouvez croire à bon droit qu'il s'agit d'une expédition en Amazonie... Ou encore, c'est tellement ridicule que vous vous écroulez de rire. Je vous donnerai un des miens, on verra ce que vous en pensez.

Encore deux heures, et elle s'apprête à partir. Le chirurgien la coince dans l'entrée. Il colle son bras contre le sien, la main en appui sur une colonne en fibre de verre, si bien qu'elle ne peut plus passer.

– C'est vraiment agréable d'avoir une aussi charmante nouvelle venue dans ces parages. N'hésitez pas à nous appeler si vous avez besoin de quoi que ce soit. C'est fait pour ça, les voisins. Il m'arrive de faire mon jogging dans votre coin. Je sonnerai à votre porte un de ces jours.

Il lui lance un regard significatif et ôte enfin son bras.

Elle grommelle une réponse à la fois polie et aussi peu encourageante que possible, invoquant son travail. Elle se sent pleine de mépris pour cet homme, pour son arrogance. Comment ose-t-il être aussi... présomptueux (elle sourit en elle-même avec une pensée pour Aidan) ! Le macho dans toute son horreur. Elle se dirige vers la porte aussi vite que possible et, dehors, est saisie par le froid et l'odeur douce de la bruyère humide.

En passant devant la fenêtre ouverte du cottage de Charlie et Joyce, elle entend des rires et des voix. Une odeur de rosbif s'en échappe. Joyce a mis un disque. Dean Martin ? Joyce adore les chanteurs de charme de cette époque et Charlie se montre très tolérant à cet égard. Je ne vois pas de quoi je serais jaloux, dit-il. Ils sont tous morts, non ?

Il n'y a pas de sonnette et, comme personne ne l'entend frapper, elle entre. Les bottes en caoutchouc de Charlie sont appuyées contre le mur, avec une paire d'épaisses chaussettes grises posées par-dessus. Par la porte vitrée,

Isabella aperçoit Hannah qui joue sur le plancher du salon avec des ustensiles de cuisine. Charlie et Joyce, ainsi qu'un homme dont Isabella ne distingue que le dos, sont serrés sur le canapé, penchés sur ce qui paraît être un album de photos. Bien qu'elle ne puisse voir le visage de leur invité, Isabella le reconnaît instantanément. Son cœur bat à lui faire mal quand elle ouvre la porte.

Tous les regards se tournent vers elle.

– Bonjour, mon chou, vous vous êtes bien amusée ? demande Joyce.

– Moi, je parie que vous les avez tous mis KO, ces guignols ! affirme Charlie.

– Maman ! crie Hannah en lui sautant dans les bras.

– Bon Dieu… laisse lentement tomber Tom, incapable d'articuler.

– Nous nous sommes connus à Bristol, quand j'étais à l'université. Nous sommes de vieux amis, explique Isabella en jetant à Tom un regard d'avertissement.

Il est clair que la situation l'amuse beaucoup. Ses yeux brillent de plaisir – ses yeux bleu marine aux longs cils épais mais à présent légèrement assombris par le relâchement de la peau, sans que cela diminue en rien leur pouvoir de séduction. Après toutes ces années, cette expression dont elle se souvient si bien a toujours le même effet sur elle. Cela l'exaspère et lui donne envie de faire n'importe quoi pour l'effacer du visage de Tom. En même temps, cela l'attire, elle ressent l'envie de le séduire. Entre eux, c'était la lutte pour le pouvoir. Foncer, l'emporter, battre en retraite, et recommencer. Personne de moins sentimental que Tom. Un charmeur qui avait besoin des autres mais n'avait pas d'amis. De plus, elle l'a toujours suspecté d'une certaine misogynie.

Cela lui cause un choc de découvrir que, après tout ce temps et malgré Aidan, il a encore autant d'impact sur elle. Ses cheveux grisonnants sont toujours coupés suivant le même style. Ils poussent vers l'avant et il les porte très courts, bien nets autour de ses oreilles plaquées contre son crâne (elle se souvient comme elle les lui caressait et les lui mordillait, fascinée par leur dessin précis). Ses traits se sont un peu empâtés mais sa mâchoire est restée ferme, avec le creux de la lèvre supérieure bien dessiné ; il affirmait que c'était la marque d'un bon amant. Et en effet, c'était un bon amant. Mais silencieux. Elle ne savait jamais ce qu'il pensait et, parfois, elle avait l'impression qu'il se conduisait en voyeur à l'égard de leur propre couple, épiant son plaisir. Son regard détaché et inlassable avait fini par la bloquer.

– J'ai l'impression d'être avec un robot, lui avait-elle reproché un jour où, gênée par ce regard, elle ne trouvait pas le plaisir.

C'était peu de temps avant qu'il parte pour le Vietnam. Il s'était aussitôt retiré et, sans un mot, s'était endormi. Elle l'avait haï pour cela, avait souhaité le massacrer, un sentiment très proche de celui éprouvé quand, petite fille, elle arrachait les cheveux de sa poupée pendant que ses parents se disputaient dans la cuisine, à l'étage du dessous. Elle se souvient qu'elle s'était levée et avait allumé toutes les lampes pour le déranger autant que possible. Puis elle avait passé la nuit à lire dans l'alcôve sous la mezzanine où il dormait à poings fermés, la conscience en paix.

Il porte une veste safari sur un pull irlandais, un jean et de grosses chaussures lacées haut sur la cheville. Il a l'air de ce qu'il est – un homme qui travaille dans les médias. Tellement bizarre et déconcertant, assis à quelques pas d'elle ! Il doit être troublé, lui aussi, même s'il n'en laisse rien paraître. À part son exclamation incrédule en la voyant, il n'a rien laissé percer, hormis un certain amusement. Quelle impression lui fait-elle ? Comment la voit-il ? Comme une femme qui commence à prendre de l'âge ? *Madre !* Ils étaient si jeunes, de vrais gamins. Une vraie gamine. Extraordinaire de penser qu'ils ont été mariés. Elle remarque qu'il boit de l'eau. Un peu plus tôt, il a refusé le whisky que lui proposait Charlie. « Juste une goutte », a insisté Charlie en lui montrant une bouteille d'un excellent whisky. « Pour fêter l'événement ? » La bouteille a repris sa place, intacte, dans le buffet.

Charlie rayonne de la béatitude des plaisirs du dimanche : l'église, le vin de communion, la bière, le rôti de bœuf, sa femme qui s'agite autour de lui, la satisfaction d'avoir un nouvel auditeur pour ses histoires et ses indignations. Sa mauvaise jambe est posée sur un tabouret bas.

– Il est chouette, votre ami, dit-il à Isabella. Il est d'accord avec moi sur tout, vous savez !

– Sur *presque* tout, Charlie.

Tom se penche et pose les coudes sur la table devant lui. Il est en train de fumer.

– Isabella peut vous dire que je suis quelqu'un de très objectif.

Il la regarde en plissant le front d'un air interrogateur.

– Je ne savais pas, répond Isabella en caressant les cheveux d'Hannah qui, à plat ventre par terre, gribouille sur une feuille de papier.

– Oh ! tu exagères, Bella !

Il a toujours la même voix. Toujours exagérément distinguée, surtout par contraste avec l'accent de Charlie.

L'utilisation de son ancien surnom, qui sonne comme une marque de propriété, la dérange.

– Je ne dirais pas que tu étais toujours très objectif.

Elle se souvient de son comportement irrationnel à son retour du Vietnam, de la façon dont rien ne le satisfaisait.

Tom se tourne vers Charlie.

– Vous voyez, Charlie ? Inutile de faire appel aux bons sentiments d'une femme. Elles n'en ont pas !

Joyce les observe tous les trois d'un œil sagace, son regard allant sans cesse de l'un à l'autre.

– En tout cas, comme je le disais...

Charlie refuse avec entêtement d'être détourné de son idée.

– ... si les Espagnols n'étaient pas sans arrêt en train de piller nos eaux...

Sa femme hausse les épaules avec une mimique d'exaspération tout en posant une autre tranche de cake sur son assiette et il s'interrompt pour lui dire : « Merci, ma chérie. » Il en profite aussi pour lui caresser la main.

Tom ne cesse de regarder Isabella. Elle sait qu'il cherche à être seul avec elle et, quand elle se lève pour partir, il en fait autant. Elle ressent presque de la colère à l'idée qu'il estime pouvoir automatiquement l'accompagner. Elle attend Aidan un peu plus tard et se demande ce que Joyce est en train de penser de tout ça. Charlie est trop impressionné par Tom, trop excité par le rôle qu'il doit jouer dans le documentaire. Joyce, elle, voit les choses en femme. Elle n'a pas l'étroitesse d'esprit de la plupart des femmes d'ici. Elle a confié à Isabella qu'elle a elle-même été la cible des ragots quand elle s'est mariée avec Charlie. Elle a eu de grosses déceptions personnelles, aussi : un fils drogué qui fait le chanteur de rue à Londres, et une fille ultra-conservatrice qui vit dans le Sussex avec ses deux enfants. Joyce ne les voit presque jamais.

– Méfiez-vous, souffle-t-elle à Isabella au moment où elles se séparent.

– Oui, je sais.

Les deux hommes se serrent la main et Charlie donne à Tom une grande tape dans le dos, emporté par un élan de bonne humeur.

Isabella ouvre sa porte et il la suit. Il a une démarche désinvolte, assez conquérante. Il garde les mains dans les poches, ce qui tend sa veste sur ses hanches étroites. Vu de dos, avec son jean, il pourrait passer pour un jeune homme, n'étaient ses cheveux gris. Pour la première fois, il ne semble plus si sûr de lui. Il a même l'air mal à l'aise tandis qu'il s'avance à pas feutrés et hésitants. Il fait en même temps de petits bruits de gorge qu'elle prend pour de l'approbation. Il se jette d'abord sur le futon mais se relève immédiatement et va s'asseoir dans le fauteuil de rotin où il se laisse aller en donnant des coups de poing dans le vide. *Madre !* Elle avait oublié à quel point il pouvait être crispant.

– Tu ne veux pas me faire un café ? demande-t-il timidement quand il comprend qu'elle n'a pas l'intention de lui faciliter la tâche. C'est vraiment une surprise, Bella, ajoute-t-il.

– Préférerais-tu autre chose ? Un verre de vin ?

Il n'a besoin que de montrer un peu d'humilité pour l'adoucir.

– Je ne bois plus d'alcool. Je n'y ai pas touché depuis neuf ans.

– Oh ! bravo.

Elle résiste à l'envie d'émettre un commentaire acerbe.

– Mais ça me réussit et je ne suis pas devenu ennuyeux pour autant.

– N'est-ce pas aux autres d'en juger ?

Elle est frappée par le côté moralisateur de sa remarque et se tourne vers Hannah avant qu'il puisse répondre.

– Hannah, *carina*, laisse Garibaldi tranquille. Il n'a pas envie de jouer.

– Si !

L'enfant est à quatre pattes et cherche à coincer le chat sous la table. La queue de Garibaldi balaye nerveusement de droite à gauche et il a les oreilles tirées en arrière.

– Non, *cara*. Quand il met les oreilles comme ça et qu'il agite la queue, ça veut dire qu'il est fâché.

– Grabla fâché à moi ?

– Oui, *carina*.

– Pourquoi ?

– Bon Dieu ! grogne Tom en levant les yeux au ciel. Épargne-moi ça !

Elle l'ignore.

– Parce qu'il est de mauvaise humeur. Il est vilain quand il est de mauvaise humeur, *cara*. Il vaut mieux le laisser tranquille. Tu ne veux pas venir m'aider à préparer le café ?

Hannah la suit dans la cuisine. Tom, qui vient d'allumer une cigarette, cherche un cendrier.

– Il n'y a pas de cendrier, dans cette maison ?

– Parce que personne ne fume, dans cette maison, répond-elle en le contournant pour prendre le lait dans le réfrigérateur.

Il s'écarte rapidement de son chemin.

– Pourtant, tu fumais, toi !

– Hannah déteste ça.

– Si je comprends bien, tu me demandes d'éteindre ma cigarette ?

– Tu fais comme tu veux.

– Bon, alors je l'éteins.

Il la noie sous le robinet de l'évier.

– Alors, c'est toi qui fais la loi, ici ? dit-il à Hannah.

Celle-ci ne lui prête pas la moindre attention, trop occupée à arranger des sablés sur une assiette.

– Tu as l'air drôlement en forme, pour ton âge, dit-il à Isabella. Sacrebleu, pour n'importe quel âge, en fait.

– Merci.

Comme elle lui tourne le dos, il ne peut pas la voir rougir. Sa remarque l'a troublée. Il la plonge dans le trouble, de toute façon.

– Alors, tu t'es mariée ?

– Ce serait beaucoup dire.

Elle apporte le plateau dans le salon. Il ne propose pas de l'aider. Aidan l'aurait fait. Elle se rappelle qu'elle devait toujours tout ramasser derrière lui.

Il essaye encore différents sièges et finit par choisir le canapé, peut-être dans l'espoir qu'elle s'installera à côté de lui. En fait, elle prend le fauteuil de rotin dans lequel il s'était assis un peu plus tôt. Hannah renverse une boîte de gros feutres de toutes les couleurs sur le plancher. Quant à Isabella, un sourire désabusé sur les lèvres, elle regarde Tom dévorer tous les biscuits, l'un après l'autre.

Entre deux bouchées, il lui parle du film.

– Ça prendra deux ou trois semaines, selon la météo. Cela risque même de prendre quatre semaines mais j'ai un autre projet en cours et je préférerais terminer ici dans les temps.

Il explique qu'il veut non seulement montrer les pêcheurs au travail mais les filmer dans leur vie quotidienne.

– Tu sais, le lever au petit matin, l'installation du matériel à bord, les repas ; et puis, comment ils se préparent pour aller à l'église, l'église elle-même... Ce genre de choses. Je veux des anecdotes. Des souvenirs. Une pinte de bière au pub... Tout le contexte. Je veux faire un portrait complet d'une communauté de pêcheurs.

– C'est passionnant. Combien êtes-vous ?

– Trois. Moi, mon cameraman et un assistant. Nous travaillons ensemble depuis plusieurs années. Chacun de nous sait comment fonctionne l'autre. Tony, mon assistant, fait double emploi, il est aussi lumière, c'est utile.

– Lumière ?

– Électricien. On se sert d'un éclairage sur batterie qui comprend trois projecteurs à quartz. On les attachera sur les mâts pour les tournages de nuit. Nick, le cameraman, fait aussi le son. Et moi, j'écris, je produis, je réalise et j'édite.

Elle est fascinée.

– Ce doit être très intéressant. Je n'ai jamais réfléchi à cet aspect des choses. Tu sais, on se contente d'appuyer sur le bouton, et on regarde sans penser... Combien de films fais-tu par an ?

– En moyenne, trois. Il y a beaucoup de travail avant

et après. Et n'oublie pas qu'il faut encore le vendre quand c'est fini ! Quoique, maintenant, je sois assez connu pour que cela ne pose pas de problème.

Il le dit sans vanité, il se contente d'énoncer un fait.

– J'ai vu quelque chose de toi, il y a environ un mois, sur un homme atteint de paralysie. C'était très émouvant. Je dirais même que c'était bouleversant.

– Alors, ça t'a plu, tant mieux !

Ses yeux brillent. Il paraît heureux de ses appréciations. Il est évident qu'il prend son travail très au sérieux.

– Tout le mérite en revient à Peter, le jeune homme malade. Il nous a donné une leçon à tous. Il n'a pas montré le moindre apitoiement sur lui-même, mais un incroyable sens de l'humour. Je te jure que ça fait réfléchir, de parler avec lui.

Ses yeux ne deviennent-ils pas curieusement humides ? Sûrement pas.

Pourtant, il ajoute :

– Bon Dieu ! Je deviens sentimental, maintenant !

Elle est stupéfaite. Voici quelque chose de nouveau chez lui. Elle sent qu'elle s'attendrit à cette découverte.

– Tu sais, dit-il, qu'il préparait une licence en droit...

– Oui, son aide-soign...

– Trevor.

– Trevor a fixé une sorte de chevalet au fauteuil roulant pour ses livres. *Madre,* il lui consacre toute sa vie...

– J'ai reçu une lettre d'eux, l'autre jour. Peter a réussi ses examens et Trevor va se marier. Ils emménagent dans une plus grande maison pour que Trevor puisse continuer à s'occuper de Peter...

Ils se retrouvent donc en train de parler comme des gens normaux. Les événements prennent parfois un tour vraiment étrange. Elle n'en revient pas que Tom soit ici, avec elle. Et lui, est-il remarié ?

– Tu as loué ici pour combien de temps ?

– Quelques mois.

Il la regarde pensivement pendant plusieurs secondes.

De toute évidence, il se demande ce qu'elle fait là. Mais il ne l'interroge pas.

– En tout cas, ça réveille des souvenirs.

– Sans doute.

Elle n'a pas envie de remuer le passé avec lui. Elle hésite entre l'envie de se montrer amicale et celle de prendre la fuite.

– Bon Dieu ! On en a roulé des kilomètres avec la moto, tous les deux, non ?

– Trop, répond-elle.

– Tu étais morte de peur.

– Bien sûr, tu conduisais comme un fou, lui reproche-t-elle.

– Oui, c'est vrai. Pourtant, je me rappelle que j'ai ralenti quand tu m'as dit que je risquais d'écraser un chat. Tu sais, j'ai changé.

– Vraiment ?

– Je crois. Quand tu arrêtes l'alcool, tu traverses de sales moments. Tu ne peux pas t'en sortir sans faire une thérapie. Et je continue à aller aux réunions des Alcooliques anonymes une fois par semaine. Je te garantis que ça te change.

– Alors, maintenant tu détestes tes parents ?

– Non, pourquoi ?

– Eh bien, ce n'est pas à cela que ça aboutit, la thérapie ? À rejeter ses parents ?

Et elle, son père...

– Non, j'ai des parents formidables, tu le sais bien. Du moins, j'avais, en ce qui concerne mon père. Il est mort il y a une dizaine d'années. C'est ce qui m'a fait changer de vie. Tu peux dire que c'est un événement qui te marque. Même les méchants garçons changent de conduite quand leur papa meurt.

– Je ne suis pas experte en la matière. Je me tiens à l'écart de tout ce qui ressemble de près ou de loin aux psy. Mais je suis désolée pour ton père, c'était un homme adorable. Et ta mère ?

– Elle est en pleine forme. Elle continue à donner des conférences partout et elle a fondé une société d'étude de la littérature russe. Je l'ai interviewée pour un documentaire il y a environ un an. Cela s'appelait les Sirènes septuagénaires.

– Je regrette de ne pas l'avoir vu... Mais qu'est-ce qui t'a fait arrêter le reportage pour le documentaire ?

– Je... comment dire ? J'ai été viré par la BBC. J'ai été assez nul sur un boulot. Et j'abusais un peu de l'alcool.

Un peu ? s'interroge-t-elle.

– Était-ce lors de ton reportage sur les Malouines ? Je l'ai vu. *Madre !* C'était grandiose !

Elle applaudit au souvenir de Tom exposant ses conceptions politiques jusqu'au moment où on lui avait arraché le micro des mains.

Il lui adresse un sourire en coin.

– J'avais oublié tes « *madre* ». Je suis ravi que tu n'en aies pas perdu l'habitude... Mais pour répondre à ta question, oui, c'était ça. J'ai reçu de nombreuses lettres de soutien après l'incident et, pendant quelque temps, je suis passé à la radio. Et puis, avec l'alcool et des histoires personnelles...

Il a un geste vague de la main qu'elle interprète comme désignant une histoire de femme.

– ... eh bien, ma carrière a plongé. Jusqu'au jour où un copain m'a demandé de lui tourner le scénario d'un documentaire. Et cela m'a plu. En fait, c'était même extraordinaire : j'avais la sensation d'avoir trouvé ma vocation. On a travaillé ensemble sur quelques projets et puis il a rencontré une Australienne et ils sont partis là-bas. J'ai donc commencé à travailler à mon compte. C'est tout simplement la chose la plus importante de ma vie. Les gens que je rencontre, les endroits où je vais, les expériences que ça m'apporte... J'ai rencontré des gens tellement courageux, une gentillesse incroyable là où je m'y attendais le moins, et cela à côté de la cruauté et de l'injustice ! Cela te fait à la fois aimer et détester les êtres humains. Tu vois des fragments de vie qui pourraient être insignifiants mais ne le sont pas parce que les individus concernés s'élèvent au-dessus de la masse.

Elle est frappée par sa ferveur. Mais il est vrai qu'il a toujours possédé cette passion, cette intensité qui pouvait tout aussi bien devenir obsessionnelle et destructrice. Il trouvait son égalité d'humeur insupportable. Une fois, il lui a déclaré : « J'aimerais t'entendre hurler, de temps en temps ! Tu es d'un ennui mortel, toujours la même. »

Pour lui, c'était le pire des péchés : être ennuyeux.

Il l'aimait – *l'aimait ?* –, il avait été fasciné la première fois qu'elle lui avait avoué avoir vécu en partie dans des familles d'accueil. Aux yeux de Tom, cela l'élevait au-dessus du lot commun. Mais parce que c'était encore trop proche pour elle, parce que la curiosité de Tom avait un aspect malsain, mais aussi parce que, la veille, il lui avait déclaré que seuls les bourgeois se préoccupaient de leur passé, elle avait refusé de s'étendre sur le sujet et l'intérêt de Tom s'était rapidement évanoui.

La thérapie a-t-elle atténué les côtés extrêmes de son caractère ? A-t-elle balayé sa face noire ?

– Isabella, je ne veux pas t'inquiéter, mais il y a une souris quelque peu obèse qui se prélasse sur l'étagère du bas de ta bibliothèque.

Elle regarde dans la direction qu'il indique. Une souris toute ronde est en train de lisser nonchalamment sa fourrure soyeuse.

– C'est une véritable invasion, dit-elle. Garibaldi a réglé le sort de la plupart d'entre elles. Il a dû croire qu'il était mort et arrivé au paradis. Je ne lui ai pas acheté une seule boîte de nourriture pour chats depuis que nous avons emménagé. Pauvres petites souris ! Il est si cruel avec elles ! Il les fait mourir à petit feu.

– En tout cas, il n'a pas vu celle-là.

Tom parle tout en caressant Garibaldi, qui vient de lui sauter sur les genoux.

– Je pourrais avoir un verre d'eau ? demande-t-il ensuite. J'y serais bien allé moi-même mais je ne peux pas bouger.

– J'y vais.

Le spectacle de Tom avec le chat la fait sourire. Garibaldi vient de se retourner, présentant son arrière-train à Tom, sa queue agitée de petites ondulations. Elle sent un vrai rire monter en elle. Tout cela est si bizarre, si bizarre, pense-t-elle encore. Elle a envie d'un verre de vin.

– Cela t'ennuie si je prends un verre de vin devant toi ? Je peux m'en passer si ça te pose un problème.

– Non, pas du tout. Ça ne me dérange pas. D'ailleurs, j'ai toujours de l'alcool chez moi pour les copains.

La façon dont il dit « chez moi » lui fait penser qu'il vit seul.

– Cela ne te tente jamais ?

– Jamais. Du moins, jusqu'à présent, mais on n'est jamais sûr. Quand on a été alcoolique, on reste un alcoolique.

Il dit cela sans la moindre trace de gêne. Il en a vu de toutes les couleurs au cours de ces dernières années, sans aucun doute. Pas de doute non plus : il s'agit d'un homme intelligent, créatif, fascinant, difficile et d'humeur instable, en un mot un homme attirant. D'ailleurs, il est difficile de ne pas résister à cette attirance. Du moins pour elle.

Elle se verse un verre de Rioja et le vide à longs traits.

– Que fais-tu ? l'entend-elle demander à Hannah.

– Ze fais un çat comme Grabla.

Elle remplit à nouveau son verre.

Un long silence, là-bas, dans le salon.

– Tu aimes les chats ? demande enfin Tom.

Elle pouffe de rire tout en buvant. C'est tellement peu naturel ! Il est évident que Tom n'a pas d'enfants. Cette fois, Hannah ne se donne même pas la peine de répondre. Elle est très sélective quant à ses interlocuteurs.

Tandis qu'elle finit son deuxième verre, les souvenirs lui reviennent en rafales : Tom qui lui lit de la poésie ; Tom qui lui brosse les cheveux – et pas seulement les cheveux... – Tom qui l'emmène dans une boîte chic ; elle et Tom en train de jouer au Scrabble. Et le jour où elle se plaignait d'avoir uniquement des voyelles, quand il lui avait suggéré de faire : ee-i-ee-i-o. Elle éclate de rire puis un brusque élan de nostalgie la saisit envers cette période de sa vie. L'université. Le groupe de rock. C'était la première fois qu'elle avait l'impression d'appartenir à quelque chose. Elle se souvient du plaisir qu'elle éprouvait à se sentir dans une foule.

– Qu'est-ce qui te faisait rire ? lui demande-t-il quand elle regagne le salon.

Elle lui tend son verre d'eau et pose son propre verre sur la table basse.

– Je repensais à cette partie de Scrabble...

– Que j'ai gagnée, bien sûr !

C'est vrai, il gagnait presque chaque fois et se montrait de très mauvaise humeur quand il perdait.

– Ce n'était pas pour ça.

Elle lui rappelle l'histoire des voyelles.

Cela le fait rire aussi. L'ambiance commence à se décontracter. Les liens de leur jeunesse, tout un chapitre de leur existence. Il vit à Ealing, explique-t-il, mais il a envie d'aller passer une année au Chili. Toujours aussi instable, le taquine-t-elle. Pas instable, la reprend-il, mais en quête. C'est plutôt une bonne chose, non ? Elle ne peut évidemment pas le contredire. Pendant un moment, les yeux de Tom se fixent sur ceux d'Isabella. On dirait qu'il l'évalue. Elle détourne le regard.

– Le destin ? l'entend-elle souffler à voix basse.

Elle se sent troublée, elle a l'impression que sa tête se vide. En fait, elle est un peu ivre.

Tom laisse traîner ses yeux sur elle encore un moment puis, avec un de ses brusques mouvements de furet, se tourne vers la guitare d'Isabella.

– Tu joues toujours ?
– Oui.
– Joue-moi quelque chose.
– Oh, non ! Pas maintenant, je ne suis pas d'humeur à ça.
Elle croise les bras sur les épaules.
– Ne sois pas si stupide ! Isabella ? S'il te plaît ? Bella ?
Il a dit le dernier mot en traînant sur les syllabes d'un air suppliant.
– Maman, tu joues 'itare.
Hannah saute sur place de plaisir anticipé.
– Tu vois, tu ne peux pas y échapper, dit-il. Deux contre toi !
– *Madre !*
Elle feint l'exaspération et pousse un grand soupir avant de lever les mains en signe de défaite. Elle prend sa guitare.
Très mal à l'aise, elle pince les cordes et resserre les chevilles. Elle vérifie de nouveau que l'instrument est bien accordé, monte un peu le sol. Elle a la gorge serrée. Quelques accords et elle commence à chanter.
« As-tu vu le vieil homme au marché qui tape du pied dans les papiers avec ses chaussures usées... ? »
C'est la première chanson qui lui soit venue à l'esprit. Elle se rappelle trop tard qu'elle avait l'habitude de la chanter quand ils sortaient ensemble. À moins qu'elle ne l'ait inconsciemment choisie ? Il s'est renversé sur le canapé, les yeux clos, la bouche entrouverte, balançant la tête en mesure. Garibaldi ronronne sur ses genoux, approuvant de temps en temps la musique d'une légère torsion des oreilles. Hannah chantonne, à plat ventre sur le tapis.
Et tandis que se déroule cette scène d'intimité, Aidan entre, apportant la dernière rose de son jardin et une courge encore incrustée de terre.
Isabella repose immédiatement sa guitare. Elle se sent rougir violemment et va vers lui, qui s'encadre dans

l'ouverture de la porte, l'air blessé, choqué. Elle se sent prise en flagrant délit, alors qu'elle n'a rien fait de mal. Elle essaye de dissimuler son embarras sous un flot de paroles.

– Tu as une demi-heure d'avance ! Voici Tom, nous nous sommes rencontrés quand j'étais étudiante, c'est lui qui fait le documentaire sur les pêcheurs. C'est étonnant, non ?

Elle ajoute à toute vitesse qu'ils ont beaucoup de points communs, beaucoup à se dire, lui et Tom. Elle sait pourtant qu'ils n'ont rien de commun et ressent de façon aiguë le silence, l'immobilité d'Aidan d'une part, d'autre part le regard de Tom qui fixe la courge avec un sourire incrédule. À ce moment précis, elle le déteste et se sent navrée pour Aidan. Elle aimerait être capable de l'embrasser, là, devant Tom, avec amour et fierté, mais elle ne peut pas. En réalité, elle se sent écartelée entre eux. Un peu fâchée aussi parce que Aidan est arrivé en avance et la met dans une situation gênante ; parce qu'il porte son affreux sweat-shirt violet, parce qu'il reste sur le seuil, immobile, comme un péquenot, muet de surprise, la rose dans une main et cette sacrée courge dans l'autre. Et pendant ce temps, Tom lance d'un ton railleur : « *Busk ye, busk ye, my bonny bonny bride, Busk ye my winsome marrow*[1]. »

– C'est de William Hamilton, explique-t-il dans le silence qui s'est installé. C'est extrait de *The Braes of Yarrow*.

1. Chante dans la rue, chante dans la rue, ma jolie, jolie fiancée, Chante dans la rue ma charmante petite courge... *(N.d.T.)*

11

Il ne reste pas dormir. Ils ne font pas l'amour. Ils ne s'embrassent pas, ne se touchent même pas. Après le départ de Tom, ils restent assis chacun de son côté dans un silence tendu. Quand ils essayent d'engager une conversation, c'est d'une façon guindée qui les épuise tous deux et laisse Isabella pleine de tristesse. Elle aurait voulu pouvoir lui parler comme à l'ami qu'elle pensait avoir trouvé en lui ; elle aurait aimé qu'il la prenne dans ses bras, tout contre lui, et lui dise : *Ne t'en fais pas, je suis là*. Elle aurait voulu être capable de lui dire : *Je ne sais plus où j'en suis*. Mais son expression – à la fois blessée et distante – l'en a découragée. Il s'est assis à la place que venait de quitter Tom, ne croisant le regard d'Isabella qu'une ou deux fois, comme par mégarde. Il a joué avec Hannah à emboîter des cubes pour construire une maison.

Moins d'une heure après, il s'est levé pour partir. Il avait le visage durci et décidé. Elle était très pâle. Elle s'est aussi levée, sans défense, paniquée à l'idée que ça y était, qu'elle ne le reverrait plus. Elle s'était mal conduite.

– Tu ne veux pas rester dîner avec nous ? J'ai pris des filets de saumon.

– Non, merci. Je crois que tu as besoin de mettre un peu d'ordre dans tes idées.

Cela dit avec tant de dignité, la mâchoire projetée vers l'avant dans une expression très volontaire. Isabella connaît cet air fier. Elle voudrait lui dire qu'elle l'aime mais ce n'est pas le genre de chose à dire à la légère avec quelqu'un comme lui. L'amour et la confiance étaient liés.

– Non, ce n'est pas nécessaire, je t'assure. Il fait partie de mon passé, c'est tout.

Elle sentait le désespoir monter en elle. Elle a tendu la main pour prendre la sienne mais c'était comme de tenir un poisson froid et elle l'a lâchée.

– C'est ton style, dit Aidan d'un ton neutre. Intelligent, plein de repartie, élégant. Je m'en rends compte. Cela fait des années que vous vous connaissez, et moi, je suis un type comme les autres, banal. Moi, je retape les voitures. Je ne fais pas de films. Ne te méprends pas sur mes paroles, je suis heureux d'être ce que je suis. Mais je ne veux pas vous gêner. J'ai ma fierté !

– Tu ne nous gênes pas !

– Peu importe.

Et il est parti. Il y a maintenant une semaine, jour pour jour, qu'elle ne l'a pas vu et ne lui a pas parlé. Elle devine pourtant que, pour mille raisons, ce serait une erreur de l'appeler. La réapparition de Tom a ajouté une complication supplémentaire à sa vie, une de trop. Son ex-mari lui fait une cour assidue, ne la laisse pas seule un instant. Il l'appelle de son portable entre deux prises de vues, l'emmène dîner à l'extérieur, débarque sans prévenir avec du champagne et des chocolats mais se contente de jus de fruits. Il la régale d'anecdotes sur le tournage du film et sur les événements du jour ; discute avec elle des sujets d'actualité, d'opéra, et en général de questions qui l'obligent à réfléchir rapidement. Elle reconnaît elle-même qu'elle est devenue un peu paresseuse d'esprit et que, c'est vrai, les conversations avec Tom sont stimulantes. Il l'a présentée à ses collègues comme « un oiseau avec qui j'ai fait quelques folies ». Est-ce ainsi qu'il considère la situation présente ? Une aventure de trois semaines ? Pourtant, il se conduit envers elle de façon plus sentimentale que quand ils étaient jeunes. Et elle n'a pas couché avec lui. Elle repense à sa relation avec Aidan de façon rationnelle et songe que, de toute façon, cela ne pouvait pas marcher. Cela s'est seulement terminé un peu plus tôt que prévu.

Un jour Tom l'appelle en criant pour couvrir les craquements de la ligne.

– Je te téléphone du bateau de Charlie, lui dit-il. Tu m'entends ? Je t'appelle juste pour te dire que je suis heureux.

Et il raccroche.

Fou ! Il ne s'intéresse qu'à lui et n'arrête pas de s'agiter mais il la fait rire.

Sophia, qui a mis une des robes données par Isabella pour venir garder Hannah, observe, après avoir vu Tom :

– Il ressemble à un acteur... je l'ai vu dans un vieux film... comment s'appelait-il ?

– Steve McQueen ?

– Oui, c'est ça ! Oh ! la la ! Ça doit être chouette de sortir avec quelqu'un qui fait des films ! Vraiment super.

Elle ne « sort » pas avec lui. À moins que... il a essayé de l'entraîner au lit mais n'a pas trop mal réagi quand elle a refusé. Ce n'est pas un homme qui embrasse pour rien. Chez lui, ce n'est qu'un préliminaire à la relation sexuelle. Si Isabella devait analyser ses sentiments pour lui, elle dirait qu'elle s'est réhabituée à lui, qu'ils sont plus comme frère et sœur qu'autre chose. De temps en temps, la vieille attirance physique se réveille, à moins que ce ne soit la nostalgie qui l'attendrisse. Mais sa méfiance lui permet de le voir avec lucidité. Elle est capable de se dire : oui, tu es un charmeur et un séducteur, mais je te connais et je me souviens de tout. Pour moi, tu n'es plus irrésistible.

Hannah ne l'aime pas. Elle le regarde toujours avec un air hostile. Tom lui retourne son regard, lui adresse des grimaces stupides, agite les doigts, imite un animal qui grogne, mais tous ses efforts pour lui arracher un sourire restent vains.

– Ta fille ne m'aime pas, lui dit-il un soir, d'un ton offensé.

– Elle est très sélective, répond Isabella.

– J'ai commis une erreur ?

– Tu en fais trop, surtout. Tu n'es pas naturel avec elle. Elle s'en rend bien compte.

Il se renverse sur le canapé en levant les yeux au ciel.

– Oh ! bon Dieu ! C'est trop compliqué. Heureusement que je n'ai jamais eu d'enfants.

Il ne lui a rien demandé de plus sur son « mariage » qu'au début et cela semble le laisser indifférent. De la même façon, elle ne lui a rien demandé. Il n'a pas mentionné Aidan une seule fois et, de toute évidence, il estime qu'elle ne doit plus le revoir puisque lui, Tom, lui rend visite tous les jours ou lui propose de le rejoindre au Ship Inn, où il loge. Elle a ajouté l'arrogance à la liste des défauts de Tom.

Elle se souvient de sa réponse, des années auparavant, quand elle avait osé mettre sa fidélité en doute :

– Je ne supporte pas la possessivité.

– La possessivité ou les responsabilités ? l'avait-elle contré.

Mais il lui a montré des extraits vidéo du tournage et elle a été impressionnée par la finesse de sa perception. Pour cela, elle ne peut pas ne pas l'admirer. Il a le chic pour tirer le meilleur des gens qu'il interroge, sans les violenter.

– Le spectateur a l'impression de partager leur vie, lui a-t-elle dit.

– C'est exactement ce que je recherche. Bien entendu, il y a tout un travail de montage, après. Tout l'art consiste à savoir ce que l'on garde et ce que l'on coupe. Le montage de chaque séquence me prend un temps fou.

Curieusement, il ne tire aucune vanité de son travail. Au contraire, il se montre très modeste, en quête d'appréciations, et prend à son métier un plaisir enfantin qu'elle trouve très sympathique.

Il a filmé Charlie apportant une tasse de thé à Joyce dans son lit à cinq heures du matin ; Charlie préparant ses corn-flakes dans la cuisine ; Charlie en train de se raser sans cesser de raconter des blagues ; Charlie, enfin, en train d'enfiler ses bottes dans l'entrée. Gros plan sur sa mauvaise jambe. Autre gros plan : Charlie embrasse Joyce à pleine bouche – leurs lèvres soudées, leur peau flétrie et ridée, leurs yeux fermés sur leur grand amour... La caméra le suit dans le chemin où il rejoint un autre pêcheur, Rickie, accompagné de son fils. À cette heure si matinale, la lumière est grise, et leurs visages gris tandis qu'ils préparent les bateaux encore à sec sur la cale. L'un d'eux appartient à quatre pêcheurs ; il possède un pont et deux couchettes pour pouvoir partir plus longtemps. Les autres sont plus petits et celui de Charlie a un moteur hors-bord.

– Nick est un cameraman génial, dit Tom.

La vidéo vient de montrer Charlie en train de guider le filin à la sortie de la poulie attachée au bossoir. Ensuite, la caméra passe sur les maquereaux qui se débattent au bout de la ligne tandis que Charlie les remonte à bord. Puis elle montre la façon dont Charlie met un terme rapide à leurs souffrances en les assommant. Après, on voit le phare et les vagues qui se brisent sur les rochers. La pluie commence à tomber et forme des rigoles dans les rides de Charlie, à la barre de son bateau...

– Là, on n'a pas pu continuer à filmer et on a tout remballé avant que le matériel ne soit mouillé, lui explique Tom.

Il lui fait encore visionner d'autres rushes : les hommes au pub, en train de décrire leur journée, de donner leur opinion, de raconter des histoires de leurs grands-pères ; Charlie et Joyce qui jouent aux boules au club de la Légion britannique de Zerion ; un des jeunes pêcheurs – le fils du cousin de Charlie – en train d'embrasser sa petite amie sous un réverbère ; le même jeune homme se plaignant des hivers, du manque d'argent, et clamant son envie de changement.

– Je pense que ça va disparaître, dit Tom. Les jeunes générations ne voudront plus vivre de cette façon. Je crains que ce garçon ne soit pas très représentatif de l'état d'esprit actuel.

– C'est triste. Tout un mode de vie... remarque-t-elle.

– Oui, c'est vraiment triste.

Il y a des moments où il est d'humeur plus profonde, sans éprouver le besoin de s'agiter, de se montrer amusant à tout prix ou de trouver la repartie qui fera mouche, des moments où elle se laisserait presque aller à ressentir pour lui un sentiment plus intense. Mais aussitôt il détruit l'instant par un geste, un mot ou une action déplaisante.

Elle espère toujours un appel d'Aidan. Mais s'il attend que ce soit elle qui téléphone ? Elle ne peut pas. Trop de choses à expliquer. Elle imagine ce qu'il peut éprouver en pensant à elle. De l'amertume, sans doute. Et cela lui fait de la peine.

Elle a gardé la courge, incapable de la manger. Le légume reste dans le bas du réfrigérateur, où il prend beaucoup de place et lui rappelle constamment ce qui est arrivé. La rose s'est fanée au bout de trois jours et Isabella a mis les pétales dans une enveloppe, elle qui était si peu sentimentale jusqu'alors. Aidan lui manque.

Mais ce soir, Tom est là.

– Un emmerdeur, dit-il. Un zéro dans un infini d'ennui. Mais il connaît son boulot. Il est capable de faire parler un assassin ou un violeur.

Elle a préparé des plateaux télé pour le dîner et ils regardent un documentaire réalisé par quelqu'un que connaît Tom.

– Des milliers d'enfants et d'adolescents disparaissent chaque année, expose l'« emmerdeur ». Que leur arrive-t-il ? Où vont-ils ? Comment peut-on ainsi s'évaporer dans l'air, en quelque sorte ?

– Redondance ! grogne Tom qui est en train de ronger une cuisse de poulet. Hé ! Bella, ne t'en va pas, je veux que tu voies ça.

– Il est tard et j'ai beaucoup de travail, tu sais.

Elle évite sa main tendue.

– Tu ne pourras pas travailler avec le bruit de la télé.

– Si. C'est juste une traduction toute simple et très barbante.

– Mais tu me tenais chaud ! Il fait foutrement froid, ici. Au moins, trouve-moi Garibaldi pour me servir de chaufferette.

Elle fait comme si elle n'avait rien entendu et s'installe devant son ordinateur. Elle ouvre *La France rurale à travers les âges* à la page quatre-vingt-treize et s'efforce de ne pas se laisser troubler par la voix d'une mère désespérée qui témoigne devant la caméra.

« Elle venait d'avoir trois ans. Un instant, elle était dans le parc avec les autres enfants, l'instant d'après elle avait disparu. On se dit que la police aurait dû trouver des trucs ! Quel cauchemar ! En plus, il y a des gens qui ont commencé à répandre des rumeurs disant que c'était nous. Qu'on l'avait tuée et qu'on avait fait disparaître le corps. Moi, faire du mal à mon *bébé* ! Mon Dieu, comment osent-ils ? Ça fait deux ans, deux ans d'enfer. Et maintenant la police ne veut plus en entendre parler, vous vous rendez compte ? Je veux dire : pour eux, mon bébé fait partie des statistiques, c'est tout. À quoi servent-ils, alors ? Mais moi, ce que je peux vous dire, c'est qu'il y a des gens vraiment ignobles dans le monde. On lit ça tous les jours dans les journaux. Ce qu'ils font aux enfants... »

Malgré elle, Isabella regarde cette femme tirer un mouchoir de la manche de son cardigan et se moucher. Elle sent les larmes lui monter aux yeux, à elle aussi. La caméra montre à présent un autre endroit, une pièce où sont rassemblés trois pédophiles qui ont été pris et condamnés, tous trois le visage caché.

« ... L'influence anglaise au quatorzième siècle est très visible dans les villes fortes d'Aquitaine, influence qui résulte de l'occupation du pays par Édouard, prince de Galles, également connu sous le nom du Prince Noir. » Le texte s'inscrit sur l'écran d'Isabella, qui s'évertue sur son clavier.

– Bella, appelle Tom, tu te souviens de ce *bed and breakfast* près d'ici ? On a fait l'amour comme des fous et tu hurlais tout ce que tu savais. Tu te souviens ? La propriétaire donnait un dîner juste en dessous de notre chambre et, d'un seul coup, on s'est rendu compte que plus personne ne parlait, en bas...

– Je croyais que tu voulais voir le documentaire ?

– Mais oui, je le regarde ! Cela ne m'empêche pas de penser.

Elle aurait du mal à oublier cette soirée-là. Le lendemain matin, elle n'avait pas osé regarder la propriétaire.

Mais elle ne veut pas parler de sexe avec Tom.

– Je n'ai pas envie de m'en souvenir.

– Oh ! la la ! L'adorable Isabella deviendrait-elle prude à l'automne de sa vie ? À moins que ce soit du style : elle se languit pendant de longues années et mourut mélancoliquement...

Isabella se lève et, d'un geste furieux, éteint la télévision et la débranche.

– Dehors, dit-elle en articulant d'un ton froid.

Il est stupéfait, puis feint de reculer avec terreur et lève les mains comme s'il se rendait. Comme cela ne la fait pas sourire, il essaye autre chose.

– Bon Dieu, Bella ! Ne prends donc pas tout au sérieux !

Et c'est bien le problème. À l'exception de son travail, Tom ne prend rien au sérieux.

Avec un soupir, elle claque de la langue avec exaspération et retourne à son ordinateur. Elle sent le regard de Tom sur elle mais refuse de tourner la tête. Une minute plus tard, il rallume la télévision. Un père est en train de se reprocher la disparition de son fils après une dispute familiale, dix ans auparavant.

Pendant la demi-heure qui suit, jusqu'à la fin de l'émission, aucun d'eux ne parle. Puis, par-dessus une publicité pour des céréales, Tom, toujours assis sur le canapé, l'interpelle.

– Contrairement à ce que tu pourrais croire, j'ai beaucoup réfléchi. Et je le reconnais, oui, je me suis mal conduit envers toi. Mais te revoir de cette façon... Zut ! reconnais que c'est extraordinaire ! Je ne sais pas quelle est ta situation maintenant, ni même ce que tu fais ici, mais tu sais que je ne suis pas du genre à sermonner les gens et...

Elle se lève, l'interrompant dans sa tirade, et va vers lui. Elle le serre rapidement dans ses bras en se penchant sur lui. Il se lève à son tour et, interprétant mal son geste, essaye de la prendre dans ses bras.

Elle résiste, ne se laisse pas faire.

– Il est temps de t'en aller, lui dit-elle à mi-voix.

– Je ne peux pas rester ?

– Non.

– Une autre fois ?

– Je ne sais pas.

– « Laissez-lui du temps », conseille le courrier du cœur ! plaisante-t-il.

Il l'embrasse sur les lèvres et met brièvement sa langue dans sa bouche. En fin de journée, sa peau est râpeuse. Pas de barbe douce... Isabella répond à son baiser, poussée par la curiosité. Elle se demande si c'est de cette façon qu'il l'embrassait, à l'époque. Cela ne lui fait rien. Lui, il sourit. Ses yeux bleus, au même niveau que les siens, sont comme ceux d'un gamin, avec une lueur de... de quoi, précisément ? De suffisance ? De victoire ? Il lui donne une petite tape du bout de l'index sur le menton et sur le nez, et il est parti. Elle regarde sa silhouette désinvolte disparaître dans l'allée derrière les buissons obscurs puis verrouille la porte.

Elle range le salon, éteint les lumières et commence à monter l'escalier, quand elle se fige. Il y a eu un bruit. On dirait le grincement du portillon du jardin. Elle finit de monter l'escalier en courant et, dans sa chambre, appuie le visage contre la fenêtre en essayant de voir, mais il fait trop sombre. L'obscurité est aggravée par le reflet de la lumière du palier, à l'extérieur de la chambre.

C'est Tom. Cela ne peut être que lui, qui tente sa chance une seconde fois. Son culot la fait sourire et elle ouvre la fenêtre pour l'appeler. Mais elle n'entend aucune réponse. Mal à l'aise, elle referme la fenêtre.

Elle est en train de se persuader qu'elle s'est trompée en croyant entendre le portillon quand un autre bruit surgit. Celui d'un écrasement mat, cette fois, la chute d'un de ses pots de fleurs. Le vent les renverse régulièrement. Le problème, c'est que, ce soir, il n'y a pas de vent. Donc, quelqu'un a dû se cogner dedans. La peur la saisit. Un autre bruit, encore, léger et métallique, qui vient d'en bas : la boîte aux lettres. Elle se sent pétrifiée, des frissons de peur lui montent le long des bras. Son cœur rate un battement. Elle débranche la lampe de chevet et, la brandissant comme une arme, redescend l'escalier à pas de loup. Elle entend de nouveau grincer le portillon, le loquet retombe. Puis, plus rien. Plusieurs minutes s'écoulent. Elle ose à peine respirer dans la pièce obscure, tenant toujours sa lampe brandie, prête à tout. Soudain, le silence est rompu par le moteur d'une voiture qui démarre et s'éloigne dans le chemin. Elle rallume et ses yeux tombent aussitôt sur l'enveloppe qui dépasse de l'ouverture de la boîte aux lettres.

C'est une banale enveloppe marron où l'on a écrit un seul mot, au feutre noir : SALOPE.

Horrifiée, elle ne peut en détacher le regard puis, soudain, se rend compte qu'il y a quelque chose dans l'enveloppe. Très lentement, craignant ce qu'elle va découvrir, elle l'ouvre et la lâche en s'étranglant. Un préservatif utilisé en est tombé, débordant de sperme. Elle presse la main contre sa bouche pour s'empêcher de crier mais, malgré la pression de ses doigts, ne peut retenir ses gémissements. Pendant quelques minutes, elle reste là, figée, nauséeuse, trop choquée pour réagir.

Ensuite, sa première idée est d'appeler police-secours et elle commence à composer le numéro avant de raccrocher. Malgré la brume qui paralyse son cerveau, elle songe que ce ne serait peut-être pas très malin. Les doigts tremblants, elle fait le numéro du portable de Tom. Viens vite, lui dira-t-elle. Oh ! le courrier du cœur est vraiment efficace, répondra-t-il.

Il est impossible de donner suite à votre appel, merci de le renouveler un peu plus tard... C'est la messagerie vocale, avec sa voix d'ordinateur.

Elle pourrait chercher le numéro du Ship Inn et l'appeler là-bas, mais sa première impulsion est passée. Cela se terminerait au lit alors qu'elle a seulement besoin que quelqu'un la serre très fort dans ses bras.

Aidan, Aidan. Elle reprend le combiné et hésite, le passe d'une main à l'autre. J'ai peur. J'ai besoin de toi. Je suis désolée. Et soudain, une pensée épouvantable surgit, qui lui fait raccrocher le téléphone. Et si c'était lui ? S'il y avait un côté de sa personnalité qui lui reste caché ? Si c'était sa façon de se venger ? Oh ! non, pas Aidan ! Oh ! *madre,* non... Elle examine de nouveau l'affreux mot. Les lettres sont très penchées vers la gauche alors que l'écriture d'Aidan est penchée vers la droite. Mais il aurait pu la déguiser, bien sûr.

Non, je le *connais*.

Elle laisse passer aussi ce moment-là. Elle se demande si elle ne va pas appeler Babs mais hésite à la mêler à ses histoires. Il est tard et elle ne pourrait rien faire, de toute façon. Isabella n'a pas l'habitude d'embêter les autres avec ses problèmes. Pourtant, en ce moment, elle se sent affreusement seule. Elle saisit l'enveloppe avec détermination et s'en sert pour ramasser le préservatif. Le visage crispé de dégoût, elle sort pour le jeter dans les toilettes et regrette qu'elles soient à l'extérieur. Même si elle est certaine que la voiture était celle de l'agresseur, elle frissonne. Le ciel est plein de nuages noirs et aucune lumière ne brille dans les autres maisons. En revanche, chez elle, les lampes se reflètent sur les buissons et sur le pot de fleurs cassé. Le portillon d'entrée est parfaitement éclairé. Le bruit régulier du ressac monte de la mer.

À l'intérieur, le téléphone se met à sonner. Elle entre en courant et s'arrête net devant l'appareil. Son cœur bat à nouveau la chamade. Son répondeur se met en route. Le signal sonore retentit. Il y a un silence de quelques secondes puis une voix murmure : « Salope. »

Et on raccroche.

Elle appelle aussitôt sa messagerie : « Vous avez reçu un appel aujourd'hui à 23 h 7. Nous n'avons pas le numéro de votre correspondant. » Elle raccroche violemment. Et décroche aussitôt. Elle laissera le téléphone décroché. Pendant un peu plus d'une minute, une voix enregistrée lui demande de remettre le combiné en place puis, après un long silence, un son aigu s'élève, qui dure quelques minutes. Quand il s'arrête, le salon paraît d'un calme sinistre, sans rien qui puisse la rassurer. La sensation de la menace lui assèche la bouche.

Dans sa petite chambre mansardée, Hannah dort, un bras par-dessus la couette, son lapin et son ours contre la joue. La veilleuse souligne le contour de son corps roulé en boule. Isabella effleure l'une de ses boucles (elle lui a de nouveau teint les cheveux) et pose sa joue contre celle de l'enfant.

Elle se sent envahie par une profonde détresse, liée à sa solitude et à un brusque sentiment d'insécurité.

Le lendemain matin, en revenant du jardin d'enfants où elle a conduit Hannah, elle ralentit en arrivant devant le garage d'Aidan. Par les portes ouvertes, on aperçoit le mécanicien dans l'ombre. Elle passe et, au bout de quelques mètres, change d'avis, fait marche arrière et se gare. Elle descend de voiture et se dirige vers l'atelier en se jurant de ne pas se laisser intimider.

Au bruit des pas, le mécanicien se retourne. Une brève expression de surprise traverse son regard. Dans l'une de ses mains noires de cambouis, il tient un morceau de papier de verre et, dans l'autre, un sandwich entamé. Son haleine sent la sardine. Son petit déjeuner ? Ses dents de lapin saillent sur sa lèvre inférieure. Elle le voit rejeter la tête vers l'arrière tandis que ses yeux se réduisent à une fente. Il lui jette un regard mauvais.

Elle l'aborde de front et s'adresse à lui avec un sang-froid qu'elle est loin d'éprouver.

– Je veux parler à Aidan, je vous prie.

Il semble réfléchir un instant pour savoir s'il va lui répondre puis se penche, lui tournant le dos, pour poncer le réservoir d'une Land Rover.

Son cœur bat très fort, jusque dans ses tempes. Elle ne se souvient pas avoir jamais été aussi intimidée par quelqu'un. La grossièreté, le mépris sont évidents. Elle essaie d'adopter un ton autoritaire.

– Je vous ai parlé !

– Il est pas là, laisse-t-il enfin tomber. Il est à Bristol.

Sa voix grinçante semble sortir des plis de chair de sa nuque. Il ne s'est même pas arrêté de passer le papier de verre. Son comportement exprime une perversité délibérée. Isabella remarque ses ongles rongés presque jusqu'à la cuticule et enfoncés dans ses phalanges spatulées.

– La suspension de ma voiture a besoin d'être refaite. Je veux un rendez-vous pour qu'on s'en occupe !

Elle se rappelle l'offre d'Aidan : une révision complète par lui-même. Elle ne peut plus y compter, sans doute.

Le mécanicien a peut-être réfléchi – il risque d'avoir des ennuis s'il refuse du travail – et se relève de mauvais gré. Il va chercher l'agenda dans le bureau.

– Cette semaine, jeudi.
– Alors, je la laisserai en tout début de matinée. C'est le jour où Sophia vient, elle pourra me ramener.
Il fronce les sourcils quand elle fait allusion à Sophia. Pourtant, il ne dit rien et retourne travailler sur la Land Rover.
– Je compte sur vous pour prévenir Aidan, n'est-ce pas ? insiste-t-elle.
Il répond par un grognement. Elle hésite, déchirée, ne sachant si elle veut laisser un mot pour Aidan. Le besoin de le voir est devenu irrésistible.
– Avez-vous une enveloppe ?
– Dans le bureau.
Elle entre. Sur le bureau, elle remarque une photographie encadrée des deux fils d'Aidan appuyés l'un contre l'autre, en train de rire. Les têtes aux cheveux coupés en brosse se touchent. Grâce au ciel, il n'y a pas un seul des habituels calendriers ou affiches de pin-up. Elle arrache une feuille à un bloc-notes et écrit : « Tu me manques ». Encore une hésitation et elle ajoute : « Je t'aime. » Elle regarde encore ce qu'elle vient d'écrire, trois petits mots brefs mais lourds de sens et de conséquences. Elle trouve une enveloppe dans le tiroir et y glisse la feuille. Elle écrit en gros le nom d'Aidan sur l'enveloppe et la pose à côté de la photo.
En rentrant chez elle, elle aperçoit Lizzie devant le pub, en train d'arroser ses jardinières. Elle s'arrête pour lui dire bonjour.
– Il paraît que c'est fini, vous et Aidan ? questionne Lizzie après quelques banalités.
– Quoi ?
Isabella est stupéfaite.
– J'ai entendu dire que vous sortez avec le beau producteur qui fait...
– C'est un vieil ami, Lizzie. C'est tout ! Rien de plus, vraiment. *Madre !* J'aimerais qu'on ne... oh ! laissez tomber ! Excusez-moi.

Elle remonte sa vitre et démarre, très énervée. Qu'a-t-il bien pu raconter ? Que disent les gens ? L'a-t-elle irrévocablement perdu ? Et voilà qu'elle a laissé cette lettre contre la photo de ses fils...

Sophia est arrivée. Elle est entrée avec sa clé. Isabella ne la prévient pas qu'elle a vu son mari.

– Bonjour ! Un café ? demande Sophia sans lever la tête.

– Oui, avec plaisir.

Tandis que Sophia va dans la cuisine, Isabella examine le tas de courrier posé sur la table du salon.

– Ils réexpédient même les publicités, crie-t-elle en direction de la cuisine. On pourrait espérer qu'ils font un minimum de tri ! Je suis en train de jeter l'équivalent de deux millions de livres, d'une voiture et de la villa en Espagne dont j'ai toujours rêvé ! Ah ! Tiens, voilà quelque chose d'intéressant ! J'ai été sélectionnée pour participer à un grand tirage et gagner un château de la Loire en multipropriété.

Enfin, elle reconnaît l'écriture de Sally sur l'une des lettres, qu'elle met de côté pour la lire en buvant son café.

Sophia revient avec les tasses et quelques biscuits sur une assiette. Elle semble curieusement calme. Depuis quelque temps, elle a perdu sa timidité et pris l'habitude de bavarder très librement avec Isabella. Celle-ci lui jette un regard curieux. Sophia a les yeux rouges et gonflés.

Isabella tapote la chaise à côté de la sienne.

– Sophia, venez vous asseoir ici.

Sophia lui obéit et s'assoit en se mordant la lèvre. Isabella passe le bras autour des maigres épaules. Sophia a la poitrine creuse, ce que souligne encore le pull chaussette beige qu'elle porte aujourd'hui.

– Eh bien ? Qu'est-ce qu'il y a ?

– Ne me demandez pas. Ou je vais me remettre à pleurer.

– Ce n'est pas grave, pleurez si ça vous fait du bien.

– Ce n'est rien.

– Bien sûr que non, ce n'est pas rien !

– Vous êtes si gentille avec moi ! explose Sophia. J'adore venir chez vous. Je ne sais pas ce que je ferais si je n'avais pas ce travail. Je vous aime bien, vraiment, et j'adore Hannah.

– Chut, chut, tout va bien. Vous n'essayez pas de me dire que vous voulez partir !

Sophia fait non avec la tête et renifle. Elle s'essuie les yeux et le nez sur la manche de son pull.

– En tout cas, moi, je n'ai pas l'intention de vous mettre à la porte. Vous êtes plutôt un cadeau du ciel, pour moi. Alors, où est le problème ? Vous voulez m'en parler ?

– Oh ! je ne sais pas... Écoutez, je ne devrais rien vous dire...

Elle soupire à plusieurs reprises, les poings contre le front.

– C'est Luke, dit-elle. Il est tellement bizarre, parfois ! C'est tout. Et quand Grace est morte...

– Votre bébé ?

– Oui. Quand elle est morte, après... enfin, vous savez, je... vous voyez ce que je veux dire... je n'avais pas envie... au lit... de faire ça.

– Bien sûr, c'est très compréhensible.

– C'est que je ne pouvais pas dire tout ce qui me tournait dans la tête. Et il est toujours en colère contre moi. Parfois, il sort la nuit et je ne sais pas où il est. Et si je lui parle de mon travail ou si je lui dis que je suis contente de venir chez vous, il change de couleur, il a le visage qui devient tout noir et ses yeux affreusement bizarres... Ce n'était pas aussi effrayant, avant. Ça ne fait que s'aggraver. De pire en pire... Parfois, je me dis qu'il est fou... Je ne sais pas... Et ma petite Grace me manque terriblement.

Son corps maigre est crispé par ses efforts pour ne pas pleurer. Isabella ne sait que lui murmurer des banalités.

Mais à présent elle connaît l'identité de son visiteur nocturne.

– Est-ce que Luke est sorti, hier soir ? demande-t-elle d'un ton indifférent quand Sophia s'est calmée.

– Oui, vers dix heures. D'un seul coup, il s'est levé et il est parti avec la voiture. J'ai couru après lui en criant. Mais le voisin m'a vue et je me suis sentie stupide... J'étais sens dessus-dessous. Je ne sais pas où il va.

Ici.

Isabella se demande s'il faut le lui dire. Quoi ? C'est votre mari qui me harcèle ? C'est donc *ça* qu'il fait ? Elle ne voit pas l'intérêt de chagriner encore plus Sophia. Elle s'étonne seulement de ne pas avoir deviné tout de suite. À présent, elle revoit l'expression surprise du mécanicien quand elle est entrée dans l'atelier. Tenait-il donc pour certain qu'elle comprendrait que c'était lui et n'oserait pas s'approcher de lui ? *Voulait*-il qu'elle comprenne ? Quels mécanismes psychologiques peuvent régir l'esprit tordu de cet homme ? Dire que jeudi elle le reverra quand elle amènera sa voiture...

– Peut-être qu'il va juste faire un tour, suggère-t-elle à Sophia. Pour se changer les idées, pour réfléchir.

– Peut-être, concède Sophia d'un ton qui manque de conviction.

– Vous vous entendiez bien, avant ?

Sophia esquisse une moue pensive.

– Assez bien. Je veux dire, même si on ne se parlait pas beaucoup. C'était poli, disons. J'aime ça. Et quand il sortait quelque chose de gentil, on se disait qu'il devait vraiment le penser, puisqu'il ne parlait presque pas. J'aimais aussi son habileté au travail. En plus, personne ne m'a jamais vraiment regardée avant Luke. Je croyais que je ne rencontrerais jamais personne. Alors... Et puis je suis tombée enceinte. Et on s'est mariés.

L'histoire de beaucoup de couples, songe Isabella.

– Vous n'êtes pas obligée de rester avec votre mari s'il vous rend malheureuse, Sophia.

Cette dernière paraît choquée.

– Oh ! mais je suis catholique ! déclare-t-elle d'un ton qui met fin à toute discussion.

Une fois seule, Isabella ouvre la lettre de Sally.

Isa chérie,

Je n'ai pas eu une minute pour te répondre depuis que j'ai reçu ta lettre. Tu parles d'une bombe ! On croit qu'on connaît les gens et, brusquement, ils font la dernière chose qu'on aurait imaginée ! Je veux te parler. Tu n'aurais pas pu me donner ton adresse ou ton numéro de téléphone ? Bon, je me suis dit que tu dois faire suivre ton courrier. Tu es incroyable ! C'est merveilleux, ce que tu as fait. Je ne comprends pas comment tu as pu rester aussi discrète à ce sujet. Je meurs d'impatience de te voir et de faire la connaissance d'Hannah. Je pourrais peut-être laisser tomber ma marmaille et te rejoindre. Mais je ne sais pas quand. Je dois te dire que ça va assez mal, ici. Geoff avait des migraines épouvantables et on a diagnostiqué une tumeur au cerveau. Il entre à l'hôpital demain pour se faire opérer et, en toute sincérité, je meurs de trouille. On se raccroche l'un à l'autre avec cette peur horrible qu'il ne nous reste presque plus de temps. Je n'arrive pas à y croire, et lui non plus. Cela nous apparaît complètement irréel. Si c'est une tumeur maligne, cela lui laisse peu de chances parce que c'est une tumeur assez importante et que le cancer pourrait se généraliser encore plus vite en réaction au choc opératoire. Le plus dur, c'est d'essayer d'avoir l'air normal devant les gosses et d'agir comme s'il ne se passait rien d'inhabituel, alors que tu as un chagrin abominable. C'est comme une autre tumeur. Tu sais que je viens juste de commencer une formation de psychothérapeute sur trois ans mais, maintenant, je ne suis pas certaine de pouvoir la suivre. Croisons les doigts.

Je t'en supplie, appelle-moi. Sincèrement, j'ai de la peine que tu ne l'aies pas fait mais tu as certainement de bonnes raisons pour ça et tu m'expliqueras tout. Je suis désolée de t'écrire une lettre aussi sinistre et aussi courte mais, comme tu t'en doutes, j'ai mille choses à organiser.

Je t'embrasse très fort, Isa, et aussi Hannah. Prie pour Geoff, même si tu ne crois à rien. Et croise les doigts pour nous.

Isabella repose la lettre. Elle se reproche son impardonnable égoïsme. Comment a-t-elle pu laisser Sally à l'écart ? Et cette lettre a été écrite quatre jours plus tôt... Geoff a dû être opéré, depuis.

Elle forme le numéro si familier avec appréhension. De façon assez puérile, elle a réellement croisé les doigts. Faites qu'il aille bien, faites qu'il aille bien ! Le téléphone sonne, sonne encore, et elle craint le pire.

Quand Sally décroche enfin, sa voix tremblante lui apprend immédiatement que les nouvelles sont mauvaises.

– *Cara*, c'est moi.

– Oh ! mon Dieu ! Isa !

Désolée, impuissante à la soulager, elle entend son amie sangloter au bout du fil. Elle se sent incapable de parler, attend seulement que les sanglots se calment un peu.

– Tu es toujours là ? questionne la voix navrée.

– Bien sûr, *cara*.

– Geoff est mort. Il a fait une hémorragie massive pendant qu'on l'opérait. Il était en maintien artificiel... On l'a... on l'a débranché hier. J'ai dû signer une autorisation. Je ne peux pas supporter ça ! Isa, je ne le supporte pas...

De nouveaux sanglots l'empêchent de continuer.

Les larmes coulent aussi sur les joues d'Isabella. Geoff ? Lui ? Ce n'est pas possible. Le gentil, l'adorable Geoff, avec ses rondeurs et son début de calvitie. Ils formaient un couple si attachant, lui et Sally, un couple plein d'humour... Ses meilleurs amis, les plus anciens aussi.

– *Cara*, je suis tellement, tellement triste...

Les mots ont du mal à passer, incapable comme elle l'est de cacher qu'elle pleure également.

– Je sais. Et les enfants sont dans un état épouvantable ! C'est un cauchemar, Isa, un cauchemar. Je n'arrête pas de l'entendre rire. Tu sais, ces terribles éclats de rire qu'il avait. Je veux pouvoir me serrer contre lui encore. Je ne peux pas croire qu'il ne me tiendra plus jamais dans ses bras. Oh...

Un long soupir désespéré, qui brise le cœur d'Isabella.

– Ta mère est là ?

– Oui. Elle est arrivée... Bon Dieu ! Je n'ai plus aucun sens du temps. On est quoi, aujourd'hui ?

– Lundi, on est lundi.

– Je crois qu'elle est arrivée vendredi. Deux jours avant qu'il... avant qu'on le débranche.

Elle donne l'impression de ne plus savoir ce qu'elle dit, que le chagrin lui a fait perdre la tête.

– Quand a lieu l'enterrement ?

– Je ne sais pas exactement. Sans doute vendredi. Mon Dieu, encore une chose à organiser. Je t'appellerai. Et zut, je n'ai même pas ton numéro. Et je ne t'ai pas parlé de toi. Je suis tellement...

– Ne t'en fais pas. Ne t'inquiète pas pour moi. Je vais bien.

Mais ce n'est pas vrai. Elle n'a qu'une envie, courir se réfugier dans sa chambre pour pleurer tout son saoul. Elle voudrait tant revoir Sally et Geoff ensemble, revivre tous les moments passés avec eux au fil des années...

Elle donne son numéro à Sally, le lui fait répéter, et lui dit au revoir.

Et elle s'effondre.

La grève de Tregurran est déserte. Elle ôte ses chaussures et les prend à la main. On est à marée basse et, sous ses pieds nus, le sable où le vent sculpte des ondulations est froid. Elle marche vers l'eau et doit cligner des yeux pour lutter contre les grains qui se glissent sous ses paupières. L'air salé lui pince les joues. Des flaques d'eau sont restées entre les rochers et, dans l'une d'elles, un goéland prend un bain – non, une mouette, corrige-t-elle en pensant à Aidan, ce qui lui fait affreusement mal. L'oiseau plonge la tête dans l'eau et la fait jaillir en battant des ailes avant de se secouer pour éliminer les gouttes accrochées dans ses plumes. Isabella le regarde avec un sourire triste. Comme elle s'approche, la mouette s'envole avec un cri perçant. La mer est mauvaise : des rouleaux écumants s'écrasent l'un après l'autre sur le rivage et se brisent sur les rochers. Isabella s'immobilise au bord de l'eau qui ruisselle entre ses pieds. Le sable se dérobe sous elle et ses talons s'enfoncent. L'eau et le sable lui massent les chevilles. La mer rugit avec un bruit énorme qui lui emplit la tête. Un crabe passe devant elle, agitant ses pattes aussi vite que possible, puis s'arrête, repart en arrière, et recommence. Elle se demande ce qui peut le pousser à se conduire ainsi. Poursuivant sa marche sans but, à un endroit où le sable est plus compact, elle trouve un bâton et s'en sert pour dessiner une silhouette de femme. Nulle. Elle est vraiment nulle en dessin. Un enfant ferait mieux. Cela lui remet en mémoire la conversation qu'elle a eue avec Aidan, la première fois qu'ils ont fait l'amour, quand il lui a montré ses dessins.

Le chagrin la submerge.

Elle s'assoit sur le sable, les genoux relevés sous le menton, les yeux fixés sur la mer, réfléchissant. Quelque chose lui chatouille le pied : une fourmi géante qu'elle balaye de la main. Différentes images se succèdent dans son champ visuel : des bois d'épave sculptés par la mer ; de petites touffes d'herbes là où le sable recule ; des tas d'algues sombres ; des traces de pattes d'oiseaux, mais aussi de pattes de chien ; des cailloux qui, quand elle les examine de plus près, sont comme du marbre, roses avec des veines blanches. Elle en ramasse un pour en sentir la texture. Le caillou est froid dans sa main, froid et amical. Elle ferme les yeux, essaye d'imaginer à quoi cela ressemble d'être aveugle, et se souvient d'un épisode avec Tom. Ils étaient mariés depuis peu et ils se trouvaient dans un restaurant où un vieil homme à la peau parcheminée jouait du violon. Des œuvres de Pablo Sarasate.

– Un jour, il a eu notre âge et il a voulu devenir un virtuose du violon, a dit Tom.

– On se demande ce qui a pu lui arriver, a-t-elle répondu, faisant du regard le tour de la salle Art déco et des dîneurs penchés sur leur assiette ou en train de parler sans écouter le musicien au cœur brisé.

– Sans doute la guerre...

Elle pourrait peut-être donner une chance à Tom. Peut-être ne sont-ils pas si mal accordés l'un à l'autre. Ce qui la gênait chez lui ne la dérange plus de la même façon. Elle accepterait qu'il aille et vienne à son gré. Et si elle lui disait la vérité sur Hannah, il l'approuverait très vraisemblablement d'avoir agi comme elle l'a fait.

Un autre souvenir. Elle s'était toujours identifiée à la couleur verte. Elle voulait s'entourer de vert, se fondre avec le vert, s'y noyer. Parfois, elle se voyait en arbre.

– Mais voyons, tu es rouge, ça crève les yeux ! lui avait-il dit au début de leur relation. Tu as des cheveux rouges, un sang rouge. Tu te trompes totalement dans ta façon de te percevoir. Tu te feras toujours remarquer, où que tu ailles.

– Mais c'est comme ça que je me sens, à l'intérieur, avait-elle rétorqué.

Il ne l'avait pas lâchée.

– Rouge sur vert... C'est intéressant, avait-il plaisanté. Deux couleurs opposées. Tu es deux femmes différentes.

Cette conversation lui revient, à présent. Il avait raison, à un point qu'il n'aurait pas envisagé.

Et lui, quelle serait sa couleur ? Argent. Le vif-argent. Et Aidan ? La Toscane, la couleur de la terre en Toscane.

En mer, deux bateaux de pêche apparaissent et disparaissent en suivant les mouvements de la houle. Aujourd'hui, Tom et son équipe devaient sortir avec un pilote pour tourner quelques plans éloignés de Charlie dans son bateau. Ce sont eux, elle en est certaine car, avec les jumelles, elle voit bien que l'un des bâtiments est plus grand que l'autre. De plus, on distingue bien la coque rouge de Charlie.

Les jumelles d'Aidan. Elle a gardé ses jumelles. Cela lui donnera une excuse pour le voir. Comment réagira-t-il à son message ?

Elle se laisse aller sur le dos, se protégeant avec son ciré. Tom, Aidan. Aidan, Tom. Hannah, Hannah. Elle s'endort à moitié. Les grains de lumière qui flottent devant ses yeux se déforment et donnent naissance à des images qui se mélangent : son père qui se frotte l'arête du nez en faisant les comptes du restaurant ; les sous-vêtements démodés de sa mère en train de sécher sur le radiateur de la cuisine ; l'accueillante poitrine de sa grand-mère sous le tablier fleuri ; le sourire taquin de Geoff quand il servait au ping-pong en essayant de la surprendre par de faux départs ; le professeur poignardé perdant son sang sur le carrelage du corridor et le caniche rasé en train de lécher le sang. Les yeux gris et calmes d'Aidan qui lui font perdre la tête. Elle sent encore ses mains dans son dos, qui la soutiennent... Le sable qui file entre ses doigts, la mer qui se brise, les goélands qui crient et le vent qui hurle, tout cela sombre à présent dans son esprit avec les images du passé et ses propres pensées.

Elle s'endort quand l'air retentit de ce qui semble être une explosion. Elle se redresse avec un sursaut. Scrutant la mer, elle ne voit qu'une sorte de spirale de fumée. À la jumelle, elle distingue nettement un épais panache qui monte vers les nuages. En dessous, des flammes environnent le plus petit des bateaux. Des silhouettes s'agitent sur l'autre embarcation.

Elle bondit sur ses pieds et court de toutes ses forces vers sa voiture où se trouve son portable. Elle n'a qu'une certitude : elle vient d'assister à une épouvantable catastrophe.

12

Lundi 14 octobre.

« Tout est une question de hasard, écrit Isabella dans son cahier qui devient de plus en plus un journal. Pour l'essentiel, nos vies dépendent d'événements sur lesquels nous n'avons aucun contrôle. Les psychiatres parlent toujours de la nécessité de gérer notre vie mais je commence à mesurer que presque tout est l'effet des circonstances ; nous sommes dans un enchaînement de causes à effets. Quel choix avait Hannah quand sa mère l'a abandonnée ou quand je l'ai emmenée ? Quel choix avais-je quand mon père est entré dans ma chambre cette nuit-là et nous a abandonnées le lendemain matin ? Et quand ma mère est morte ? Quand on m'a envoyée de famille d'accueil en famille d'accueil ? Mon mariage avec Tom a lui-même été une réaction aux événements précédents. Et que dire de notre inconscient ? Quand c'est lui qui est aux commandes, il est aussi imprévisible que n'importe quelle influence extérieure. Cela veut-il dire que nous ne sommes pas responsables de ce qui arrive ? Notre responsabilité ne se limite-t-elle pas au fait de se conduire honorablement les uns envers les autres ? Avons-nous le choix, en amour ? »

Un moment d'inattention a tué Charlie.

Tom est effondré.

– De là où nous étions, nous ne pouvions pas voir ce qui se passait, lui explique-t-il ce soir-là, assis dans son salon à boire café sur café, et fumer cigarette sur cigarette.

– La mer était mauvaise et le bateau très secoué, ajoute-t-il. Je me disais qu'on allait avoir des images formidables. Le bateau montait et plongeait avec les vagues et Charlie était très occupé à filer sa ligne... Nick faisait un gros plan au zoom et, d'un seul coup, il a dit : « Bon Dieu ! Le moteur de Charlie est en feu ! » Nous avons crié vers lui mais, avec le vent et la mer, il ne nous entendait pas. C'est Rickie qui pilotait notre bateau. Il a foncé vers Charlie, qui continuait sans se douter de quoi que ce soit. Et puis, on était encore loin, il y a eu une terrible explosion. Le réservoir.

Tom s'interrompt, le visage tendu par l'angoisse tandis qu'il revit l'accident.

« Il ne s'est rendu compte de rien. » Le vieux cliché surgit dans l'esprit d'Isabella. Mais qui peut l'affirmer ? Peut-être qu'au moment de la mort, une seconde devient une heure. Combien de temps faut-il pour que tous les organes s'arrêtent de fonctionner ? A-t-il eu la chance de perdre conscience immédiatement ?

– On ne pouvait pas s'approcher, reprend Tom. C'était terrible de se sentir aussi impuissants, en train de regarder les flammes engloutir Charlie et le bateau. Je te le dis, Bella, je te le dis...

Il laisse sa phrase en suspens. Sa bouche se tord, les muscles de ses joues se contractent. Elle pose sa tête contre la sienne et lui caresse les cheveux comme elle le fait avec Hannah.

– J'ai tout vu dans le monde. J'ai perdu le compte des gens que j'ai rencontrés et qui sont morts dans des zones de combat où j'étais en reportage. J'ai dormi chez des gens dont les villages ont été rasés. J'ai vu la souffrance et l'injustice humaine et tu n'es jamais blindé contre ça. Mais ce petit coin, ici, paraissait tellement protégé... une sorte de bénédiction. Cela me touche plus que tout ce que j'ai vu. J'aimais Charlie et j'avais du respect pour lui. Ces gens, ce mode de vie à l'ancienne, tout cela qui disparaît... Et maintenant, Charlie n'est plus là.

Elle continue à lui caresser les cheveux. Tout commentaire est inutile. Elle se sent elle-même bouleversée au-delà de toute expression.

– Joyce est extraordinaire. On dirait qu'elle s'y attendait. Apparemment, il gardait un vieux chiffon plein d'huile dans le bateau et elle pense que c'est la cause de l'incendie. Il avait l'habitude de le laisser près du moteur. Le chiffon a dû s'enflammer à la chaleur du moteur. Joyce dit qu'il devenait distrait, ces derniers temps... Elle l'a pris avec un calme terrible, quand on le lui a annoncé, mais on voyait bien ce qu'elle ressentait.

– Elle a déjà vécu ça.

– Tu crois que ça aide ? interroge-t-il d'un ton sarcastique en s'écartant d'elle.

– Je n'ai pas dit ça ! Je suppose simplement que cela te fait rester sur tes gardes en permanence. Tu as compris que personne n'est à l'abri.

– Je ne crois pas à ce genre d'analyse clinique.

Il se lève et fait les cent pas.

– Je ne pense pas qu'on puisse rendre les émotions plus rationnelles. Mais c'est ton genre de rationaliser, non ?

– Écoute, je n'essaye pas de dénigrer...

– Tu m'épates, vraiment, tu m'épates. Parfois, je me demande si tu es capable d'éprouver des sentiments. Rien ne t'atteint, n'est-ce pas ?

Qu'en sait-il ?

Un déclic se produit en elle. Il lui tourne le dos à ce moment-là. Elle se lève et l'attrape par la manche, l'obligeant à se retourner sous l'effet de la surprise. Elle est livide.

– Quand t'es-tu soucié de savoir ce qu'étaient mes sentiments ? Tu es d'un égoïsme total !

Elle crie et lui secoue le bras avec rage.

– Tu ne sais rien de moi. Tout ce qui t'intéresse, ce

sont les drames à grande échelle, les drames des étrangers, mais tu ne te soucies pas un seul instant des gens que tu connais. Tu joues avec eux, c'est tout, comme un gosse qui prend un jouet avant de le rejeter. Eh bien, moi, j'en ai marre de toi. Tu reviens après ton travail de sape et tu crois que tu peux reprendre les choses où tu les as laissées, persuadé d'être un homme extraordinaire, transformé, irrésistible, qui pense plus profondément que n'importe qui... J'ai envie, j'ai envie...

Des cris perçants s'échappent de la chambre d'Hannah. Isabella s'interrompt net, lâche le bras de Tom, qui est bouche bée, et fonce à l'étage. Hannah saute dans son lit, se tire les cheveux, la bouche ouverte en un énorme « O » qui laisse passer ses hurlements. Isabella est épouvantée de l'entendre crier et de la voir dans cet état. Quelles expériences à moitié enfouies dans sa mémoire viennent d'être réveillées ? *Madre !* comme cela la renvoie à sa propre enfance...

– Oh ! *carina*, je suis désolée. *Cara*, ma chérie, Hannah... chut, tout va bien.

Elle prend l'enfant dans ses bras et la serre contre elle, murmurant des mots d'apaisement. Elle lui caresse le front jusqu'à ce qu'elle se calme et se sent morte de honte.

– Maman, elle crie, sanglote Hannah, qui noue ses jambes autour de la taille d'Isabella.

Tout son corps tremble, agité de crispations nerveuses.

– Oui, je criais, mais pas contre toi, *carina*. Je ne suis pas fâchée contre Hannah. Ça va mieux, maintenant. Je te promets de ne plus jamais me fâcher. Je te le promets.

Elle la recouche, lui lit une histoire, lui chante une chanson. Hannah s'apaise, son visage se détend. Les taches rouges qui lui marbraient la peau disparaissent. Enfin, elle s'endort, pelotonnée sous sa couette à décor de dalmatiens. Isabella redescend. Elle évite de regarder Tom et va dans la cuisine.

Que sait-il de ses sentiments ? Que sait-il ?

L'injustice la rend amère.

Elle se sert un verre de vin qu'elle avale d'un seul trait et en boit deux autres. La chaleur du vin se mêle au chagrin qui lui serre la gorge. Il y a eu trop de choses. Tout semble s'écrouler.

– Tu crois que ça va t'aider ?

C'est Tom qui la regarde boire depuis l'entrée de la cuisine.

– Laisse-moi tranquille. Mais cela ne t'empêche pas de parler.

– Tu sais, ça m'a servi de leçon.

– Fais-moi plaisir, pour une fois !

Elle avale son verre. La bouteille est aux trois quarts vide.

– Tu te punis toi-même. Personne d'autre. Pas même moi.

– *Madre !* Tu es puant ! C'est aux Alcooliques anonymes qu'on t'a appris tout ça, hein ? Je *veux* me saouler, Tom, je *veux* tout oublier !

– Très bien. Mais l'ennui, c'est que tu oublieras seulement pour une période limitée. Demain matin, tu retrouveras tout. Et, en plus, tu te sentiras affreusement mal.

Il s'avance et essaye de lui enlever la bouteille des mains. Elle résiste et la bouteille tombe par terre, où elle éclate en mille morceaux. Le reste du vin se répand en serpents vermillon.

Ils contemplent, sidérés, le résultat. D'un seul coup, la rage d'Isabella retombe. Par respect envers Charlie, par respect envers Geoff, par respect envers une enfant qui a subi des traumatismes, elle aussi, ils ne doivent pas se disputer. Sa colère laisse la place à un profond épuisement mental.

Cette fois, quand Tom demande à rester pour la nuit avec un simple : « J'ai besoin de toi, Bella », elle ne le repousse pas. Pour quoi faire ? Elle est un peu ivre mais pas assez pour ne pas savoir ce qu'elle fait.

Elle suit sa routine de tous les soirs. Elle va aux toilettes, dehors, se lave et se brosse les dents. Puis elle éteint, verrouille la porte, vérifie que tout va bien du côté d'Hannah. Enfin, elle gagne sa chambre. Tom a commencé à se déshabiller. Il a au moins sept ans de plus qu'elle mais il a gardé un physique acceptable pour un homme de son âge, en dépit du fait qu'elle aime les hommes qui ont du poil sur la poitrine et que Tom est plutôt dépourvu sur ce plan. De plus, il appartient plutôt à la catégorie des maigres.

Elle s'est habituée au corps d'Aidan.

– Laisse les rideaux ouverts, lui dit-il alors qu'elle s'apprête à les tirer. J'aime faire ça à la lumière de la lune. Un vieux fond de paganisme, sans doute !

Il a gardé son slip, un étroit modèle bleu marine. Aidan porte des caleçons. Elle se déshabille à son tour. Il ne fait pas le moindre geste pour l'aider et elle se sent, comme déjà au temps de leur mariage, mal à l'aise. Puis elle éprouve une curieuse sensation de détachement, si bien que, même quand elle se tient nue devant lui, même quand il se penche pour lui caresser les seins en murmurant : « Comment ai-je pu les oublier, ceux-là ? » et qu'il les embrasse, même quand elle baisse les yeux sur sa tête inclinée et que ses mamelons se durcissent dans une réaction mécanique, malgré son manque d'excitation, c'est comme si cela arrivait à quelqu'un d'autre. Le désir de Tom, en revanche, est évident. Mais elle, tout ce qu'elle veut, c'est se débarrasser de la corvée de cul. C'est le mot qu'elle emploie en elle-même. Tout ce qu'elle veut, c'est se débarrasser de ces sentiments refoulés qui crispent son corps. Et après, dormir. C'est tout.

Elle s'écarte de Tom, se couche et tire la couette sur elle. Tom s'empresse de la soulever.

– Eh bien, qu'est-ce que ça veut dire ? Je n'ai pas le droit de te regarder ?

Elle se laisse faire, docile, mais rien de plus. Ne se rend-il donc pas compte de sa passivité ? Peut-être cela excite-t-il ses instincts de « chasseur mâle » ? Quand ses caresses se font plus intimes, cela lui paraît presque incestueux. Elle a beaucoup de mal à lui rendre la pareille mais s'y sent obligée. Pourtant, cela lui donne l'impression de se conduire en prostituée.

Quand il reprend l'initiative, c'est pour la pénétrer sans attendre, aussi silencieux qu'elle l'a toujours connu. Aussi concentré sur la prouesse technique. Mais aujourd'hui, elle lui est reconnaissante de se taire et son plaisir survient rapidement, comme une détente totale. Elle a été aussi silencieuse que lui.

La pluie tambourine sur les fenêtres de Timothy Abell. Autrefois, il dormait ici, dans son lit monacal, exactement au même endroit. Quelle activité, dans cette chambre, depuis un mois !

– C'est mieux qu'il y a vingt ans, tu ne trouves pas ? dit Tom.

Il est allongé sur le dos, le bras passé nonchalamment autour du cou d'Isabella. Autrement dit, cela lui a plu. Et il lui demande si c'était bon pour elle, aussi. Elle réprime un début de rire nerveux. Six minutes. Pas une de plus ! Avec Aidan, cela durait au moins une heure, avec des caresses, des baisers... Elle s'endormait avec la douceur de ses mains, de ses lèvres et de sa barbe contre son dos.

– Je ne me souviens pas, répond-elle.

Elle se demande quand elle pourra décemment se lever.

– Tu étais plus bruyante, à l'époque.

– Je n'avais pas un enfant que je craignais de réveiller.

– C'est vrai. À ce propos – puisque tu m'as accusé de ne pas m'intéresser aux autres – qu'est-ce qui est arrivé à cet homme, alors ?

Pendant un instant, elle croit qu'il fait allusion à Aidan puis comprend qu'il parle du père d'Hannah.

– Je ne sais pas.
– Cela me paraît un peu désinvolte, non ?
Dans l'obscurité, elle sourit.
– Bon, eh bien, au moins j'aurai demandé, conclut-il.
Le silence s'installe entre eux, troublé par le seul bruit de la pluie. Sur les murs, la lune fait jouer une alternance d'ombres et de clartés. Tom en profite pour faire des ombres chinoises, des têtes de lapin et des chiens qui les poursuivent.
– Tu te souviens de mon amie Sally ?
Isabella lui parle de Geoff.
– C'est affreux. Pourquoi ne me l'as-tu pas dit plus tôt ?
– Je ne l'ai appris que ce matin et l'accident de Charlie a quelque peu éclipsé le reste.
La journée lui semble avoir été interminable.
– Charlie, reprend Tom d'un ton sourd. Je dois dire que je me sens devant un dilemme. Je sais que je ne devrais pas m'en soucier en ce moment, ça paraît cynique, mais je ne sais pas quoi décider pour le tournage. Je dois prendre une décision très vite. Le pire, c'est que ça confère au film une dimension tout à fait différente. Quelque chose de très fort, de vraiment poignant. Mais ça me donnerait l'air d'exploiter la mort de Charlie alors que c'est la dernière chose que je souhaite. Je devrais peut-être tout arrêter.
– Demande à Joyce.
– Tu as raison. C'est la meilleure solution. Je le lui demanderai demain matin.
Sa voix est ensommeillée. Isabella se glisse hors du lit, met sa robe de chambre et descend pour avancer un peu son travail. Elle se sent à présent tout à fait réveillée, l'esprit très clair, alors que peu de temps avant elle ne désirait que dormir et oublier cette horrible journée. Mais d'abord, elle a besoin d'aller aux toilettes. Tout ce vin qu'elle a bu...
Elle déverrouille la porte et sort. Elle reçoit en plein

visage le rayon d'une lampe torche qui l'éblouit. L'instant d'après, on dirige le jet de lumière vers le sol et un bruit de fuite retentit derrière les buissons. On court dans l'allée, vers le chemin.

Il est revenu l'épier.

Curieusement, maintenant qu'elle connaît l'identité du rôdeur, elle a moins peur. Jeudi, quand elle amènera sa voiture, elle l'affrontera. Je ne sais pas de quoi vous parlez, lui répondra-t-il.

Le lendemain matin, Tom se rase dans la salle de bains, une serviette trop petite nouée autour des reins. Le ronflement de son rasoir électrique ressemble à celui d'un bourdon emprisonné sous un verre renversé.

Aidan, lui, utilise un rasoir à main et se rase avec des gestes d'une rare précision en suivant le dessin très net de sa barbe.

Hannah contemple Tom, hypnotisée.

– Bouh ! lui dit-il en se retournant d'un seul coup.

Elle ne réagit pas.

– Elle me regarde d'une façon très dédaigneuse, tu sais, dit-il à Isabella dix minutes plus tard, devant une tasse de café et un cendrier.

– Elle n'aime pas l'odeur des cigarettes.

– Oh ! la la !

Il remarque l'expression menaçante d'Isabella.

– De toute façon, je m'en vais, l'atmosphère devient dangereuse, ajoute-t-il à toute vitesse.

Il se lève comme un diable sortant de sa boîte, fait une grimace d'ogre en agitant les doigts à l'intention d'Hannah, attrape sa veste de cuir sur le dos d'une chaise et sort d'un pas nonchalant en direction de la maison voisine, celle de Joyce.

Isabella est heureuse de le voir partir. Il l'épuise. C'était sans doute une erreur d'aller au lit avec lui, même si cela n'a pas changé grand-chose. Il ne se serait rien passé, ce serait pareil. Un accouplement bref et sans émotion. Elle ne se sent pas plus proche de lui, ni plus éloignée. C'est comme avant. Une sorte d'exaspération amicale.

Elle monte habiller Hannah. À genoux devant elle, elle remonte la fermeture Éclair de son jean et ferme la ceinture sur le petit ventre pâle au nombril en saillie. Hannah trace du bout du doigt une ligne autour de la bouche d'Isabella.

– Fais un sourire, maman, dit-elle.

Isabella la serre étroitement contre elle.

– Oh, *madre* ! Tu es vraiment extraordinaire, toi. Est-ce que je t'ai déjà dit que tu es la petite fille la plus extraordinaire du monde ?

Elle s'écarte légèrement d'elle.

– Tu veux me faire sourire, c'est ça ?

Hannah hoche la tête solennellement, ses yeux de malachite plantés dans ceux d'Isabella.

– Bon, alors je vais faire un sourire et tu vas m'aider.

Elle prend les mains d'Hannah dans les siennes et lui place les doigts aux deux coins de sa bouche qu'elle remonte dans un grand sourire.

Hannah glousse et chante.

– Un sourire ! Un sourire !

Mais il n'y pas de quoi se réjouir. Tout le village est en deuil. Quand Isabella va voir Joyce, elle la trouve habillée en marron de la tête aux pieds.

– Je n'ai rien de noir, explique-t-elle. C'est ce que j'avais déjà pour l'enterrement de Phil. Je crois que Charlie n'y aurait pas fait attention.

Elle a un semblant de rire qui se termine en un long soupir.

– J'ai dit à Tom qu'il devrait terminer le film. « Faites-le », lui ai-je dit quand il est venu me voir, ce matin. Charlie était si fier d'y être ! D'une certaine façon, ce sera un hommage qu'on lui rendra, vous ne croyez pas ?

Elle est stoïque pour ce second veuvage. Mais son regard reste incrédule et ses épaules se sont affaissées. Elle était petite, elle paraît à présent minuscule.

– Je croyais qu'on aurait quand même plus de trois ans ensemble, dit-elle. C'était un personnage, n'est-ce pas ? Mais, bien sûr, vous ne l'avez pas connu longtemps.

Elle lui confie ensuite qu'elle avait toujours été amoureuse de lui en secret et que son frère, son premier mari, était un ivrogne, une tête brûlée. Ils étaient jumeaux mais ne se ressemblaient pas beaucoup, ajoute-t-elle.

– Charlie pouvait être assez prolixe, le pauvre chéri. Il lui fallait des heures pour arriver à ce qu'il voulait dire...

Elle a un sourire amusé au souvenir de ce passé si récent.

– ... mais c'était toujours intéressant. Ça valait toujours la peine qu'on l'écoute. Il avait des opinions très arrêtées, comme vous le savez, mais c'était un vrai gentilhomme. Et un homme gentil, surtout. Ma fille arrive demain. Mais elle ne m'a jamais approuvée et elle continue de me reprocher de l'avoir épousé. C'est vrai que l'Église a été contre pendant longtemps. Et elle, elle est dans la religion jusqu'au cou. Je suis sûre qu'elle va me dire que c'est le châtiment de Dieu. Et je vais devoir écouter tout ça... On était peut-être vieux, lui et moi, mais quand il est question d'amour, l'âge ne compte pas. Il va me manquer. Dites à votre ami Tom de faire de ce film le meilleur film de sa vie.

Quand Tom l'appelle, elle lui transmet le message de Joyce.

– Je veux être seule, ce soir, ajoute-t-elle.

– Ça tombe bien, moi aussi, réplique-t-il avec brusquerie.

Elle se souvient de la puérilité dont il est capable quand il est vexé. Les choses doivent se passer comme il en a envie, et pas autrement. Un jour où elle le critiquait, il lui a reproché de se conduire en maîtresse d'école. Un adepte du tout ou rien, dépendant de son humeur du moment ou de son intérêt. Pour l'instant, il est de nouveau épris d'Isabella mais elle sait que ses emballements sont liés au lieu où il se trouve et changent quand il part.

Aidan lui manque. C'est comme un ulcère qui n'arrête pas de lui faire mal.

Il se produit un incident curieux dans l'après-midi. Comme il fait froid dans la maison, elle allume un feu dans la cheminée. Peu après, elle se rappelle qu'elle doit aller chez Babs pour acheter deux ou trois choses dont elle a besoin. Elle laisse donc le feu s'éteindre et pose le pare-feu sur le devant. Du moins, elle est presque certaine de l'y avoir installé. Elle descend au village avec Hannah, fait ses courses et bavarde avec Babs pendant une dizaine de minutes. À son retour, elle trouve le pare-feu poussé sur le côté de la cheminée. Elle se sent perplexe. Sa première idée, c'est que quelqu'un est entré, mais elle avait fermé à clé. Les fenêtres aussi étaient fermées et il n'y a aucune trace d'effraction. Elle se dit, ensuite, que c'est Garibaldi qui s'est cogné dedans mais ce n'est pas possible : le pare-feu serait tombé. Elle conclut que, dans son état d'esprit actuel, il est probable qu'elle ne l'ait pas mis en place avant de partir.

Jeudi matin. À sa grande surprise, Aidan est au garage. Seul. En le voyant, elle se sent au bord de l'évanouissement, les larmes lui montent aux yeux et sa gorge se met à brûler. Ils se disent bonjour avec gêne. Il lui demande poliment comment elle va. Face à son attitude distante, inaccessible et hautaine, dans son bleu de travail taché de cambouis, elle préfère mentir et affirmer que tout va bien.

– J'ai vu que tu as pris rendez-vous pour ta voiture. Je t'avais dit que je le ferais moi-même.

– Tu n'es pas obligé. Je ne t'en voudrai pas. Je ne peux pas m'attendre...

– Je tiens parole.

Ce qui implique... ? Elle a l'impression de s'étrangler, suffoquée par la violence de toutes les émotions qui l'envahissent. Je suis affreusement triste, voudrait-elle lui dire. Sa sécheresse de ton, si différente de sa tendresse habituelle, la pétrifie.

– Je pourrais l'avoir dès ce soir ? Je dois partir très tôt pour le Gloucestershire.

Il lève légèrement les sourcils et elle se lance, dans un besoin désespéré d'éveiller sa sympathie :

– Ma meilleure amie... celle avec qui j'avais créé mon groupe de rock... son mari vient de mourir. On l'enterre demain après-midi.

– Je suis désolé.

Une note un peu plus gentille est apparue dans sa voix.

– C'est terrible.

Elle est au bord des larmes.

Il la regarde enfin et toute une gamme d'expressions passe sur son visage tandis qu'il se débat visiblement avec ses propres sentiments.

– J'ai du café dans le bureau, dit-il après réflexion. En veux-tu une tasse ?

– Si tu as le temps, dit-elle avant d'ajouter : Oh ! mais Sophia vient me chercher dans un instant, de toute façon.

Elle s'assoit sur une des chaises en Skaï et le regarde mettre une cuillerée de café instantané dans des chopes colorées puis verser l'eau chaude. Il ajoute du lait en poudre et un sucre dans sa propre chope et lui tend son café noir. Un bref sourire triste, comme s'il lui disait : tu vois, je n'ai pas oublié.

Oui.

– Et après, il y a l'enterrement de Charlie, la semaine prochaine. Lundi, je crois.

– Oui. C'est vraiment affreux.

Elle lui raconte qu'elle a vu et entendu l'explosion depuis la grève.

– J'ai compris qui c'était. Ils étaient en train de filmer.

Elle regrette d'avoir abordé ce sujet précis. L'atmosphère est lourde de sens. Aidan frotte une tache de graisse sur sa montre tandis que, du regard, elle fait le tour de la pièce. En voyant la photo sur le bureau, elle se souvient soudain : il n'a pas parlé du mot qu'elle lui a laissé.

Au risque de subir une humiliation, elle lui demande s'il a trouvé son message.

– Quel message ?

– Je t'ai laissé un mot lundi matin, quand je suis venue prendre rendez-vous. À côté de la photo de tes fils.

Il fronce les sourcils.

– J'ignorais que tu étais venue. Je croyais que tu avais téléphoné. Je n'ai pas trouvé de message.

Conclusion, Luke l'a pris. L'a-t-il lu ? Doit-elle en parler à Aidan ?

Demande-moi, pense-t-elle, demande-moi ce que je t'écrivais...

Il est occupé à chercher la lettre d'Isabella, d'abord derrière la photo, ensuite sous le bureau.

– Je ne sais pas ce qui a pu arriver.

Qu'il se soucie tant de retrouver cette enveloppe l'incite à lui pardonner son absence de curiosité quant au contenu du message.

Mais elle est incapable de boire son café. Cela ne passe pas, elle ne peut pas avaler. Son indifférence la tue.

– Aidan, je suis vraiment navrée de ce qui est arrivé.

Sa main est toute proche de la sienne, posée sur le bureau. Ce ne serait qu'une question de centimètres...

– Pas de problème. Tu ne m'as jamais rien promis.

Il ôte sa main.

– Tu as été honnête envers moi. C'est moi qui me suis attaché.

– Mais non ! J'éprouvais la même chose.

Il lui jette un regard perçant mais la voix de Sophia retentit.

– Il y a quelqu'un ?

Et le visage d'Aidan se referme.
– Je te ramènerai ta voiture en fin de journée. Luke me suivra et me raccompagnera.
Un brusque élan de volonté la saisit.
– Non ! Je ne veux pas que ça se termine comme ça !
Elle se lève d'un jet, prend le visage d'Aidan entre ses mains et l'embrasse très tendrement. Elle s'écarte au moment où il commence à lui répondre.
– Je pensais ce que j'ai dit et je le pense toujours. Si tu avais lu ma lettre, tu t'en serais rendu compte. Mais tu es fichtrement trop orgueilleux, c'est le problème.
Ce qui, à la grande satisfaction d'Isabella, le laisse bouche bée.
Elle sort et n'a pas besoin de se retourner pour savoir qu'il est là, debout, les épaules projetées vers l'avant, désarçonné, en train de tirer sur sa barbe. Et elle a toujours ses jumelles.

Elle arrive parmi les premiers à l'église des Cotswolds et attend à l'extérieur. Quand elle l'aperçoit, Sally s'effondre et, entre les sanglots, balbutie des mots incohérents :
– Il y avait tellement de choses à faire ! Je n'arrête pas de chercher Geoff pour qu'il m'aide, comme s'il était toujours là.
– Il doit rire, là-haut, en t'entendant parler comme ça, lui répond Isabella en lui pressant la main.
– Tu dis des bêtises ! Tu ne crois pas qu'il y a un « là-haut » !
Sally lui adresse un sourire tremblant à travers ses larmes.
– Pour Geoff, si, je le crois.
– Oh ! oui, il était tellement bon ! Il *était*, oh ! mon Dieu, il *était* si bon. Isa, tu ne peux pas savoir ce que j'ai mal.
Ses larmes ruissellent.

Les gens arrivent, se regroupant à l'extérieur sous le crachin. Retenus. C'est l'étiquette funèbre. Des visages qu'elle n'a pas vus depuis des années, et d'autres rencontrés plus récemment. Une ou deux personnes viennent la saluer et parlent de l'orpheline de Bosnie qu'elle a adoptée, d'après ce qu'on leur a dit. Elle repère alors un homme qu'elle reconnaît vaguement sans pouvoir lui donner un nom. Il vient vers elle.

– Bonjour. Je ne savais pas que vous connaissiez Geoff.

Le teint rose et frais, de grandes oreilles, des yeux aimables et tombants... Où ?

– Vous ne vous souvenez pas de moi, n'est-ce pas ? Dans le parc. Nous nous sommes rencontrés en faisant de l'équitation dans le parc. Je vous ai appelée.

– *Madre !* Bien sûr, excusez-moi.

Le banquier. Non, juriste. Neil quelque chose.

– Je vous ai appelée deux ou trois fois mais je suis tombé sur votre répondeur et je ne vous ai pas laissé de message.

– Je reste encore en Cornouaille pour un certain temps.

En fait, elle est contente de le voir. Elle se souvient de son sens de l'humour. Pas du tout le genre pompeux.

– Londres a beaucoup perdu ! dit-il.

Le prévisible échange s'ensuit. Comment connaissez-vous... connaissiez-vous Geoff ? C'était un de ses clients mais ils étaient devenus amis, explique-t-il. En disant cela, il a les yeux humides, comme elle. Il lui touche le haut du bras d'une façon qui n'implique aucun sous-entendu.

– C'est abominable, non ? ajoute-t-il en secouant la tête.

Ses joues légèrement tombantes tremblent un peu et elle réprime un début de sourire.

– Je me rappelle que vous aimez l'opéra, reprend-il.

On a parlé des lieux où il serait idéal de les écouter. Et vous attendiez un contrat pour un livre.

– Vous avez une bonne mémoire.

Il se prend la tête dans les mains avec un désespoir feint.

– Mais qu'est-ce que je voulais vous dire ensuite ?

Il a l'air d'un gamin heureux quand elle rit.

– Alors, quelle est la longueur de ce « certain temps » en Cornouaille ? Vous disiez que vous y restiez encore un moment.

– Oui... Quelques mois, répond-elle avec un geste vague de la main.

– Je suppose que vous n'avez pas envie de voir débarquer un vieil avocat un de ces jours, non ?

– Vous pensez à quelqu'un ?

– Oh ! je pourrais vous donner une liste de noms. Des très ennuyeux, même. Mais respectueux et sans que cela vous engage à rien, bien sûr. Non, sérieusement, j'adore la Cornouaille. Cela me rappelle des souvenirs d'enfance. Mais c'est pareil pour tout le monde, non ? Je pourrais m'installer dans un *bed and breakfast* ou à l'auberge, peu importe.

Elle hésite, peu désireuse de lui donner de faux espoirs.

– Il y a quelqu'un dans ma vie, dit-elle.

Même si ce n'est plus vrai, de toute façon Neil ne l'attire pas du tout.

– Je n'imaginais pas le contraire et, de toute façon, si cela n'avait pas été le cas, je n'aime pas m'imposer. Je serais heureux de vous voir en ami. Ma femme est morte il y a seize mois et demi d'un cancer du sein. Je fais partie des rares hommes qui aiment la *compagnie* des femmes.

Le « seize mois et demi » la touche. Il compte les jours. Avoir un ami homme ? Elle n'a jamais eu d'amitié avec un homme.

Elle écrit son numéro de téléphone sur une carte et la lui donne.

– J'ai un répondeur là-bas également. Laissez-moi un message, cette fois.

Il esquisse un garde-à-vous enjoué. Un homme guère plus vieux qu'elle, avec trois jeunes enfants, expédié malgré lui dans le lot des divorcés lubriques et des célibataires endurcis. Peut-être, avec le temps, lui et Sally...

Sally est en train de remonter l'allée centrale de l'église avec ses filles aux sinistres accords de l'orgue. Ses cheveux blonds sont ternes et raides. On a l'impression que sa tête est trop lourde pour elle. Ses filles sont courbées comme deux tulipes en train de se faner. Elles forment un groupe étroit, en larmes, entouré de la proche famille – la mère et la sœur de Sally, les parents de Geoff et son frère. Le reste de l'assemblée se serre autour d'eux. Un concert de reniflements, de nez qu'on mouche, de chuchotements, de frottements de pieds et de sanglots étouffés se répercute sur les murs de pierre. Cela se calme un peu à l'entrée du prêtre.

– Aujourd'hui est pour chacun d'entre nous un jour de terrible tristesse, commente-t-il...

Je hais les églises, je hais la mort.

L'image surgit dans son esprit, réaliste et horrifiante, de son propre cadavre en décomposition.

Neil est assis à côté d'elle et elle lui prend le bras instinctivement.

– C'est le premier enterrement auquel je vais depuis celui de ma femme, chuchote-t-il. Je déteste les églises.

Ils se tiennent par la main, en quête de réconfort.

Elle pensait dormir chez Sally mais se rend compte qu'il n'y a pas de place. Toutes les chambres sont occupées par les membres de sa famille. Elle prétend qu'elle a réservé un hôtel et embrasse son amie. Elle lui promet de l'appeler très vite et de revenir la voir avec Hannah. Il est six heures et demie, elle fonce vers la Cornouaille, impatiente de retrouver Hannah.

Impatiente de la réveiller, de voir son sourire, de sentir ses bras autour de son cou. Cela seul dissipera le poids qui pèse sur son cœur.

Le hibou du cimetière passe en rase-mottes devant ses phares tandis qu'elle traverse Zerion endormi.

Et lui, dans sa grange reconvertie en habitation, dort-il ? Je t'aime, Aidan.

Elle en a fini avec un enterrement, il en reste encore un.

Minuit passé. La route l'a épuisée. Contente d'être de retour. Mais Sophia n'est pas sur le futon du salon. Isabella fronce les sourcils, perplexe. Des bruits lui parviennent d'en haut, de sa chambre. Elle écoute avant de monter l'escalier sur la pointe des pieds, avec un pressentiment.

Ils sont sur son lit. Sophia et Luke. Il l'écrase sous lui. Elle les regarde, suffoquée, et cherche le mur pour se retenir. Sophia s'aperçoit de sa présence et pousse un cri perçant. Luke ne s'interrompt pas.

– Enlève-toi, supplie Sophia en se débattant.

Isabella se contente de les observer, sans un mot, prise de vertige.

Luke ne bronche pas, jette à Isabella un regard de côté. Son corps mince et musculeux écrase sous lui celui de sa femme, qu'il tient solidement par les poignets. Puis, sans quitter Isabella des yeux, il donne un dernier coup de rein et rejette la tête en arrière dans le plus grand silence. Elle le regarde se retirer, laissant des traces humides sur la couette. Et il libère enfin sa femme.

Sophia, en larmes, se rue sur ses vêtements.

– C'est lui qui l'a voulu – c'est lui – il m'a obligée – moi, je ne voulais pas.

Luke se rhabille sans un mot.

Isabella tremble si fort que ses dents s'entrechoquent.

– Sortez de chez moi.

Elle ne dit rien d'autre et attend qu'ils s'exécutent.

Sophia, au bord de la crise de nerfs, échevelée, est déjà en bas. Luke prend délibérément son temps.

– À plus tard, dit-il à voix basse quand il se glisse à l'extérieur, poussant sa femme dans le dos.

Pendant toute une demi-heure, Isabella reste assise sur le tapis du salon, serrant ses genoux contre elle. Garibaldi la rejoint depuis la cuisine où il vient de rentrer, des feuilles et des brindilles accrochées à sa fourrure. Il se frotte contre elle à plusieurs reprises avant de s'installer, avec un ronron sonore, sur ses jambes allongées. Elle le caresse longuement puis le pose à côté d'elle. Ses griffes sont plantées dans sa robe de lainage noir et elle doit d'abord les en détacher. Elle monte l'escalier d'un pas lourd de vieille femme. La chambre d'Hannah. La lueur innocente de la veilleuse. La petite dort, le pouce dans la bouche, les cheveux ébouriffés, le lapin et l'ours à côté d'elle sur l'oreiller. Elle est légèrement enrhumée et fait un bruit à peine audible en respirant.

Isabella s'allonge contre elle avec précaution. Sa peau sent la fleur d'oranger et son haleine la pâte d'amandes. Elle s'étire, les yeux entrouverts.

– Tu es là, maman ? murmure-t-elle.

– Oui, *carina*, maman est là.

Et alors, dit le procureur dans la tête d'Isabella, le destin s'est lassé d'être défié par Isabella Mercogliano et le piège s'est refermé sur elle.

13

Ma chère Isabella.

Je suis désolée de ce qui s'est passé. Luke est arrivé dans la soirée. Il a refusé de s'en aller et il m'a dit qu'il ferait n'importe quoi si je ne faisais pas ce qu'il voulait. Comme je vous l'ai dit, je suis désolée, mais ce n'est pas ma faute. J'ai réfléchi à vos conseils et, ce matin, je l'ai quitté pour toujours. Merci pour tout ce que vous avez fait pour moi. Je me sens affreusement mal à cause de ce qui s'est passé et je me sens très déprimée, pour vous dire la vérité. Je ne sais pas ce que je vais faire et Hannah me manque terriblement. Je l'aime beaucoup. Elle était devenue comme une fille pour moi.

Je vous embrasse très fort.

Sophia.

La lettre, rédigée d'une écriture ronde et précise sur du papier ligné, est directement mise dans sa boîte aux lettres deux jours plus tard, alors qu'elle s'est absentée. Sophia a glissé la clé dans l'enveloppe avec des nounours en chocolat pour Hannah. Elle n'a pas donné de numéro de téléphone où Isabella pourrait la contacter. Malgré la sympathie qu'Isabella éprouve pour la malheureuse, c'est sans doute aussi bien.

Elle est soucieuse et inquiète en permanence. Elle a du mal à dormir, du mal à se concentrer sur son travail ; elle se traîne péniblement, minée par ses incertitudes et ses craintes. Elle devrait peut-être rentrer à Londres maintenant que ses amis connaissent l'existence d'Hannah. De plus, il s'est écoulé un laps de temps suffisant pour qu'elle soit sûre que la police ne recherche pas la petite. Quelle raison a-t-elle de rester ici ? Il y en a beaucoup pour partir : un rôdeur cinglé, une histoire d'amour ratée dont elle voit partout des souvenirs, sans compter les ragots malveillants et une ambiance de tristesse qui s'est abattue sur le village depuis la mort de Charlie. Pourtant ce village, ce pays l'ont conquise. Elle aime ces paysages, cette vie paisible, la dureté et la gentillesse des gens ; elle aime sentir qu'elle est chez elle, ici. Mais il n'y a pas que cela. Elle a commencé à découvrir des aspects d'elle-même refoulés depuis longtemps et n'a pas envie de retourner à son ancien mode de vie, à son ancienne personnalité artificielle. C'est vrai qu'elle a été contente de vivre ainsi pendant de nombreuses années, mais le malaise qu'elle a ressenti depuis quelque temps, à plusieurs occasions, prouve que sa personnalité profonde remontait à la surface en protestant. Pardessus tout, la mer lui manquerait affreusement.

Hannah est heureuse, ici.

Pourtant, elle a eu une déception avec son amie. Becky est venue passer un après-midi avec elles, et Isabella les a emmenées à l'Arbre d'Hannah. Elles ne pouvaient pas tenir toutes les deux dans le tronc creux, et Becky l'a monopolisé. Résultat : des larmes, et le traité de paix imaginé par l'adulte reste fragile. Au jardin d'enfants, elles s'évitent soigneusement.

– J'aime pas Becky, a déclaré Hannah, la lippe boudeuse.

On dirait que les affaires de cœur d'Hannah ne vont pas mieux que les siennes.

Parfois, couchée dans son lit, elle réfléchit à tout cela et se demande si le mieux ne serait pas d'émigrer en Italie. Elle a gardé sa double nationalité mais le problème du passeport d'Hannah paraît insoluble. Elle n'arrête pas d'y penser, inquiète pour l'avenir. Que fera-t-elle quand on lui demandera un certificat de naissance ou des papiers d'adoption, selon qu'elle présentera Hannah comme sa propre fille ou non ? Elle joue avec l'idée de trouver de faux papiers. *Madre*, que de difficultés en perspective ! Et elle ne peut pas croire y échapper indéfiniment, bien au contraire : cela ne fera que s'aggraver. Le soir, son esprit vagabonde d'une idée à l'autre. Sa propre mortalité l'obsède. L'image sinistre de son corps en décomposition revient sans cesse. Elle a largement le temps de ruminer, seule dans son lit dont elle a retourné le matelas et fait bouillir les draps. Elle se sent très démoralisée à l'idée qu'Aidan ne l'ait pas appelée depuis leur rencontre dans son bureau. Au bruit de la pluie qui frappe les carreaux de Timothy Abell, elle finit par sombrer dans un sommeil agité où son père, avec la voix du mécanicien, vient la réveiller. Occupe-toi de moi, lui dit-il en arrachant le drap pour découvrir son corps d'adolescente vêtu d'une chemise de nuit en flanelle...

La mort de Charlie a calmé les quelques têtes chaudes parmi les jeunes du village. Ils ont décrété une trêve dans leurs bagarres pour séduire une ou deux filles qui, de toute façon, n'en valaient pas la peine. Sa mort a marqué tout le monde. Tout le monde le respectait, sans exception. Quant aux plus jeunes, ils reconsidèrent leur avenir, rendus plus raisonnables par un nouveau sens du devoir, même si c'est provisoire. Charlie faisait partie de leur vie, aussi loin qu'ils s'en souviennent. C'était le patriarche et il leur a appris tout ce qu'ils savent. Il était le porte-parole de tous et savait apaiser les disputes. Surtout, il représentait le lien qui les unissait. D'une façon ou d'une autre, ils sont tous apparentés, même de loin : cousins germains, cousins au troisième degré, cousins au troisième degré par alliance...

Lundi, tôt dans la matinée, elle est allée marcher avec Hannah sur la grève. Depuis le hangar à bateaux, elles regardent trois jeunes hommes qui détachent les embarcations amarrées aux corps-morts et les poussent sur la pente de la cale. À l'intérieur, on distingue des casiers à homards. Joyce, le nom que Charlie avait peint sur son bateau au-dessus du numéro d'immatriculation, se fait remarquer par son absence. Normalement, il aurait dû se trouver sur son ber, comme d'habitude...

– N'oubliez pas l'heure, les mecs, dit l'aîné des deux frères.

Ce sont ces trois jeunes hommes qui porteront le cercueil de Charlie, tout à l'heure.

Elles regardent les pêcheurs s'installer à bord et ramer pour s'éloigner de la rive avant de lancer les moteurs. Ils vérifieront, c'est sûr, qu'aucun chiffon dangereux n'a été laissé à proximité du moteur. Les avirons claquent dans l'eau avec un bruit qui résonne jusqu'à elles.

La matinée est claire avec une lumière presque transparente, mais froide. Isabella tient la main d'Hannah bien au chaud dans la sienne. Elles suivent le chemin qui escalade le promontoire est en serpentant. Tout en haut, deux tracteurs qui brillent dans un rayon de soleil font entendre un bourdonnement régulier. On laboure les champs et, sillon après sillon, le subtil jaune pâle des chaumes est remplacé par le brun de la terre nue. L'aspect du paysage tout entier en est transformé.

– Tu viendras avec moi à l'église, cet après-midi, explique Isabella à Hannah.

Elle lui parle comme à une adulte tout en l'aidant à franchir un dédale de racines noueuses qui affleurent. Elle la soulève pour lui faire passer une barrière. Hannah avec ses petites bottes en caoutchouc rouge...

– 'Vec toi ?

Ces derniers jours, elle a pris l'habitude de tout répéter.

– Oui, *cara*. Sophia ne viendra plus chez nous.

– 'Ophia vient p'us ?

– Non, *carina*.

L'enfant affiche une expression pensive, comme si elle essayait de comprendre et d'assimiler l'information.

En tout cas, Isabella a un problème de plus. Il va falloir trouver quelqu'un pour remplacer Sophia.

– Ce doit être sa fille, chuchote-t-elle à Babs.

Elles sont assises l'une à côté de l'autre dans l'église de Zerion. Isabella fait allusion à une femme aux cheveux blonds, à la mâchoire carrée et à l'expression de bouledogue qui est assise à côté de Joyce.

– Elle a l'air redoutable. Je n'aimerais pas me heurter à elle.

– Je crois que vous pourriez lui tenir tête, chuchote Babs en retour.

Isabella tourne la tête et repère Janet Abell deux rangées plus loin. Elle la salue d'un bonjour silencieux. Janet répond de même, d'un plissement de son visage de pleine lune.

– Encore une qui est bizarre, chuchote Babs, qui s'est aussi tournée. Il y a plein de gens bizarres, ici, de toute façon.

– Trop de mariages consanguins, suggère Isabella à voix basse.

– Vous ne croyez pas si bien dire. Il court pas mal d'histoires d'inceste.

– Non ?

– Demandez à Mary Anne.

Celle-ci vient de faire son apparition, drapée dans une cape noire. Derrière elle arrivent Lizzie et Dick. Tout Pengarris et la moitié de Zerion s'entassent dans l'église méthodiste pour saluer une dernière fois le défunt. Tom suit, accompagné de Nick et de Tony. Aidan fait son entrée au même moment. Les deux hommes se retrouvent assis l'un près de l'autre sur le banc de la même rangée que celui d'Isabella, mais de l'autre côté de l'allée.

Tom lui adresse un clin d'œil. Aidan ouvre le livre de prières posé devant lui, incline la tête et ferme les yeux.

Le pasteur commence son éloge de Charlie et sa voix résonne sur les murs de pierre blanchis à la chaux. C'est un homme âgé au visage tout plissé.

– Qui, parmi nous, n'aimait pas Charlie Minear ?

Comme c'est curieux, pense Isabella : elle ne connaissait pas le nom de famille de Charlie et Joyce.

– Qui, poursuit le prêtre, n'a pas connu sa généreuse hospitalité ou n'a pas été régalé d'une anecdote interminable ?

Des sourires apparaissent sur les visages.

– Qui, parmi nous, ne lui doit pas quelque chose, dans un domaine ou un autre ? Je peux dire que je lui dois beaucoup. Charlie Minear était un ami personnel. Nous avons grandi ensemble. C'était aussi un membre estimé de notre Église. C'est pourquoi je m'adresse à vous, aujourd'hui, avec une profonde tristesse...

La main d'Hannah s'incruste dans celle d'Isabella, qui sent la petite se crisper contre elle.

– Tu veux t'asseoir sur mes genoux, *carina* ?

– A peur, a peur.

Sa voix haut perchée résonne dans l'église et des regards réprobateurs se tournent dans leur direction.

– Je sais, ma chérie. Allez, viens sur mes genoux et ça va aller.

Elle la soulève et la prend dans ses bras.

Quelques secondes plus tard, Hannah se plaint de nouveau à voix haute, les doigts crispés sur la jupe d'Isabella.

– Le monsieur fâché.

Cette fois, la moitié de l'assistance se retourne.

– C'est assez sans-gêne de venir avec une enfant aussi jeune, grogne une femme non loin d'Isabella.

Isabella lui adresse un sourire faussement désolé. Juste après, elle adresse un regard furieux à Tom, qui l'observe d'un air ravi. Chut, chut ! fait-il en se tapotant les lèvres du doigt. À côté de lui, le profil d'Aidan semble sculpté dans la pierre.

Pour finir, après de nouvelles interruptions, quand elle sent qu'Hannah va se mettre à hurler, elle l'emmène dehors. Elles remontent l'allée latérale, suivies par tous les regards. Cela fera un bon sujet de conversation, demain, la façon dont elles ont perturbé le service funèbre de Charlie, obligeant le pasteur à s'interrompre. Isabella ira présenter ses excuses à Joyce mais celle-ci, plus que quiconque, comprendra.

Elle s'assoit sur le banc devant l'église, Hannah à moitié couchée sur ses genoux. Elle entend qu'on chante *Pour ceux qui sont en péril sur la mer*. Tout autour, les feuilles tombent avec un bruit très léger. Soudain, les canards s'envolent de la mare voisine avec un caquètement bruyant, fendant l'air avec un bruissement d'ailes caractéristique.

– Z'aime pas la glise, dit Hannah, les yeux fixés sur les canards qui disparaissent dans le ciel.

Isabella lui caresse le front. Un front si joli et très haut, pense-t-elle.

– Moi non plus.

Elle attend que les autres sortent. D'abord viennent les frères et le fils de Ricky, tous trois porteurs du cercueil. La communauté suit, lentement, clignant des yeux dans la lumière du plein jour. Tom vient vers elles.

– Ouf ! heureusement que tu nous as apporté un peu de soulagement !

– C'est plutôt embarrassant.

– Tu ne pouvais pas la laisser avec Sophia ?

– Elle était occupée.

– Oh ! à ta place je ne m'inquiéterais pas trop. Ça leur fera un sujet de conversation quand ils auront épuisé la question du temps. Je plaisante mais c'était très émouvant... Tu m'évites, ces jours-ci.

– La situation devenait impossible, répond-elle.

– Je ne suis pas d'accord. Je peux venir, tout à l'heure ?

– *Madre !* Tu ne renonces donc jamais !

– Je rentre à Londres demain, de toute façon. On a fini le travail.

Elle accueille la nouvelle avec des émotions mélangées, une sensation de perte, de départ d'un allié, en même temps qu'un certain soulagement, comme si elle recommençait à respirer librement.

– Je n'ai pas l'intention de coucher avec toi, Tom.

– Et merde, arrête de te conduire comme une vierge sacrée ! Une fois ou deux fois, tu peux me dire la différence ?

– Cela n'aurait même pas dû arriver une seule fois.

– Reprends-moi si je me trompe, mais l'autre soir, à moins d'avoir fait semblant, il me semble que cela ne t'a pas déplu ?

– La question n'est pas là. Je sais la différence quand on est avec quelqu'un qu'on aime et qui vous aime.

– Mais tu es délicieusement démodée, sais-tu ?

Sa désinvolture la met en rage.

– Tais-toi !

– Ce n'est quand même pas ton péquenot... ?

Elle ne répond pas.

– Tu me sidères. Tiens, quand on parle du loup...

Il fait signe de la main à Aidan, qui passe devant eux, le regard droit devant lui, sévère. Il porte le costume noir qu'il met pour ses concerts.

– Je t'interdis ! proteste-t-elle d'un air féroce, en lui saisissant le bras. Pourquoi as-tu fait ça ? Tu es vraiment puéril !

Elle se souvient d'avoir lu quelque part que chacun de nous a en lui un adulte, un parent et un enfant. Chez Tom, l'enfant est le plus fort, puis l'adulte. Il n'y a pas de parent. Chez Isabella, l'adulte et le parent se partagent le pouvoir mais, depuis quelque temps, l'enfant en elle se débat pour exister. Elle en prend brusquement conscience et, pour elle, cela explique son impression croissante de vulnérabilité.

– Oh ! la la ! du calme ! dit Tom. Tu auras tout le temps que tu voudras pour t'occuper de ta vie sentimentale après mon départ.

Il rentre donc avec elle. Ils jouent au Scrabble et, chaque fois qu'il obtient un meilleur score qu'Isabella, il pousse un cri de triomphe. Elle prépare des omelettes pour le dîner. Ils parlent, bavardent, se chamaillent. Il lui caresse le cou, lui faisant remarquer qu'il ressemble à un isthme. Son cou est comme un isthme. Elle a un peu peur de son départ.

– Bella, contrairement à ce que tu penses, je tiens vraiment à toi. J'aimerais qu'on reste en contact.

– Moi aussi.

– Le seul problème, c'est que je ne vis pas seul. Alors, fais attention quand tu téléphones. Elle est un peu susceptible.

– Salaud ! C'est bien de toi, ça.

Madre ! heureusement qu'elle n'est pas retombée amoureuse de lui et ne s'est pas impliquée dans la relation !

Il pleut à torrents quand Isabella rentre du jardin d'enfants, où elle vient de conduire Hannah. Les arbres se courbent dans le vent et les feuilles volent en tous sens. Et devant elle, elle voit l'Aston d'Aidan lentement s'engager sur la route, venant du chemin qui mène chez lui. Elle accélère pour le rattraper, klaxonne et fait des appels de phares. Est-ce volontairement qu'il ne ralentit pas ? Il finit pourtant par freiner et s'arrêter. Elle se range derrière lui et court jusqu'à sa portière, la tête baissée contre la pluie. Un air de jazz lui parvient, très fort. Cela signifie qu'il ne l'a peut-être pas entendue klaxonner. Il éteint la musique et ouvre la portière. Il porte son costume noir, toujours le même, mais avec une cravate de couleur et un œillet à la boutonnière.

– Je te suis depuis une éternité, lui dit-elle. Tu es très élégant.

– Je vais au mariage d'un cousin, à Exeter.

Ses yeux croisent brièvement ceux d'Isabella avant de se détourner. Il se concentre sur son tableau de bord et joue avec l'un des boutons.

– Aidan, Aidan. Aidan !

Elle secoue la tête, soupire avec un regard désespéré.

– Oui ?

– Il faut que je te parle.

– Il n'y a rien à dire.

Il coupe quand même le contact.

– Mais si ! D'abord, j'ai tes jumelles.

– Tu peux les garder.

– Aidan, je t'en prie !

La pluie lui plaque les cheveux sur la tête et le visage, traverse son pull-over et s'infiltre sous le col polo.

– Tu vas être trempée...

Il frappe du poing sur sa cuisse à plusieurs reprises, les lèvres serrées avec détermination.

– On arrête ici, d'accord ? Je ne vais pas accourir maintenant que ton ami est parti. Ce n'est pas mon style. En plus, je vais être en retard, ajoute-t-il plus brusquement, comme s'il avait assez hésité et enfin pris sa décision.

Il met le contact, lance le moteur.

Elle ne supporte pas l'idée de le laisser s'en aller de cette façon et pose la main sur le volant pour le retenir.

– Ce n'est pas un « ami », dit-elle d'une voix douce. C'est mon ex-mari.

Il en reste bouche bée et coupe le contact une deuxième fois.

– Ça alors...

Il fait claquer sa langue et se passe la main sur la barbe, selon sa façon habituelle. Cela la fait sourire.

– Je suppose qu'il veut que tu reviennes.
– Non, il y a longtemps que nous avons divorcé.
– Mais je croyais...
– Écoute, veux-tu venir ce soir ? Après le mariage ?
– Oui, oui, bien sûr.

Son expression se détend. Il reste de la perplexité dans ses yeux, mais aussi de la joie.

– Mais j'arriverai tard, tu sais. Pas avant dix heures, ou peut-être même onze.
– Ce n'est pas grave.

Elle se sent soudain incroyablement heureuse. Heureuse à hurler ! Son visage rayonne.

– Mon Dieu, que tu es belle ! dit-il.

Il sort de la voiture et l'embrasse. Il lui prend le visage dans ses grandes mains rassemblées en coupe et l'embrasse avec passion. Sa barbe essuie la pluie sur les joues d'Isabella. Il fait passer tout son amour dans ce baiser. Elle reconnaît l'odeur de son dentifrice anisé. Sa chemise a le parfum du linge fraîchement repassé. À tout cela se mêle une odeur de shampooing à l'huile d'amande. La peau d'Aidan ! Elle adore l'odeur de sa peau, propre, douce et salée aussi.

Un jour où elle lui disait tout cela, il a répondu en évoquant les phéromones.

– C'est ce qui fait que les animaux s'attirent, a-t-il ajouté.
– Oh ! ton costume est tout mouillé, s'exclame-t-elle quand ils se séparent.
– Ça séchera ! répond-il avec un regard indifférent à son costume.
– Mais tu seras affreusement froissé ! Et l'œillet n'a pas résisté.

Elle lui brosse les revers, faisant tomber les pétales écrasés.

– Je m'en fiche. Ça n'a aucune importance.

Il lui adresse ce grand sourire qu'elle n'avait pas oublié.

Il remonte dans sa voiture et, par la vitre baissée, lui tient la main.

– Je n'ai pas envie de te quitter, mais je serai là tout à l'heure. Je t'apporterai un morceau de gâteau.

– Sois prudent sur la route. Tu me le promets ? Il fait un temps épouvantable pour rouler.

Madre ! S'il lui arrivait quelque chose maintenant... Elle se rassure à l'idée qu'avec une voiture aussi solide il ne risque pas grand-chose.

Elle redémarre à son tour et organise déjà la soirée en esprit : le champagne, la musique, son parfum, sa lingerie, ce qu'elle lui dira. Et ce qu'elle ne lui dira pas.

Tom doit être en train de prendre la route, lui aussi. Ils vont peut-être se dépasser sur l'autoroute. Elle imagine Aidan lui faisant le grand V de la victoire en le doublant. Tom se demanderait qui peut bien être ce type dans une vieille Aston qui lui adresse des gestes. On dirait... Non, ce n'est pas possible. Il rentre à Ealing, vers une femme dont la vie dépend de ses caprices, et vers un autre endroit, n'importe où, là où ses caprices le conduiront.

Il est un peu plus de neuf heures et demie. Elle a mis le *Concerto pour piano* de Schumann en sourdine. Le feu couve tranquillement. Le champagne refroidit dans le réfrigérateur.

Isabella est assise devant son ordinateur, en train de traduire.

Chaque année, après les moissons, les champs devenaient propriété collective pour une durée déterminée. Tout le village se rassemblait pour glaner ce qui restait dans les champs de céréales et l'on pouvait faire paître son bétail gratuitement...

Elle est incapable de travailler, trop impatiente de retrouver Aidan. Elle se lève et va marcher à l'extérieur. Les lumières des autres cottages brillent dans l'obscurité. La nuit est humide, avec un fin brouillard. Elle fait le tour par les toilettes et rentre.

L'ordinateur est éteint.

Elle appuie sur les touches adéquates mais rien ne se produit. Elle réalise alors que son CD s'est également arrêté. Elle se penche pour vérifier la prise et découvre que tout a été débranché.

Et le pare-feu n'est plus devant la cheminée.

Elle se redresse lentement, le corps raide de crainte, comme si des cubes de glace étaient collés contre sa peau.

Le mécanicien est là.

Elle se précipite vers la porte – il n'y a que quelques enjambées – mais il arrive le premier, surgissant de la cuisine. Il l'attrape d'une main. De l'autre, il brandit un couteau à cran d'arrêt, ouvert.

Elle ouvre la bouche pour crier mais il se jette contre elle, mâchoire contre mâchoire. Elle sent la pointe de la lame contre sa gorge. Il s'amuse sadiquement à faire semblant d'appuyer.

– Ne crie pas ! Tu risques de réveiller la petite, dit-il.

Elle sent son cœur ralentir avant de se mettre à battre à se rompre, de plus en plus vite, de plus en plus fort. Elle a l'impression de ne plus être qu'un cœur qui bat, qui bat...

Il pue. L'oignon. La bière. Le vice.

– Qu'est-ce que vous voulez ?

Les mots ont du mal à se frayer un chemin entre ses dents serrées. Elle se sent presque paralysée par la peur, à un point qu'elle n'aurait jamais imaginé.

– Ça, pour une question idiote !

Il s'écarte un peu et baisse son couteau. Elle porte la main à son cou et s'adosse à la porte pour ne pas tomber. Il l'examine d'un regard scrutateur, les yeux luisant d'un sentiment de puissance. Observant ses réactions, il commence à faire glisser le couteau vers son ventre. De la pointe, il soulève le pull d'Isabella. Il sourit en l'entendant étouffer un hoquet de peur. Elle laisse échapper un gémissement étranglé.

– À genoux, ordonne-t-il de sa voix rauque et grinçante.

Elle se laisse glisser sur ses genoux.

– Allez, tu fais le tour comme ça. Allez ! *Bouge !*

Et, comme elle n'obéit pas immédiatement, il lui donne un coup de pied.

Elle sent ses bas se déchirer sur le plancher. Ses genoux lui font mal et elle essaye de trouver une position moins douloureuse.

– Reste comme ça ! dit-il comme s'il parlait à un chien.

Elle se traîne autour du salon et il la suit, la poussant du pied, lui donnant des coups de pied dans le dos. Elle ne tente pas de lui désobéir ou de discuter, encore moins de le supplier. Elle sait que désobéir ou discuter le rendrait violent, et que le supplier l'exciterait. De toute façon, elle serait incapable d'aligner deux mots cohérents. Elle se traîne encore et encore, à genoux, autour de son salon.

Non, ce n'est pas possible, ce n'est pas à moi que cela arrive, non, ce n'est pas possible...

Il la relève d'un geste brutal.

– Déshabille-toi.

Elle tremble de tous ses membres, des pieds à la tête, elle tremble sans pouvoir s'en empêcher.

– Je... j'ai... j'ai mes...

– Alors enlève ton truc !

Mais elle a menti. Elle reste là, tête baissée, les cheveux qui tombent en avant, sans défense.

– Tu mens ! Salope !

Et il la frappe de toutes ses forces en plein visage.

Le coup la fait chanceler et une affreuse douleur irradie dans toute sa mâchoire. Elle réussit à ne pas crier.

– N'essaye pas de me raconter des histoires. Déshabille-toi. Le haut, d'abord.

Elle a mis une tunique de soie avec sa jupe de cuir et elle la fait lentement passer par-dessus sa tête avec des sanglots secs. Elle creuse la poitrine, épaules en avant, terriblement consciente de sa féminité, de sa nudité et du soutien-gorge noir à balconnets qu'elle a choisi pour Aidan.

Il est fasciné par sa poitrine, qu'il fixe avec des yeux d'affamé. De la salive apparaît au coin de sa bouche. Il joue avec le couteau en se moquant d'elle. Elle a du mal à respirer, la bouche desséchée par la peur. Sa joue la brûle et elle sent toute une moitié de son visage s'engourdir.

– Baisse-toi. Je veux voir tes seins quand tu te baisses. Mets les mains sur les genoux et creuse les reins.

Humiliée, elle s'exécute et il la détaille longuement avant de lui saisir les seins d'un geste brusque de ses mains sales aux ongles rongés. Il lui fait mal, écorchant sa peau fragile.

– Enlève ce truc, dit-il en désignant son soutien-gorge.

Elle lève les mains devant elle, dans un geste de protection.

– Aidan va arriver.

En elle-même, elle supplie : *Dépêche-toi, je t'en prie, Aidan, arrive vite...* Pourvu qu'il n'ait pas été retardé...

– Putain de menteuse ! Tout le monde sait que c'est fini. Tu as fait la pute avec tout le monde.

– Non, c'est vrai...

Elle voit son visage tout contre le sien, ses dents qu'il découvre en un affreux rictus. Et l'éclair du couteau. Une brûlure aiguë parcourt son bras, de l'épaule jusqu'au coude. Le sang jaillit. Isabella vacille et se raccroche au pied de la table.

– Je ne plaisante pas.

D'une main, il déboucle sa ceinture. De l'autre, il lui serre le poignet.

– Et maintenant, enlève ton soutien-gorge.

Le sang coule de son bras sur le tapis. Elle a trop mal

pour pouvoir le passer dans son dos et défaire l'agrafe. De la main gauche, elle essaye de l'atteindre mais elle tremble si fort qu'elle ne peut la trouver. Luke suit ses efforts, les lèvres retroussées, puis l'impatience le gagne. Il l'empoigne par les cheveux et lui tord la tête vers l'arrière. Le mouvement fait sauter une agrafe et Luke lui arrache son soutien-gorge.

Pendant tout ce temps, malgré sa douleur, malgré la peur d'être violée, humiliée, pendant qu'il la brutalise et l'avilit, une terreur plus profonde la tenaille, la peur qu'il la tue.

Il défait son jean et le fait passer par-dessus ses tennis. Il ne porte pas de slip. Elle reçoit de plein fouet l'image de son sexe menaçant.

– Frotte tes seins contre moi. Allez ! À genoux ! Obéis !

La lame du couteau frôle son sein, si près qu'il pourrait le transpercer.

Sanglotant, elle s'accroupit. Son parfum ne peut lutter contre l'abominable odeur de Luke.

– Allez, serre-moi bien !

Il lui pétrit de nouveau la poitrine avec violence. Des marques bleues marbrent sa peau.

– Maintenant, avec la bouche !

– Non...

– *Ta bouche !* répète-t-il. Tu le fais à tout le monde.

Il lui renverse brutalement la tête et force sa bouche. Elle suffoque, sent monter la nausée.

Il se retire brusquement et elle vomit, là, devant lui, à ses pieds. Il la regarde d'un air dégoûté.

– Tu vas nettoyer tout ça. Je ne supporte pas cette cochonnerie !

Il la pousse vers la cuisine, la pointe du couteau dans le bas des reins. Elle prend un rouleau d'essuie-tout sous l'évier, une serpillière et une bouteille de désinfectant. Elle est à peine consciente de ses propres gestes.

De retour dans le salon, il la regarde nettoyer, jouissant du spectacle de sa dégradation. À quatre pattes, elle frotte le tapis, les bas déchirés sous sa jupe de cuir, les seins nus et terriblement exposés. Le désir de Luke s'est évanoui et cela le rend furieux.

Elle ne revisse pas le bouchon de la bouteille de désinfectant. Une vague idée se forme dans son esprit.

– Enlève le reste, maintenant, lui ordonne-t-il quand elle a terminé.

Il commence à se caresser pour revenir à son état antérieur.

Elle se déshabille sous son regard, ôte sa jupe, fait glisser ses bas à jarretière élastique et, pour finir, son mini string. Elle tremble sans pouvoir se contrôler, humiliée, sans défense.

– Regarde-moi, lui ordonne-t-il.

Comme elle détourne les yeux, il la saisit par son bras blessé et la jette par terre. Il s'accroupit sur elle pour se masturber. Elle retient ses cris de douleur tandis qu'un subtil changement s'opère en elle, une volonté de réagir qui lui donne de la force. Elle en est très consciente. Ce n'est encore qu'une sensation fragile mais qui commence à combattre sa peur.

Il est plus petit qu'elle mais ses bras de singe ont des muscles très puissants. Elle imagine sans peine qu'il pourrait lui briser les os de ses seules mains. Il arrête de se masturber et se laisse glisser à côté d'elle. Il lui soulève les fesses. Son T-shirt lui remonte jusqu'au nombril et les cuisses d'Isabella sont posées contre son ventre plat et tatoué.

– Pisse-moi dessus.

– *Quoi ?*

– Tu m'as entendu !

Elle essaye de se débattre.

– Je ne peux pas.

– Je veux que tu me pisses dessus, salope !

Il appuie son couteau contre son pubis.

Elle recommence à trembler de façon irrépressible et la sueur l'inonde.

– J'y suis allée tout à l'heure. Ce n'est pas ma faute, c'est la vérité.

Il grogne, apparemment convaincu, et la repousse d'un coup de pied.

– À plat ventre, alors.

Elle comprend alors qu'il va la sodomiser.

L'espace d'un instant, ils sont face à face. Elle sait instantanément que c'est l'occasion, qu'il n'y en aura pas d'autre. Dans un élan de révolte, elle se rue sur la bouteille de désinfectant et lui jette le contenu dans les yeux.

Il pousse un hurlement et porte les mains à son visage, se tordant de douleur. Il a laissé tomber son couteau. Elle se précipite, le ramasse et le lui plante de toutes ses forces dans l'épaule, à peine consciente de ce qu'elle fait. Et elle frappe encore, encore.

– Salaud, salaud, salaud...

Elle crie comme une folle, ayant totalement oublié Hannah. Sa colère se libère sauvagement, sa colère et son besoin de se venger. Elle le frappe à coups de pied et le griffe tandis que, à moitié aveuglé et saignant comme une bête, il essaye de lui faire une prise. Ils roulent contre la table. Dessus, elle aperçoit les jumelles d'Aidan. Elle s'en saisit au moment où les mains de Luke se referment sur son cou et elle lui en frappe la tête de toutes ses forces.

Il s'écroule sur elle et elle doit se dégager en rampant.

– Maman, maman, pleure Hannah, debout en haut de l'escalier.

Un autre bruit, dehors : le moteur de l'Aston.

Isabella est par terre, à moitié évanouie à côté du canapé, à moins de deux mètres de Luke, ignorant si elle l'a tué ou non. Dans un profond état de choc, dévastée, elle a trop mal pour faire le moindre mouvement.

C'est à ce moment que la porte s'ouvre sous la poussée d'Aidan.

14

Aidan l'appelle sa chérie, son petit amour, son écureuil... Il la soigne, la bichonne, lui prépare des petits plats, dort à côté d'elle, la caresse sans qu'il soit question de sexe. La nuit, il la réveille quand elle fait un cauchemar et crie. Il ne la quitte pratiquement pas des yeux pendant toute une semaine. Un de ses amis s'occupe du garage. Il lui fait les courses, l'aide à la maison, étend la lessive, conduit Hannah au jardin d'enfants et va la chercher.

– Je ne suis pas une invalidc ! proteste-t-elle.

– Bien sûr que si, c'est exactement ça !

Son bras est encore raide mais cicatrise bien et, si sa mâchoire lui fait encore très mal, l'enflure a presque disparu. Les blessures morales seront plus longues à guérir.

À l'hôpital de Truro où il l'a conduite cette nuit-là, ils ont dit à l'infirmier soupçonneux qu'elle avait buté dans l'obscurité sur un cache-pot de porcelaine et qu'elle s'était ouvert le bras sur un éclat du cache-pot en tombant.

– Pas beau à voir, a-t-il simplement commenté malgré son scepticisme.

Après tout, il venait de travailler seize heures d'affilée et ce n'était pas la première fois qu'il entendait ce genre de refrain.

Au village, ils ont raconté la même chose et les attentions de tous ont beaucoup surpris et touché Isabella.

Elle n'a plus la moindre énergie. Incapable de se concentrer, elle s'inquiète à l'idée de prendre beaucoup de retard dans son travail mais elle n'arrive même pas à lire les journaux.

Aidan lui en lit des extraits, sélectionne les faits divers amusants dans l'espoir dc la voir sourire. L'histoire de deux enthousiastes, habitants d'une banlieue boisée, qui hululaient toutes les nuits dans leur jardin, chacun croyant que c'était un hibou qui lui répondait... Celle d'un professeur âgé et naturiste qui jardinait et faisait la cuisine complètement nu et attendait de la jeune fille au pair qu'elle fasse le ménage et le repassage dans la même tenue, ayant accepté la place. En fait, lui explique Aidan, elle avait cru qu'un naturiste était la même chose qu'un naturaliste... Ou encore l'histoire d'un druide des temps modernes dont l'épée, baptisée Excalibur, avait été confisquée en tant qu'arme offensive et qui s'était présenté au tribunal en tenue de druide...

– Deux hommes qui se prennent pour des hiboux, un professeur tout nu et un druide. Rien d'étonnant si les étrangers nous trouvent excentriques, conclut-il.

Elle commence à rire mais se met à pleurer en même temps, bien souvent même sans qu'elle s'en rende compte. Aidan la trouve parfois assise à son ordinateur ou devant la télévision, le regard droit devant elle, pleurant en silence. Son épreuve s'est transformée en une torture mentale dont elle ne peut se libérer. Les images de ce qu'elle a subi n'arrêtent pas de défiler dans son esprit.

Luke a momentanément disparu.

– Elle n'osera rien dire, a-t-il lancé d'une voix faible mais pleine de défi quand Aidan l'a menacé de la police et jeté dehors, à moitié nu et perdant son sang.

Il a laissé une trace rouge tout le long de l'allée, entre la porte du cottage et sa camionnette.

Il avait raison. Elle n'a pas le courage de porter plainte.

Elle est d'avance épouvantée à l'idée de devoir tout revivre à la barre des témoins, dans chaque détail, de voir sa vie privée exposée aux yeux de tous, si insignifiante soit-elle.

... Madame Mercogliano, j'ai cru comprendre que, depuis votre arrivée dans la région, vous vous êtes acquis une certaine réputation en ce qui concerne les hommes...

Objection !

Elle n'a jamais compris comment un avocat pouvait défendre un client en le sachant coupable. Pour elle, c'est mal. Une sorte de prostitution. Il est impensable qu'une victime, déjà traumatisée, doive subir un interrogatoire et voir des détails intimes livrés au public dans le but de banaliser le crime de l'accusé.

– S'il y a une chance que l'accusé soit innocent, n'a-t-il pas le droit d'être défendu ? lui demande patiemment Aidan.

Mais elle n'est pas d'humeur à se montrer objective et cela la rend agressive vis-à-vis de lui ; elle l'accuse d'insensibilité.

– De toute façon, je ne veux pas que ma vie privée soit exposée en public comme un objet de curiosité.

– Ce ne serait pas le cas. Ton nom ne serait pas révélé.

– Mais tout le monde le saurait ! Il suffit d'ajouter deux et deux.

– Supposons qu'il plaide coupable ?

– Je t'en prie... Laisse-moi tranquille.

Elle ferme les yeux de toutes ses forces avec une expression torturée.

– D'accord, je n'insiste pas, dit-il en lui caressant le front.

... Il y a d'autres éléments, dit l'avocat avec un sourire satisfait, d'autres éléments que la cour serait peut-être désireuse de connaître...

Cela ne l'empêche pas d'avoir peur, en refusant de porter plainte, de laisser la porte ouverte à Luke. Quand il reviendra au village, il voudra se venger, c'est sûr. Il voudra terminer ce qu'il a commencé.

Aidan essaye de la rassurer, soutient que tout cela est très peu probable, mais il ne la convainc pas.

– Il doit avoir une terrible envie de se venger, dit-elle, une envie qui fermente en lui et le rend fou. Il voudra se venger, j'en suis certaine. C'est un déséquilibré, il n'est pas normal.

– Alors, porte plainte. Pour te protéger ; pour protéger les autres femmes.

– Je ne peux pas. Arrête de me culpabiliser.

Et la discussion reprend depuis le début.

Elle a peur en permanence, une peur précise et générale en même temps. Elle a pris l'habitude de regarder partout, sursaute au moindre bruit inhabituel, s'angoisse au moindre craquement ou frottement qui se produit dans la maison ou dans le jardin. Le bruit de la boîte aux lettres la fait trembler et la sonnerie du téléphone blêmir. Toutes les petites choses de la vie normale qu'elle ne remarquait même pas auparavant la terrorisent. Au souvenir de la fois où, revenant de chez Babs, elle avait trouvé le pare-feu déplacé, elle s'inquiète à l'idée que Luke puisse avoir un double de sa clé.

Aidan change donc la serrure et fixe une chaîne de sécurité. Il installe des verrous également aux fenêtres.

Il se reproche ce qui est arrivé.

– Tu m'avais dit que tu te sentais mal à l'aise avec lui, et je ne t'ai pas crue. Je le trouvais juste un peu spécial. J'aurais dû me rendre compte...

Il lui reproche aussi de ne pas s'être confiée à lui.

– Mais tout est arrivé quand nous étions... en désaccord.

Il bat sa coulpe pour cela, aussi : ne pas lui avoir fait confiance, avoir été jaloux. Lui qui, plus que quiconque, a toujours considéré la jalousie comme un sentiment négatif.

– Mais aussi, si tu avais été plus franche, je n'aurais pas été jaloux ! J'aime savoir où j'en suis, c'est tout ce que je demande.

Ils n'ont pas encore parlé de Tom. Elle a préféré ne pas aborder le sujet et lui de même, quoiqu'il en ait envie, elle le sent bien. Mais elle n'a pas le courage de se lancer dans des explications ou d'affronter les questions qui surgiront inévitablement.

Elle voudrait retrouver son énergie et que son corps ne la dégoûte plus. Elle le sent comme flétri, comme s'il était impossible qu'il soit de nouveau propre un jour. Elle n'arrête pas de se laver, de se brosser les dents ou de se rincer la bouche. Elle ne supporte pas sa propre nudité. Elle n'éprouve plus que du mépris pour ses formes de femme et s'habille en toute hâte de jeans trop grands et de longs pulls informes.

Elle a dit à Hannah qu'elle est un peu malade.

– Maman malade, répète Hannah d'un ton chagriné. Vais te guérir.

Elle met ses bras autour du cou d'Isabella et l'embrasse.

Par amour pour Hannah, elle essaye de se conduire aussi normalement que possible.

Elle s'inquiète aussi à l'idée qu'Aidan puisse s'impatienter. Elle n'a pas l'habitude de se sentir aussi faible ni d'être bichonnée. Elle a toujours été tellement indépendante !

– Comment peux-tu imaginer une chose pareille ? s'indigne-t-il. Je m'occupe de toi parce que je le *veux*. Tu as besoin de temps pour guérir. Ne sois pas si exigeante vis-à-vis de toi-même.

– Je suis en colère contre moi, lui avoue-t-elle le jour où, pour la première fois depuis le drame, ils sortent se promener ensemble. Je n'ai pas réagi comme je l'aurais imaginé dans ce genre de circonstances, explique-t-elle. La situation m'a complètement échappé, je me suis écroulée. J'ai renoncé à me battre, j'ai été vaincue dès le début. Je me suis laissé humilier. C'est pour ça que je suis tellement en colère contre moi.

Elle donne un coup de pied dans une pierre qui s'envole et retombe quelques mètres plus loin.

– Mais non, tu n'as pas renoncé à te battre. Tu ne peux pas dire cela. Pense à la façon dont tu t'es défendue, à la fin. Tu as été courageuse. C'est toi qui l'as humilié. C'est toi qui l'as puni.

– Mais avant... je n'ai même pas essayé...

– Mais, bon Dieu c'est ta vie qui était en jeu ! C'est lui qui tenait le couteau. Tu as été très courageuse, ma chérie. Tu es une femme très courageuse.

Et il la prend dans ses bras tandis qu'elle s'effondre en pleurant.

Hannah, qui jouait à remplir son petit seau de sable non loin d'eux, les rejoint en courant. Elle s'accroche à leurs jambes.

– Moi aussi, câlin ! Veux câlin !

Elle rit à travers ses larmes. Aidan se baisse et installe Hannah sur ses épaules pour jouer au cheval.

– Un, deux, trois...

Les pêcheurs travaillent comme de coutume. Mais Charlie n'est plus là, sifflant et les dépassant à grandes enjambées de sa démarche traînante.

Au village, on s'habitue à son absence et la vie reprend peu à peu son cours normal. Les têtes brûlées recommencent à se saouler et à se battre et à se plaindre d'un avenir bouché. Au Sun Inn, les parties de fléchettes ont repris, ainsi que les défis à la bière et les soirées karaoké. Le propriétaire a affiché la liste des équipes de football.

Un renard cause des dégâts dans le voisinage. Il a décimé les poules naines de Joyce et deux ou trois autres poulaillers, ainsi que les canards apprivoisés de la femme du chirurgien.

– Sans doute une femelle avec ses petits, dit Aidan.

Un fermier monte la garde avec son fusil et les gens font des paris : aura-t-il la renarde, et quand ? L'argent des mises va dans un fonds destiné, en mémoire de Charlie, aux veuves des pêcheurs et à leurs familles.

Isabella se sent partagée, heureuse que Joyce puisse profiter de l'initiative mais angoissée par l'excitation des hommes à l'idée de tuer la renarde, qu'elle plaint. Bien sûr, elle n'expose pas ces sentiments en public. Il n'y a pas de place pour la sensiblerie dans ce pays. Son attitude est celle d'une Londonienne. Elle est habituée aux renards londoniens, que les ménagères attirent en mettant du lait et de la nourriture devant leur porte. Le bruit d'une poubelle renversée dans la nuit, le jappement d'une renarde en chaleur, les citadins ne connaissent pas d'autre gêne, due à la présence des renards. Au contraire, ils se signalent avec enthousiasme la présence d'une bête rousse dans un jardin ou sur le toit d'un garage. Ici, en revanche, c'est une nuisance, un vrai fléau. Les habitants d'ici parient leur argent et unissent leurs forces contre une créature malfaisante. Isabella est tout aussi navrée du triste sort fait par le renard aux poulets et aux canards.

Pour Joyce, c'est la goutte d'eau qui fait déborder le vase. Cette catastrophe, pourtant insignifiante par rapport à ce qui vient de lui arriver, l'a démolie.

– Je ne sais pas si je les remplacerai, dit-elle à Isabella. Tout ce travail pour rien ! De toute façon, maintenant que Charlie n'est plus là, je n'ai plus besoin de tous ces œufs. Je peux en trouver chez Babs.

– Elles étaient si jolies ! renchérit Isabella. Cela me manque, de les entendre.

– À moi aussi. Et le vieux coq ! Je n'en reviens pas que le renard ait pu l'attraper. Ça a dû être une sacrée bagarre, je vous le dis ! C'est comme la fin d'une époque, ajoute-t-elle avec nostalgie.

Les jours se succèdent. Des tempêtes ravagent les deux promontoires. La mer est agitée mais les hommes vont pêcher, toujours aussi combatifs, vêtus de leurs cirés jaunes. Isabella s'endort à la lueur du phare et se réveille au mugissement de la sirène de brume. Sur la grève de Tregurran, le sable, brassé par le ressac, a pris une teinte foncée, renforcée par les branches de bruyère morte arrachées par le vent aux falaises et par des tas d'algues échouées. De temps en temps, elle y rencontre la femme du chirurgien qui promène son chien et, une fois, le chirurgien lui-même. Le vent le décoiffe, faisant pendre de longues mèches de cheveux qu'il rabat sur sa calvitie naissante pendant qu'il s'approche d'elle. Ses lèvres forment un sourire. Il prépare son baratin, songe-t-elle...

Mary Anne, quant à elle, est au lit avec la grippe. Elle téléphone à Isabella.

– Cela vous ferait plaisir de monter Nabokov ? Mais il faudra le seller vous-même. Je suis incapable du moindre mouvement.

Isabella laisse Hannah avec Joyce. Elle n'a jamais sellé un cheval toute seule mais elle a observé les lads des écuries de Hampstead, de nombreuses fois. En théorie, elle sait s'y prendre. Nabokov reste obligeamment tranquille, attaché à un anneau dans son écurie, tandis qu'elle essaye de se débrouiller avec le mors. Elle n'avait pas lieu de s'inquiéter : Nabokov ouvre la bouche de lui-même dès qu'il sent le contact de la barre d'acier sur son chanfrein. Le mors se met en place aisément. Elle passe les grandes oreilles poilues dans la têtière et tire avec précaution sur la crinière, prise dans le frontal.

– Tu es gentil, tu es gentil.

Elle défait la sous-gorge, qu'elle a par erreur attachée à la muserolle, et la réaligne.

Boucler la sangle de la selle est plus simple mais plus difficile : le cheval s'est gonflé et, du coup, la sangle est trop courte. Elle voit bien qu'il retient sa respiration, les jambes fermement plantées dans le sol et les flancs durs. Elle lui fait faire quelques pas. Il ne peut plus s'empêcher de respirer et dégonfle aussitôt. Elle s'empresse de boucler la sangle sans lui laisser le temps de répéter son petit numéro. Et peu après, ils descendent le chemin puis traversent Zerion à une allure de sénateur. À un moment, ils croisent un tracteur bruyant qui traîne derrière lui une remorque brinquebalante. Nabokov ne bronche pas. Les gens s'arrêtent et bavardent avec elle, amicaux, souriants, et tapotent l'encolure du cheval.

– Content de vous revoir... Je ne savais pas que vous montiez... Comment va votre petite fille ?... Vous vous êtes bien remise de cette mauvaise chute ?

La vue du cheval fait ressortir leur gentillesse profonde.

C'est la première fois, depuis trois ou quatre jours, qu'il ne pleut pas. Les chemins sont glissants, jonchés de branchages et de feuilles. Nabokov chemine au rythme d'un prudent clip-clop. Il garde les oreilles pointées en permanence vers l'avant, sauf quand elles oscillent en réponse à une pression des jambes d'Isabella. Elle a l'impression d'être assise sur une table de cuisine et se dit qu'elle n'a jamais mis aussi longtemps pour parcourir trois kilomètres. En arrivant sur la grève de Tregurran, il a un sursaut d'énergie et, avec un balayement de queue accompagné d'un semblant de ruade, il se lance dans un petit galop jusqu'à la frange d'écume que les rouleaux laissent sur le sable. Il ralentit et elle relâche les rênes pour le laisser trotter dans l'eau à son propre rythme. Nabokov va et vient, lançant ses jambes devant lui. L'écume jaillit autour d'eux et les vagues viennent se briser contre ses mollets. Elle est trempée. Le sel lui brûle les joues, le vent lui emmêle les cheveux. Elle en rit de plaisir, avec un bonheur pur qui lave tout et fait tout oublier.

Ce soir-là, Aidan l'emmène à Falmouth pour voir jouer *L'Éventail de lady Windermere*, d'Oscar Wilde. Ils sortent pendant le premier acte, chassés par un vieillard assis à côté d'Isabella, qui prend la moitié de son siège, tellement son ventre et ses cuisses débordent. De plus, il a une canne et un plein sac de poissons dont l'odeur devient à chaque instant plus envahissante. Ils se défilent comme des enfants remuants, étouffant de rire et dérangeant tout le monde. Pendant ce temps, lord Windermere essaye de calmer sa femme :

– *Margaret, c'est vrai, nous les hommes, nous ne sommes jamais à la hauteur des femmes que nous épousons...*

– Je devrais essayer le truc dans le métro, dit Isabella quand ils se retrouvent dans la rue. Emporter un sac plein de poissons. Beurk ! J'ai encore l'odeur dans le nez ! Et il me soufflait dans la figure, en plus.

– Pauvre vieux, dit pensivement Aidan. Il a un côté pathétique, tu ne trouves pas ? Beaucoup de solitude là-dedans, sans doute. Un homme de soixante-dix ou quatre-vingts ans qui va seul au théâtre. Vraisemblablement des problèmes respiratoires et des difficultés pour marcher. Sans parler des poissons qu'il devra préparer et manger seul.

– *Madre*, tu me donnes honte de moi ! Je ne vais pas arrêter d'y penser, maintenant. Tu es bien plus gentil que moi.

Ils marchent jusqu'à un restaurant italien tout proche, installé dans une ancienne cave à vins où l'on descend par un escalier très raide. Le fait d'être chez un marchand de vins lui rappelle le jour où elle a ramené Hannah chez elle.

Aujourd'hui, il est arrivé quelque chose d'extraordinaire... Ce matin, vers dix heures, samedi 31 août...

Est-ce possible ? Seulement deux mois se seraient écoulés depuis lors ? Cela lui paraît incroyable.

Un mendiant est tapi dans l'ombre, et pour soulager sa conscience gênée à l'idée du vieil homme aux poissons, elle lui donne une livre. Il pue l'alcool.

– Je suppose que j'ai tort de l'encourager, non ? dit-elle à Aidan.

Le restaurant est plein, en ce vendredi soir. Elle

reconnaît un couple rencontré à la réception du chirurgien : la jolie thérapeute blonde et son mari. Ils la reconnaissent aussi et la saluent d'un sourire. La jeune femme lance un signe de la main à Aidan.

– J'assure l'entretien de sa voiture, lui explique-t-il tandis que le serveur les conduit à une table dans un coin discret. Je suis sorti deux ou trois fois avec elle avant qu'elle se marie.

Un élan de jalousie pince le cœur d'Isabella.

– Tu as couché avec elle ?

– Je ne vais pas au lit avec toutes les femmes que j'invite, tu sais !

Au cours du repas, elle finit par s'apercevoir qu'il tripote la nappe du bout des doigts, se frotte la barbe, se lisse les cheveux... Elle lui saisit la main à un moment où il l'avance pour ramasser la cire qui a coulé de la bougie au centre de la table. Elle lui embrasse le poignet.

– Si tu me disais ce qui ne va pas ?

Il secoue la tête et lui jette un regard scrutateur.

– D'accord, lâche-t-il enfin. L'autre soir, enfin... *ce* soir-là, tu devais me parler de Tom... Je n'en ai pas reparlé pour ne pas te bousculer mais ça me perturbe. J'ai besoin de savoir la vérité, Isabella.

– Bien sûr.

Presque couverte par les voix des autres clients, elle distingue la musique qui joue en sourdine, la cavatine de *Cavalleria Rusticana*. Les fleurs sur la table sont en tissu. Pourquoi n'en mettent-ils pas de vraies ? Pour économiser quelques sous ? À la table voisine, la femme a un rire caquetant. Comment son compagnon peut-il supporter cela ? La main droite d'Aidan est bronzée et traversée de vieilles cicatrices pâles. D'où viennent-elles ?

– On s'est mariés quand j'étais en fac. On a passé notre lune de miel dans la région – quelle expression idiote ! Disons que nous avons pris quelques jours pour nous promener par ici. Il était journaliste à l'époque. Au bout d'un an, environ, il est parti pour la république du Vietnam comme reporter. Quand il est rentré, j'avais eu le temps de passer ma licence. Il était vraiment impossible à vivre et, de toute façon, il détestait l'idée d'être marié. Nous avons donc divorcé. C'est tout. Quand je l'ai rencontré au village, c'était la première fois que je le revoyais depuis notre séparation.

Il hoche lentement la tête, visiblement insatisfait.

– Mais tu disais que tu t'étais enfuie de chez ton mari ?

– Non, je ne l'ai pas dit. Les autres en ont décidé ainsi. Moi, je n'ai jamais dit ça. C'est ce qu'on a supposé et j'ai laissé dire par souci de simplification.

– Tu n'es pas mariée, alors ?

– Non.

– Mais le père d'Hannah ?

Elle ne répond pas.

– Pourquoi ne me dis-tu pas la vérité ? Tu connais tout de moi, je ne te cache rien. Tu n'es pas juste.

Il a élevé la voix, frustré, et elle se penche pour lui poser un doigt sur la bouche.

– Je l'ai adoptée.

Ce n'est pas entièrement un mensonge.

– Je ne peux pas t'en dire plus.

– Je t'en prie, regarde-moi, lui demande-t-il, ses yeux dans les siens. Quand tu es arrivée, tu semblais vraiment fuir quelqu'un.

– Pas quelqu'un. *Quelque chose*. Une situation.

– Mais tu ne veux pas me dire de quoi il s'agit.

Aidan a parlé d'une voix blessée.

– Tu es tellement secrète ! C'en est insultant pour moi, le sais-tu ? Je croyais que nous nous faisions confiance. Surtout après tout ce que nous avons traversé depuis dix jours... Je ne sais pas, parfois je...

Il hausse les épaules, toute son attitude exprimant le doute le plus profond.

Un début de panique l'envahit. Elle est terrifiée à l'idée

de le perdre une deuxième fois. Elle ne peut plus s'imaginer vivant sans lui. Il est devenu plus important pour elle que n'importe lequel des hommes qu'elle a connus auparavant.

– Je t'en prie, *caro*, ne te froisse pas. Je sais que c'est facile à dire... Écoute, c'est juste que... J'ai fait quelque chose.

– Quelle sorte de « chose » ? C'est grave ?

– Pour moi, non. Mais d'autres que moi pourraient penser le contraire.

– Je ne suis pas les autres, rétorque-t-il de son ton fier et blessé.

– Je le sais.

– Mais je suppose que je n'ai aucun droit, en réalité.

– Bien sûr que si ! Bien sûr, tu... Je ne veux pas te perdre, *caro*.

Elle a un regard plein de tendresse et il plonge de nouveau ses yeux dans les siens.

– J'adore quand tu m'appelles comme ça, dit-il avec un grand soupir.

Ni l'un ni l'autre ne parlent pendant un moment. Du bout de sa fourchette, Aidan tourne ses pommes de terre sautées dans la sauce tomate avant de repousser son assiette.

– Tu me diras tout, un jour, quand tu seras prête ?

– Oui.

Dieu seul sait comment ! Elle ne fait que reculer pour mieux sauter.

– Je dois m'en contenter, alors. Juste une chose ou deux, encore. Est-ce un problème avec la police ?

Elle ne répond pas.

– Isabella ? insiste-t-il.

Elle n'ose le regarder et baisse la tête pour dissimuler sa rougeur.

– Non. Mais cela pourrait arriver.

Et voilà, maintenant il va lui dire que ça suffit, que

dans ces conditions il préfère arrêter de la voir. Qui pourrait le lui reprocher ?

Elle sent qu'il lui caresse le visage, qu'il lui relève tendrement le menton pour la forcer à lui faire face.

– Tu n'as fait de mal à personne, je veux dire physiquement ? C'est horrible de te demander ça, mais...

– Non. Je n'ai jamais frappé ni blessé personne, de toute ma vie.

– Et tu n'as pas pris d'argent, ou quelque chose de ce genre ?

– *Madre !* Non.

– Bon, c'est déjà quelque chose.

Un enfant, oui, mais pas d'argent.

– Je te crois, conclut-il.

Dans deux jours, ce sera son anniversaire. Ses quarante ans. Et les trois ans d'Hannah. Elle a décidé que leur anniversaire tombera le même jour et lui a acheté une balançoire. Aidan l'installera dans le jardin, à l'endroit où Timothy Abell cultivait ses pommes de terre. Et si c'était vraiment son anniversaire ? La mère d'Hannah se souvient-elle du jour où elle lui a donné naissance ? Se demande-t-elle ce qui est arrivé à son enfant ? A-t-elle des remords ?

– Veux-tu que je te dise quel est le plus beau cadeau d'anniversaire que tu aies jamais eu ?

C'est Aidan qui l'appelle du garage.

– Non, je préfère que tu me fasses la surprise.

– Es-tu bien sûre ? Tu ne veux vraiment pas savoir qu'il y a de nouveaux locataires dans la maison de Luke ? Tu ne veux pas savoir qu'il est parti pour de bon ?

Pendant quelques instants, elle éprouve un intense soulagement, vite remplacé par une curieuse sensation d'engourdissement. Dans sa tête, il n'est pas parti. Sa voix lente et brutale résonne toujours dans ses oreilles. Elle voit toujours son visage penché sur le sien. Des images la brûlent. Elle n'arrête pas de revoir le couteau – un couteau qui a pris des proportions gigantesques et occupe tout son champ de vision. Puis ce sont ses doigts aux ongles rongés qui l'empoignent, et son sexe qui... Parfois, elle a l'impression d'être entrée dans le tableau de Munch et de foncer dans un tunnel, la bouche grande ouverte sur un cri interminable. Au bout du tunnel, lui interdisant toute fuite, il y a un énorme, un immense phallus qui la menace.

Parmi les cartes d'anniversaire qu'elle reçoit, il y a une lettre de Neil.

Ma chère Isabella,

J'étais très heureux de vous voir, bien qu'en une si triste occasion, et j'ai eu envie de vous envoyer un mot. Comme cela implique de ne pas utiliser l'ordinateur et que j'ai une écriture abominable, j'espère que ce ne sera pas trop pénible pour vous !

Dure journée, aujourd'hui. Un client à représenter devant le tribunal. Un dossier assez ennuyeux mais je ne dois pas me plaindre. Il paye mes honoraires sans discuter ! Du moins, une partie ! Si vous aviez besoin d'un bon avocat... Je plaisante ! Vous avez l'air d'une femme sans histoires, avec une vie où tout est en règle.

Londres est un endroit pénible, humide et démoralisant en cette saison, et encore plus pour un avocat fauché qui vit dans la mauvaise partie d'Islington. C'est ainsi que les rêves d'un (jeune) homme se tournent vers... Comme je vous l'ai dit, je n'ai vraiment pas envie de vous ennuyer et je détesterais savoir que vous vous sentez obligée de faire quelque chose pour moi. Mais j'ai envie de m'échapper de Londres pour quelques jours et d'avoir, en plus, le plaisir de vous voir, en tant que simple « copain ». Je pourrais vous emmener – avec votre ami, puisque vous m'avez parlé de lui – dîner quelque part. Le reste du temps, je « vivrais ma vie ». Oserais-je vous demander le nom d'un endroit où je pourrais passer une ou deux nuits ?

L'idéal pour moi, ce serait le milieu ou la fin du mois parce que en décembre j'ai un travail de dingue. Mais dites-moi ce qui vous conviendrait, à vous. À moins que cela ne vous convienne pas du tout... Je n'ai aucune envie de vous déranger ou de vous fâcher.

J'arrête ici car ma petite dernière est en train de hurler pour avoir son dîner !

Amicalement.

Neil.

Incroyablement contente de recevoir de ses nouvelles, elle lui répond immédiatement en lui donnant des dates possibles ainsi que le numéro de téléphone du Ship Inn.

Aidan lui a acheté une gourmette en or pour son anniversaire.

– J'ai demandé à la vendeuse et elle m'a dit que je ne pouvais pas me tromper avec ça, dit-il d'un air inquiet tandis qu'elle ouvre l'écrin.

– Elle a eu raison !

Isabella en a les larmes aux yeux. Il ferme le bracelet sur son poignet et elle ne peut détacher les yeux du bijou qui a si naturellement trouvé sa place. Elle suit les maillons du bout des doigts.

– Il est magnifique. Je ne l'enlèverai jamais.

– Tu crois ? Tu seras bien obligée, de temps en temps, se moque-t-il en souriant.

– Non, répond-elle fermement.

– Et pour Hannah... Pour Hannah...

Il la taquine gentiment, tient le paquet hors de sa portée avant de le lui donner.

– Cadeau pour moi, un cadeau moi aussi ! crie-t-elle d'une voix perçante en sautant sur place avec Becky, qui a repris sa place de meilleure amie.

C'est une poupée en tissu avec des tresses jaunes et des rubans. Sur la boîte, il est écrit : *Je m'appelle Hannah*.

– J'ai trouvé que c'était approprié, explique Aidan en regardant les deux enfants jouer avec la poupée.

– Tout à fait, répond Isabella. Merci pour elle.

Elles sont chez lui. Dans l'entrée, il y a des ballons sur lesquels il a peint *Joyeux anniversaires*. La peinture a un peu coulé.

Dans le jardin où la nuit commence à s'installer, les deux petites courent en tous sens, entrant dans le bosquet de cyprès, de nouveau inséparables. Elles agitent des cierges magiques qui lancent des étincelles et leur haleine lance de la buée.

– Il y a de la fumée qui sort de ma bouche, crie Becky. Je suis un dragon !

– Moi aussi, moi aussi, crie Hannah en l'imitant.

Elles guettent l'arrivée de la mère de Becky, et Aidan les abrite du froid, chacune sous un pan de sa veste. Pelotonnées contre lui, de petites elles deviennent absolument minuscules.

Isabella installe Hannah dans la chambre d'amis pour la nuit. Ensuite, elle redescend et le rejoint dans la cuisine américaine, où il prépare le dîner.

Je ne le mérite pas, pense-t-elle.

L'horloge de la cuisine résonne doucement et, à la radio mise en sourdine, on donne de la musique classique. Aidan est en train de râper de la noix de muscade sur les *fettuccine* avant d'y ajouter un jaune d'œuf. Il goûte le mélange crémeux du bout du doigt. Isabella se sent envahie par un sentiment de plénitude. Elle va vers lui sur la pointe des pieds et lui met les mains sur les yeux. Il sursaute et laisse tomber la cuillère de bois dans la sauce.

– Devine qui t'aime...

– Je ne sais pas.

– Essaye !

Il lui prend les mains et se tourne vers elle, terriblement sérieux.

– Non. Je veux t'entendre le dire.

Ses yeux sont dans les siens et elle s'y noie.
– Je t'aime, lui dit-elle.
– Moi aussi, je t'aime.
Cela ne résout rien, bien au contraire, sans doute. Mais, *Madre !* le bonheur, le soulagement de pouvoir le lui dire... Le bonheur, le soulagement de l'entendre aussi.
Après le dîner, après le champagne, le gâteau, la rose rouge, ils vont se coucher et elle laisse son amour définitivement laver son corps de toute souillure.

15

Cela dure deux semaines. Plus tard, elle s'en souviendra peut-être comme de la période la plus heureuse de sa vie. Deux semaines. Treize jours, pour être précis. Remarquables par leur normalité, par le fait qu'il ne s'est rien passé de spécial.

Il y a eu la Nuit de Guy Fawkes [1] où tout le village était rassemblé autour du feu de joie allumé sur le promontoire est. La main d'Hannah, pas très rassurée, est enfouie dans la sienne, tandis que Aidan la tient par les épaules. Le feu d'artifice, explosions de bruits et de couleurs, illumine le ciel avant de redescendre en longues traînées étincelantes pour se noyer dans la mer. Les enfants, muets de ravissement, se réchauffent les doigts près du feu où grillent les châtaignes. Harry, du Sun Inn, verse le vin chaud à la louche.

Elle se souviendra du dîner où elle a invité ses amis, où Babs flirte avec le pasteur qui, lui-même, les amuse avec des tours de cartes, tandis que Mary Anne et Joyce parlent de la vie sexuelle du troisième âge !

Des longues marches et d'une visite au sanctuaire des phoques à Gweek. Son plaisir quand on lui demande de venir parler de son travail à une réunion du Women's Institute ; quand elle gagne le concours de karaoké au Sun – tout le monde rit et la taquine. Elle offre une

1. Guy Fawkes (1570-1606), officier catholique anglais qui fut l'un des chefs de la Conspiration des poudres. Ce complot catholique avait pour but de faire sauter le Parlement. Guy Fawkes fut arrêté au moment où il allait mettre le feu aux poudres. Il fut condamné à mort et exécuté. *(N.d.T.)*

tournée générale et, quand ils lèvent leur verre à sa santé, elle comprend qu'elle est acceptée.

– J'espère que vous vous installerez définitivement, lui dit quelqu'un.

Elle ne pourra pas oublier la relative sérénité, la tranquillité d'esprit qu'elle connaît au cours de ces treize jours. Comme si le temps était suspendu.

Le temps d'aimer Aidan, le temps d'aimer Hannah.

La première fois qu'Hannah voit la neige.

– 'Gade, maman ! Du give, dit-elle.

Elle vient juste d'apprendre le mot.

– Non, *carina*, ce n'est pas le givre, c'est la neige.

Mais Isabella est incapable de lui expliquer la différence.

– Est magique ?

– Oui, d'une certaine façon !

Le souvenir aussi d'Hannah quand elle lui lit une histoire avant de s'endormir. L'expression émerveillée de l'enfant dont la tête s'enfonce déjà dans l'oreiller, le lapin et l'ours toujours à côté d'elle.

Le drôle de chantonnement monotone d'Hannah pendant qu'elle joue avec ses jouets. Ses yeux changeants, son menton pointu, son ventre rond et ses jambes grêles à la peau transparente. Sa curiosité croissante, son obstination alors qu'elle commence à se forger sa propre personnalité. Sa nature affectueuse et son attention aux autres.

– Tu travailles, maman, dit-elle quand Isabella s'assoit devant son ordinateur. Suis tranquille, chuuut ! ajoute-t-elle en posant un doigt sur sa bouche puis sur celle de sa poupée.

Et quand elle pousse Hannah sur la balançoire...

– Plus haut ! Plus haut ! crie l'enfant de sa voix aiguë.

Son petit visage si doux, tout froid dans l'air vif de la Cornouaille, et insouciant. Le sourire en rayon de soleil. C'est l'image qu'Isabella gardera toujours d'elle.

Et le samedi arrive. Treize jours se sont écoulés depuis

leur anniversaire. Onze semaines depuis cet autre samedi. On est le samedi 16 novembre et, comme pour l'autre, Isabella aura des raisons de s'en souvenir. Elle commence la journée selon sa routine habituelle, met la bouilloire à chauffer, moud le café, ouvre les rideaux sur le soleil qui brille... ainsi que sur l'herbe couverte de gelée blanche. Elle caresse Garibaldi et lui donne à manger. Elle se prépare et, une fois prête, va réveiller Hannah. Elle l'aide à s'habiller ; l'enfant a appris à fermer elle-même les boucles de ses chaussures. Elles prennent leur petit déjeuner ensemble. Quand elle débarrasse la table, Hannah apporte prudemment sa tasse, son bol et sa cuillère, et les dépose dans l'évier. Il est dix heures, elles sortent. Hannah veut faire de la balançoire et demande à Isabella de la pousser.

Plus haut, plus haut !

Le téléphone sonne. Isabella soulève Hannah et la repose par terre avant de se précipiter à l'intérieur pour répondre.

C'est Neil qui appelle pour finir d'organiser sa visite. Ils parlent quelques instants – Je suis contente de vous entendre – Alors, à bientôt – et ils raccrochent.

Cela a duré au maximum cinq minutes. Isabella retourne dans le jardin.

Il y a une couche de gelée blanche sur tout. De cette image aussi, elle se souviendra : le ciel pur et monotone, le paysage scintillant. Et la balançoire où est posé l'ours d'Hannah.

Mais Hannah n'est pas là. Où est-elle passée ?

Le portillon du jardin est ouvert. Une sonnette d'alarme se déclenche dans l'esprit d'Isabella mais elle la fait taire, se souvenant de ce pique-nique où elle s'est affolée pour rien.

– Hannah ? appelle-t-elle dans le jardin. *Cara ?*

Aucune réponse. L'inquiétude revient, plus forte. Elle fait rapidement le tour par l'arrière du cottage – peut-être Hannah se cache-t-elle. Depuis quelques jours, elle se montre taquine. Elle s'amuse à guetter Isabella et à jaillir du coin où elle s'est cachée en criant : « Bouh ! »

Elle n'est pas à l'arrière.

Isabella ne peut contrôler la peur qui l'étreint. Elle court jusqu'au portillon et scrute le chemin, à gauche en direction du phare, à droite vers la route. Aucun signe de l'enfant.

– Hannah ! crie-t-elle.

Elle se concentre dans l'attente d'une réponse. Elle écoute de toutes ses forces.

Affolée, elle court aussi vite qu'elle le peut vers la route. Pas une âme, en ce samedi matin de gelée. Un chat, perché en haut d'un mur, observe sa course frénétique de ses yeux à moitié clos.

Elle s'arrête au virage, le souffle court, l'air froid lui brûle la poitrine. De là, rien n'arrête la vue. Tout le village s'étend devant elle. Il n'y a qu'un couple âgé qui se tient par le bras et traîne un sac à provisions sur roulettes ; deux voisins en train d'échanger les nouvelles ; une femme en train de battre un tapis devant sa porte et deux chiens très occupés à faire connaissance. Hormis cela, la rue est déserte.

Elle court à présent vers le haut de la pente, de plus en plus essoufflée, avec de grands mouvements désordonnés des bras. Elle dépasse le parking, la maison du chirurgien et se dirige vers la grève de Tregurran.

– Vous n'auriez pas vu une petite fille ? demande-t-elle en criant à un jardinier en train de biner la bordure du chemin.

Non, désolé, mais il n'a vu personne.

L'enfant n'a pu s'aventurer si loin toute seule. Elle n'avait aucune raison de prendre cette route. Isabella est folle de terreur à l'idée de ce qui a pu arriver. Elle fait demi-tour et repart dans la direction d'où elle vient.

– Hannah, Hannah !

Elle redescend le sentier, repasse devant le même chat et, nouvel espoir, se dit que la petite fille est peut-être rentrée d'elle-même au cottage. Elle revient encore sur ses pas, toujours courant, et se précipite à l'intérieur.

– Hannah !

Personne. Elle ressort, court vers l'escalier qui mène à la grève. D'affreuses images lui viennent à l'esprit, d'une enfant fracassée contre les récifs.

On est à marée haute. Seules les deux marches les plus hautes sont découvertes. Mon Dieu ! Mon Dieu... Isabella adresse des supplications frénétiques à une divinité en laquelle elle n'a jamais cru. Une peur épouvantable lui coupe le souffle tandis qu'elle scrute les rochers, à la recherche d'une tache de couleur dans l'eau grise. À moins qu'Hannah n'ait été emportée vers le large comme une pauvre marionnette.

– Isabella, que se passe-t-il ? demande Joyce depuis sa fenêtre ouverte.

Ses cheveux gris sont enroulés sur des bigoudis. Isabella ne l'entend pas, continue de courir comme une folle. Elle trébuche sur la chaussée qui mène à la chapelle, pousse la porte puis la secoue, au cas où l'enfant serait à l'intérieur, mais la porte est solidement fermée à clé. Elle est toujours fermée. Isabella continue à grimper, glissant et tombant sur la fougère gelée. Elle s'écorche les mains et les genoux ; sa jupe se prend dans les ajoncs. Elle ne se rend compte de rien.

Droit devant elle, elle aperçoit le chêne creux et, pendant un instant, une bouffée d'optimisme la reprend : c'est évident ! Isabella bondit. Mais il n'y a pas d'enfant cachée dans le tronc. Elle s'accroche à l'arbre comme pour s'y incruster, les yeux fermés sur ce dernier espoir qui s'envole.

Elle cherche encore pendant une demi-heure. Il est presque onze heures. Il y a des gens dehors, des gens qui la voient courir dans tous les sens, hagarde, échevelée. Quelqu'un – qui ? – lui demande ce qui se passe. Un autre la prend par le bras tandis qu'elle sanglote, disant qu'elle a perdu Hannah, qu'Hannah est partie, Hannah n'est plus là... Elle balbutie des mots incohérents. On la ramène chez elle où on essaye de la faire asseoir, mais elle fonce à l'étage dans la chambre d'enfant.

Ses pas sur le plancher font vibrer les animaux du mobile suspendu au-dessus du lit. Elle se jette sur le lit, respire sur la couette et l'oreiller l'odeur de vanille de sa peau et de ses cheveux si doux. Elle regarde sans les voir le lion et le zèbre, la girafe et le singe, l'hippopotame et la gazelle qui oscillent amicalement au-dessus d'elle.

Résignée.

Elle ne reverra jamais Hannah. Elle l'a rêvée. Tout ce qui l'entoure n'était qu'un rêve.

Aidan la conduit au poste de police de Truro. Ils sont deux à lui poser des questions, dont une femme. Ils la traitent avec ménagement et lui parlent d'une voix apaisante. On lui apporte une tasse de thé, qu'on l'encourage à boire. Ils se montrent très patients quand elle n'arrive pas à parler. Aidan est tout près d'elle, bouleversé, et lui écrase presque les mains dans les siennes.

Quelle taille ?

Elle ne l'a jamais mesurée. Petite, toute petite. Elle lui arrive à peine à la hanche.

Couleur des cheveux ?

Roux.

Elle a vos beaux cheveux, alors.

Les siens sont tout légers, comme un pissenlit en graine.

Des yeux noirs comme vous ?

Non. Gris-vert. Des yeux changeants, comme la mer. Sérieux, observateurs. Et une peau si fine, si transparente qu'on voit les veines.

Isabella est hagarde. Elle est pliée en deux sur sa chaise dans la petite pièce à la blancheur presque clinique, les bras serrés sur le ventre tandis qu'ils l'interrogent, lui font revivre sa matinée pas à pas, ces heures qui lui paraissent déjà distantes, irréelles.

– Essayez de ne pas vous inquiéter, lui conseille la femme.

– Cinq minutes ! se plaint Isabella. Je ne l'ai pas laissée seule plus de cinq minutes.

– Vous n'avez rien à vous reprocher, dit encore la femme policier, avec un regard à l'intention de son collègue.

– N'y a-t-il personne qu'elle connaît et chez qui elle aurait pu aller ? demande-t-il.

Elle secoue la tête.

– Vous vous occupez d'elle vous-même ?

Malgré son angoisse, elle devine que, si subtilement que ce soit, il essaye quand même de savoir si ce n'est pas elle qui aurait pu faire du mal à l'enfant.

– Oui. J'avais une aide ces dernières semaines mais elle cst partie.

– Pourquoi ?

Elle a un gémissement involontaire en repensant aux circonstances du départ de Sophia.

– Elle a déménagé.

– Avez-vous un numéro de téléphone où l'on puisse vous joindre ? lui demande la femme, en réalité presque une gamine encore.

Elle acquiesce de la tête.

Ils s'adressent à Aidan, ensuite. Elle n'entend rien de ce qu'ils lui demandent ni de ce qu'il leur répond. Son esprit s'est fixé sur une mouche qui a entrepris la traversée du plafond. Elle doit avoir des petites ventouses au bout des pattes, rêve-t-elle, pour rester collée comme ça. Une image lui traverse l'esprit, celle du plafond qui s'écrase au sol, aplatissant la petite mouche ; et eux tous. Le sol est jonché de fragments de plâtre, comme les tables fracassées des Dix Commandements avec des morceaux de sa déposition – un mot par-ci, un mot par-là...

Elle est sûre qu'Hannah est morte. On la retrouvera un jour, un pêcheur remontera son corps. On aura repéré sa salopette rouge. Sa vraie mère a-t-elle ressenti, en l'abandonnant, ce que ressent Isabella ? Ce besoin de la voir qui ne se fait pas oublier un seul instant ? Peut-être a-t-elle tout surveillé d'un coin caché pour voir qui emmenait son enfant ? Et si, au bout de plusieurs heures, l'enfant avait toujours été là, devant le marchand de journaux, elle l'aurait peut-être reprise ?

Isabella a échoué à son examen d'amour maternel. Elle n'a pas été capable de protéger Hannah. Peut-être, après tout, Dieu existe-t-il et lui envoie-t-il sa punition, marquée au coin d'une ironie divine...

– Nous vous tiendrons au courant dès que nous aurons du nouveau, affirme la femme policier.

– Je veux mourir, murmure-t-elle pendant qu'Aidan l'aide à se lever.

C'est elle qui dit cela, Isabella qui a si peur de la mort.

Ce genre de nouvelle se répand vite. Au cours des jours qui suivent, c'est un défilé constant. Tout le monde se retrouve chez elle, essayant de lui changer les idées, de la consoler. On lui apporte des gâteaux, des pots de miel, des petits bouquets.

Elle préférerait qu'on la laisse seule.

La maison est pleine de souvenirs d'Hannah, mais aucune trace du lapin en tricot. Il a disparu avec elle.

Les jours s'étirent interminablement.

Une mère désespérée craint le pire, titre à la une le journal régional. Le quotidien national qu'elle a l'habitude d'acheter se contente de quatre lignes. On en parle peut-être aussi dans d'autres journaux mais elle ne cherche pas à savoir. Comment la presse nationale est-elle informée de ce genre de chose ?

– C'est leur boulot, lui dit Aidan.

– Je les hais !

Il essaye de la faire manger.

– Ne te laisse pas aller comme ça, je t'en prie, mon petit écureuil.

Il lui tend sa propre fourchette.

– Non, je ne peux pas. Cela me rend malade, dit-elle en repoussant la fourchette.

Elle est blême et elle a maigri. Ses yeux noirs sont devenus ternes. Aidan lui dit qu'elle ressemble à un beau fantôme.

– Nous poursuivons les recherches, lui assure la police.

Elle a un choc en apprenant qu'ils ont interrogé deux hommes d'ici qui ont un casier judiciaire pour agression sexuelle sur enfants. Elle n'aurait jamais cru que des pédophiles puissent exister dans ce coin béni.

Debout sur le rivage, elle regarde un hors-bord où se trouvent des policiers et des plongeurs en tenue d'homme-grenouille. Un hélicoptère a déjà fait de lents passages à basse altitude entre les deux promontoires, provoquant l'envol bruyant des goélands. La brume monte de la mer, se dissipe, revient... Isabella se torture elle-même. Elle guette sans cesse le cri par lequel ils annonceront qu'ils ont trouvé quelque chose. Le bruit sinistre des pales de l'hélicoptère, le grondement du hors-bord qui s'éloigne sur l'eau, les craquements de la radio de la police... De petits groupes de villageois venus assister au dénouement... Babs et Joyce qui la soutiennent... Elle voit l'enfant parmi les poissons, emmêlée dans les algues au fond de l'eau. Un bébé flottant.

Nuit après nuit, elle reste éveillée, le dos d'Aidan contre elle, hantée par d'abominables images. Trouvée un samedi. Disparue un samedi. L'enfant du samedi. L'enfant de nulle part. En prêt pendant onze semaines. Elle aussi, elle est née un samedi.

Le vendredi est arrivé. C'est l'après-midi et elle s'est assise sur la balançoire, dehors malgré le crachin. Elle se balance d'un air absent. Le bruit d'une voiture lui parvient, une voiture qui monte et tourne dans l'allée. Avec un terrible pressentiment, elle la regarde s'arrêter dans l'allée. Elle se balance plus vite, essayant de se concentrer sur le mouvement rythmé.

Ils sortent de la voiture : la femme policier qu'elle connaît déjà, accompagnée d'un homme qu'elle n'a jamais vu. Il n'est pas en uniforme. Les deux claquements des portières qu'on ferme lui parviennent. Son cœur bat sourdement. Elle ne se lève pas et se contente de les laisser entrer par le portillon ouvert – plus besoin de s'en soucier à présent. Ils se dirigent vers elle, l'air sinistre. Isabella continue désespérément de se balancer, les lèvres serrées, dans l'attente de mauvaises nouvelles.

– Nous l'avons retrouvée, Isabella, elle va bien, lui annonce la femme.

Elle s'arrête net de se balancer et les regarde d'un air incrédule. Un sourire apparaît lentement sur son visage et elle se met soudain à rire. À rire et à pleurer. Effondrée sur la balançoire, sanglotant dans ses mains.

Dans son émotion, elle n'a pas pris garde à leur expression sévère.

La femme policier lui pose doucement la main sur la tête et Isabella se laisse aller contre elle, contre le drap de son uniforme.

– C'est votre baby-sitter qui l'a emmenée, Sophia Gundry.

– Sophia ? Sophia l'a emmenée ? Elle ? Non, ce n'est pas possible !

– Si, c'est elle, dit l'homme, parlant pour la première fois.

Le regard de la femme policier va de l'homme à Isabella, plein de compassion.

Quelque chose cloche. Ils lui cachent quelque chose. Ils sont trop graves. Et pourquoi n'ont-ils pas amené Hannah avec eux ?

– Où est Hannah ? Qu'est-ce qui lui est arrivé ? Pourquoi n'est-elle pas avec vous ?

Sa voix monte, rendue aiguë par l'angoisse qui revient abruptement après l'euphorie de l'instant précédent.

L'homme s'avance. Il est grand et baraqué, avec des yeux proéminents. Elle les remarque aussitôt, ces yeux proéminents et dépourvus de cils. Et ces énormes narines dilatées, comme des entonnoirs, qui s'approchent d'elle tandis qu'il se présente : Inspecteur... Elle ne saisit pas le nom.

– Il semble que Mme Gundry ait lancé des accusations sérieuses contre vous, dit-il.

Le sang cogne dans ses oreilles et des taches noires passent devant ses yeux. Elle se retient à la chaîne de la balançoire pour ne pas tomber.

– Quelles accusations ?

Sa voix lui parvient de très loin.

– En fait, vous ne seriez pas la mère de l'enfant. Il semblerait qu'elle ait lu votre journal. Mademoiselle Mercogliano, j'ai le regret de vous informer que je vous arrête pour répondre d'enlèvement d'enfant.

Il a reniflé en disant son nom.

– Madame, le reprend-elle d'une voix éteinte. Pas Mademoiselle. Madame.

Il l'empoigne rudement par le bras.

Voilà. C'est fini.

16

La femme policier lui fait suivre un couloir au sol de lino qui lui rappelle l'hôpital où sa mère est morte. Elle la conduit en salle de garde à vue, une grande pièce avec un ordinateur sur une table. La jeune femme fait asseoir Isabella. Elle paraît mal à l'aise, étant passée d'un rôle consolateur à un rôle répressif. Isabella garde les yeux fixés sur ses vilains doigts, qu'Aidan aime tant parce qu'ils sont aptes au travail.

L'inspecteur revient avec un homme plutôt petit et tout rond. Il le lui présente comme l'officier responsable de la garde à vue. Ce dernier va s'installer devant l'ordinateur, cherche la meilleure position sur sa chaise et appuie sur différentes touches. Il se renverse en arrière et adresse un petit signe de tête à son collègue, qui inspire en ouvrant ses grandes narines et commence à parler d'une voix monotone :

– La suspecte est arrêtée à 16 h 57 aujourd'hui vendredi 22 novembre.

A été arrêtée, corrige-t-elle malgré elle. Il ne connaît pas sa grammaire !

– En résumé : au cours des trois derniers mois, elle s'est occupée d'une petite fille en prétendant être sa mère alors qu'en réalité elle l'avait enlevée. L'enfant a été retrouvée saine et sauve aujourd'hui à 11 h 07 – voir rapport correspondant –, ayant été enlevée par une certaine Mme Sophia Gundry, qui a été pendant une brève période la baby-sitter et la femme de ménage de Mlle Mercogliano.

– Madame, murmure Isabella qui fait briller le Formica de la table, du bout des doigts.
– Qu'avez-vous dit ? demande le policier qui est en train de taper à l'ordinateur et vient de s'arrêter en l'entendant.
– Madame. J'ai l'habitude qu'on me dise « Madame » et non pas « Mademoiselle ».
– Je vous en prie !
L'inspecteur qui l'interroge lève les yeux au ciel avant de reprendre.
– Je disais donc : au cours de l'interrogatoire de Mme Gundry, il est apparu que Mlle Mercogliano n'est pas la mère et, en réalité, a elle-même enlevé l'enfant...
– Comment ce fait est-il parvenu à votre connaissance ? demande l'autre policier.
– Mme Gundry affirme avoir lu le journal tenu par Mlle Mercogliano.
Le « g » de son nom ne se prononce pas mais il insiste lourdement dessus, avec un bruit de gargarisme. C'est un beau nom musical quand on le prononce correctement mais la langue de l'inspecteur bute maladroitement sur les syllabes et Isabella se hérisse à chaque fois.
– L'abondance des détails fournis par Mme Gundry nous a convaincus qu'elle disait la vérité. Il semblerait que Mlle Mercogliano ait pris l'enfant en question devant le magasin d'un marchand de journaux de Londres et se soit ensuite enfuie jusqu'ici, en Cornouaille. Elle a teint les cheveux de l'enfant pour qu'ils aient la même couleur que les siens et qu'elle puisse donc passer pour sa fille. Tout cela était calculé. Après avoir entendu la déposition de Mme Gundry, je me suis rendu avec l'agent Harries au domicile loué à Pengarris Cove par Mlle Mercogliano et j'ai procédé à son arrestation pour l'enlèvement d'un enfant contre sa volonté.
– La suspecte a-t-elle montré la moindre résistance ?
– Non. Aucune.

L'officier de garde à vue arrête de taper et se retourne vers Isabella.

– Madame Mercogliano, dit-il en utilisant le « Madame » qu'elle a réclamé. Madame Mercogliano, vous venez d'entendre le rapport de l'inspecteur. Avez-vous quelque chose à ajouter ?

– Non. Si. Je l'ai fait pour le bien de l'enfant. Je ne l'ai pas emmenée contre sa volonté. Elle avait été abandonnée.

Et où se trouve-t-elle à présent ? Quel sera son avenir, maintenant ?

Ces pensées la désespèrent.

L'officier fait la moue et l'observe.

– Madame Mercogliano, l'accusation est extrêmement sérieuse. J'autorise votre garde à vue pendant douze heures. Si nécessaire, nous demanderons au juge la permission de la prolonger pour que la police puisse poursuivre son enquête. À cause du week-end, vous ne serez pas entendue par le juge avant lundi.

Il échange quelques mots avec ses collègues, lui adresse un bref hochement de la tête et s'en va.

Isabella se tourne aussitôt vers les deux autres.

– Et Hannah ? Qui s'occupe d'elle ? Où est-elle ?

L'inspecteur lui répond qu'ils n'ont pas le droit de le lui dire.

– Je vous en prie. J'ai besoin de le savoir.

La femme lui apprend qu'elle est placée, en sécurité. Jusqu'à ce qu'on retrouve la trace de sa mère.

– Que voulez-vous dire, « placée » ? Qu'est-ce que cela veut dire ?

L'enfant qu'elle couvait avec tant de soin, d'instinct. L'enfant qui hurlait, perdue, mouillant sa culotte et appelant sa mère. Et « Grabla ».

– Elle est dans une institution ? Dites-le-moi !

Elle frappe des deux poings sur la table, faisant tressauter un crayon qui se met à rouler.

La femme a pitié d'elle. Elle lui explique qu'une

assistante sociale d'ici, une femme très consciencieuse, l'a prise chez elle, le temps qu'on s'organise mieux.

– Écoutez, vous ne devez penser qu'à une chose. Elle est vivante. Elle est en sécurité. Hier, vous croyiez...

L'inspecteur lance à la femme policier un regard noir.

– Je crois que vous avez fait le tour de la question, agent Harries !

Il joint les mains, appuyant le bout de ses doigts les uns sur les autres, et les pointe vers Isabella.

– Mademoiselle Mercogliano, je vais vous informer de vos droits. Vous pouvez consulter le Code si vous le désirez. Vous pouvez aussi passer deux appels téléphoniques – un pour expliquer à qui vous le désirez où vous vous trouvez, et un autre pour appeler un avocat.

Cela produit un déclic dans sa mémoire. Elle avait complètement oublié que Neil arrivait ce soir même ! Il est peut-être même déjà là. Elle se met à rire sans pouvoir s'arrêter tandis que des larmes ruissellent sur ses joues. Elle suffoque. Ses joues la brûlent et sa gorge lui donne l'impression de gonfler. Elle s'étouffe.

La femme policier se précipite vers elle et lui met la tête entre les genoux.

– Respirez profondément, respirez lentement, dit-elle, les deux mains fermement appuyées sur les épaules d'Isabella. Là, c'est bien, c'est très bien...

Isabella est vaguement consciente de sa voix. Elle l'entend à peine demander à l'inspecteur d'aller chercher un verre d'eau. Elle a l'impression que sa tête ne tient plus sur ses épaules.

– Soufflez aussi longuement que possible... Maintenant, inspirez...

Elle reprend peu à peu un rythme de respiration normal et boit le gobelet d'eau que la femme tient devant elle.

– Ça va mieux ?

– Oui. Merci. Excusez-moi.

Elle se redresse sur sa chaise et, appuyée contre le

dossier, prend quelques instants pour récupérer. Elle ignore l'inspecteur qui s'agite avec impatience sur l'autre chaise.

– Je n'ai besoin de passer qu'un seul coup de téléphone, dit-elle quand elle a repris ses esprits.

Il pousse vers elle le téléphone posé sur la table.

– Faites le 9 pour avoir l'extérieur, grogne-t-il.

C'est la fin de sa relation avec le seul homme qui ait jamais compté pour elle.

Elle compose le numéro d'Aidan. Il répond de sa voix de basse, pleine de tendresse quand il reconnaît Isabella.

– Mais où es-tu donc ? J'ai essayé de t'appeler. Je suis même allé chez toi. Je m'inquiétais.

Il y a un léger écho dans sa grande cuisine et sa voix résonne. Elle l'imagine très bien.

Elle lui explique calmement ce qui est arrivé et pourquoi elle a été arrêtée. La présence des deux autres l'embarrasse. Elle éprouve une peine épouvantable au changement de ton d'Aidan – il est choqué, abasourdi, puis légèrement tendu. Il prend déjà de la distance.

– Je viens tout de suite.

– Non ! dit-elle avec force.

Elle lui demande, au contraire, d'entrer en contact avec Neil, de sa part, au Ship Inn.

Il lui dit « Alors, au revoir » d'un ton stupéfait, comme s'il ne la connaissait plus. Elle repose le combiné avec la sensation douloureuse que quelque chose d'irrémédiable vient de se produire mais serre les dents pour ne pas trahir ses émotions devant l'inspecteur.

Du coin de l'œil, elle le voit se lever pour quitter la pièce. Il lui annonce que la femme policier va la fouiller, la regarde avec mépris quand elle prend l'air horrifié, et sort.

– C'est la procédure habituelle. Je suis désolée, Isabella, dit la femme.

À son expression, on peut voir qu'elle dit la vérité.

Isabella a les yeux brûlants d'humiliation tandis

qu'elle se déshabille sous le regard navré de l'autre femme.

Après, celle-ci la guide en haut d'un escalier puis dans un couloir. À mi-chemin, elles tournent dans un autre couloir et s'arrêtent devant une lourde porte de métal. Elle est brusquement au bord de l'évanouissement et sent ses intestins se relâcher.

– Il y a des toilettes à l'intérieur, dit le jeune policier qui les accompagne, en désignant la cellule quand elle demande à y aller.

Isabella se tourne vers la femme.

– Je l'emmène, dit-elle.

Et elles continuent le long du couloir, devant une porte marquée « réserve » et une autre marquée « armoires ».

La femme policier ouvre la porte des toilettes pour dames, avec une des clés pendues à sa ceinture, et attend à l'extérieur. Isabella découvre son visage dans le miroir au-dessus du lavabo tandis qu'elle se lave les mains : blême, l'air anémique dans la lumière crue des néons.

La cellule fait un peu moins de trois mètres sur quatre. Les murs sont couverts de graffiti. Il y a un banc de bois qui, lui dit-on, sert aussi de lit. Derrière une séparation en brique, des toilettes en aluminium dont on a ôté le siège. La puanteur de la honte.

On viendra la chercher dans une heure environ pour l'interrogatoire et la déposition, lui annonce la femme policier. Plus tard, on lui servira son repas. Attend-elle la visite d'un avocat ?

Elle l'espère. Elle l'espère sincèrement.

– Je vais vous apporter quelques magazines et du thé, mais il n'est pas terrible. Comment le prenez-vous ?

– Avec du lait, mais sans sucre. Merci, répond-elle en réussissant à lui adresser un faible sourire.

– Je regrette mais je dois vous prendre votre ceinture et votre sac.

La porte se referme en claquant derrière elle. Isabella

se retrouve seule, envahie par une impression d'irréalité. Elle n'arrive pas à croire qu'elle se trouve là. Qui aurait imaginé cela quelques mois plus tôt, alors qu'elle menait sa vie normale, élégante, bien organisée ? Sa mère doit se retourner dans sa tombe.

Elle s'assoit sur le banc et, pour s'occuper, commence à lire les graffiti : « Les flics sont des salauds. » « Un demi-joint vaut mieux que pas de joint du tout. » « Merde aux flics. » « J'aime Tracy. » « Moi pas, mais c'est un bon coup. » Une inscription la fait particulièrement frissonner. C'est écrit en rouge : « Si tu veu bien te faire baisé, apèle mon vieu. Il me baise tout les nuit et j'ai quatorze ans. »

La tragédie de toute une classe sociale abandonnée est écrite sur ce mur.

La femme policier revient avec un gobelet de thé et des magazines féminins.

– C'est horriblement triste, dit Isabella en désignant l'inscription rouge.

– Affreux, n'est-ce pas ? Mais bien sûr, c'est peut-être inventé.

Les doigts inquisiteurs de son père entre ses jambes – juste avant de les retirer, effrayé par ses propres gestes.

– Qui était-ce ? Comment une fille de quatorze ans peut-elle se retrouver ici ?

– Pour avoir poignardé et presque tué une autre fille de son âge. Sympathique, non ?

Madre, il y a tant de tristesse dans le monde ! Et elle qui voulait seulement donner sa chance à Hannah !

Une heure passe. Isabella lit la recette de la gelée de mûres et des conseils sur la meilleure façon de tricher avec sa silhouette quand on a la forme d'une poire. Elle trouve que la femme qui a servi de modèle était mieux avant qu'après. Des voix étouffées lui parviennent du couloir. Le bruit de la clé dans la serrure retentit.

– Eh bien, moi qui ai toujours rêvé d'être enfermé avec une sirène ! s'exclame Neil.

Il la prend dans ses bras et l'embrasse sur les deux joues.

Elle se doute qu'il a dû préparer son entrée. Elle est incroyablement contente de le voir.

– Pourquoi avez-vous fait cela ? lui demande-t-il.

– Parce que... Connaissez-vous le mot français *éclat* ?

– Pas vraiment. Je ne suis pas très doué pour les langues.

– En particulier l'expression *éclat de soleil* ? C'est exactement ce que j'ai ressenti en voyant son visage. Cela m'a... Elle m'a éblouie. Je ne peux pas l'expliquer. Désolée, mais je ne peux pas vous dire mieux.

– Mais cela vous ressemble tellement peu !

– Qu'y puis-je ? Je n'avais jamais commis la moindre excentricité, jusque-là. Ma vie était parfaitement organisée.

Pourtant, des signes avant-coureurs étaient apparus, et elle aurait pu les reconnaître si elle avait pris la peine de s'interroger sur elle-même. Un ensemble de facteurs complexes menaient à cet acte, ils avaient pris une importance croissante au fil des années. Les psychologues les auraient repérés avec gourmandise.

– Et vous regrettez votre geste, bien sûr, reprend-il d'un ton convaincu.

Elle enroule ses bras autour de ses épaules. Son regard fatigué fait le tour de la pièce : cet homme, puis le vernis de ses ongles qui s'écaille, la fenêtre d'où l'on ne voit rien et son image reflétée par les vitres...

– Isabella ? Je suis sûr que...

Elle ramène son regard sur lui. Une fois de plus, il s'émerveille de la façon dont son regard transforme son visage, le fait passer de la banalité à la vraie beauté. Elle secoue la tête, avec son geste habituel, si éloquent : elle tend la main, paume en avant.

– Que dire ? Comment pourrais-je avoir le moindre regret ?

– C'est insensé, cette garde à vue, dit-il quand elle a fini de tout lui raconter. Ils vont m'entendre ! On essayera de vous faire sortir d'ici dès que vous aurez terminé votre déposition.

Il a les cheveux coupés très court, ce qui rend son visage rond encore plus rond et ses grandes oreilles encore plus grandes. Un sourire furtif apparaît sur les lèvres d'Isabella.

– Je suis tellement soulagée de vous voir ! dit-elle. Mais je suis désolée, j'avais tout oublié. J'aurais dû vous appeler pour annuler...

– Ne dites pas de bêtises. Heureusement que vous ne l'avez pas fait ! Au moins, je peux me rendre utile.

– Vous étiez là pour vous reposer, en principe. Vous voulez bien me représenter ? Je veux dire : comme avocat ?

– Bien sûr, si vous le désirez.

– Je suis désolée, répète-t-elle, au bord des larmes.

– Tout va bien. Tout va s'arranger. On va vous tirer de là.

Il émane de ses yeux tombants quelque chose qui la rassure. Elle voudrait lui faire entièrement confiance mais elle est un peu trop réaliste pour cela.

– J'ai failli oublier, dit-il. Je vais devoir trouver quelqu'un qui me prête un costume. Je ne peux pas me présenter devant la cour habillé en jean.

La salle d'interrogatoire se situe au rez-de-chaussée. C'est là que, six jours plus tôt, on lui posait des questions en cherchant à la réconforter. Aidan était près d'elle et lui tenait la main.

L'inspecteur lui adresse les avertissements d'usage.

– Vous avez le droit de ne rien dire mais cela peut nuire à votre défense si vous ne révélez pas, maintenant, quelque chose dont vous voudriez faire état par la suite devant le tribunal...

Elle expose aussi fidèlement que possible la suite des événements de ce samedi matin, voilà trois mois. L'inspecteur refuse de croire qu'elle avait l'intention d'amener l'enfant à la police.

– Quand vous l'avez prise, vous ignoriez qu'elle avait été battue, dit-il.

– Oui, mais, comme je vous l'ai déjà dit, il était évident qu'on l'avait abandonnée.

– Il fallait l'emmener directement à la police, en ce cas, et pas chez vous.

– Ne dites rien, la retient Neil. Ma cliente n'a rien à ajouter, déclare-t-il à l'inspecteur.

L'interrogatoire s'achève. L'inspecteur note l'heure et éteint le magnétophone.

– Oh ! à propos, dit Neil à l'inspecteur, j'estime votre attitude très choquante.

Il ne réussit pas à la faire libérer.

Quand ils reviennent dans la cellule, quelqu'un a installé un matelas, un oreiller et une couverture sur le banc.

– De vrais urbanistes ! s'exclame-t-il.

– Des urbanistes ? s'étonne Isabella.

– C'est comme ça que j'appelle les esprits bornés. Pas la moindre idée personnelle dans leur micro-cervelle.

Il a parlé le plus fort possible pour qu'on l'entende dans le couloir. Isabella entre aussitôt dans le jeu.

– Et en plus, l'inspecteur est un affreux misogyne, ajoute-t-elle en haussant la voix.

Ils échangent un bref sourire de conspirateurs.

– Le problème, explique Neil, est le suivant : ils savent que vous ne représentez aucune menace pour quiconque. Ils se rendent compte que vous n'irez pas enlever d'autres enfants. Il y a même de fortes chances pour qu'ils croient votre histoire. Le problème, c'est que cela n'entre dans aucune catégorie connue. Il n'y a pas d'antécédent auquel ils pourraient se référer. L'enlèvement d'une personne contre sa volonté – et sur le papier, c'est de cela qu'il s'agit –, c'est un crime et, pour la police, c'est tout ce qui compte.

– *Madre !* J'en apprends, des choses...

– Isabella, ce sera la cour d'assises. Vous n'y échapperez pas. Attendez-vous aussi à une grosse publicité autour de votre cas. Les journaux vont s'en donner à cœur joie : une enfant maltraitée, abandonnée, enlevée et de nouveau enlevée.

Des yeux, il fait le tour de la cellule avant de revenir vers elle.

– Je déteste vous voir dans ce trou infect... Écoutez, la première chose que je vais faire en sortant d'ici, c'est d'appeler mes relations pour savoir quel est le meilleur avocat de la région.

– Cela va me coûter une fortune.

– Rien du tout en ce qui me concerne. Mais un bon avocat n'est pas gratuit.

– Oh, *Madre* !

Elle se tasse sur le banc et déplie un coin de la couverture, rêche comme de la toile de jute.

– Allons, ne vous laissez pas abattre. Je sais que c'est facile à dire, mais... Je reviendrai demain et, lundi, on demandera votre mise en liberté sous caution. Deux jours, c'est tout. Soyez forte. Je sais que vous êtes forte.

C'est ce qu'elle pensait, elle aussi. Maintenant, elle est au bout du rouleau.

– Je me suis mise moi-même dans ce pétrin. Je serais mal venue de m'apitoyer sur mon sort.

– Dites-moi, pensiez-vous vraiment ne pas vous faire prendre ? Et après ? Comment auriez-vous pu continuer à tromper tout le monde ?

– Je ne sais pas. Je ne sais pas ce qui m'a pris, dit-elle

sincèrement. Je ne voyais qu'une chose, le bien-être d'Hannah.

Il lui saisit la main. La sienne est soigneusement manucurée, large avec des doigts courts. Il porte toujours son alliance. Elle ne l'avait pas encore remarqué et se sent très émue.

– Vous êtes vraiment gentil. Merci pour tout.

– On est copains, non ? répond-il en se levant.

À l'idée qu'il va partir, elle éprouve un début de panique.

– Joyce, ma voisine, a un double de ma clé. Mon rapport est avec mes livres, entre Delia Smith et le dictionnaire d'anglais. Les photos et la lettre de la mère sont à l'intérieur.

– Bien, ce sera ma lecture de ce soir. Je vais aller le chercher tout de suite. Que voulez-vous que je dise à Joyce ?

– La vérité. Elle l'apprendra bien assez tôt, de toute façon. Comme tout le monde... Pouvez-vous aussi lui demander de nourrir Garibaldi ? C'est mon chat. Mon pauvre Garibaldi. Ma pauvre Hannah. Oh, *madre* ! Neil, si vous saviez comme j'ai peur...

Le policier qu'elle a déjà vu lui apporte son dîner sur un plateau : un bol de soupe de tomates, trois triangles de pain blanc beurrés avec économie, de la gelée et un gobelet d'eau. Il pose le tout sur le banc et sort. Quelques instants plus tard, le bruit de la clé dans la serrure annonce une autre visite, celle de la femme policier.

– Je vous rends votre ceinture et votre sac, lui dit-elle. Il n'y avait aucune raison de les garder. On a juste dû confisquer vos cigarettes et votre briquet.

– Et la lime à ongles ? demande Isabella.

– Quelle lime... ?

– Mais non ! Je plaisantais, c'est tout.

– Ah ! d'accord ! Bon, je vous ai apporté du dentifrice et du savon. Il y a aussi une lettre. C'est une copie parce qu'on devait garder l'original comme éventuelle pièce à conviction...

La nuit est tombée. Isabella lit cette lettre tout en mangeant sa soupe. Elle est surprise d'avoir aussi faim.

C'est une lettre de Sophia. « Chère Isabella », commence-t-elle.

Vous ne pouvez pas savoir comme je suis désolée pour tout – pour avoir pris Hannah et ensuite pour vous avoir dénoncée mais la situation m'a échappé et après ce soir affreux où vous m'avez trouvée avec Luke je me suis sentie tellement malheureuse ! Je suis allée chez mes parents pendant un moment mais on ne s'entendait pas très bien, alors je suis partie et mon père m'a loué un appartement. Il payait le loyer mais en réalité c'était seulement une chambre. J'ai fait la route de St. Austell à Pengarris tous les jours en espérant que j'aurais le courage de vous parler. Je me cachais près de la chapelle et je vous regardais jouer avec Hannah. Hannah me manquait terriblement, alors les choses se sont embrouillées dans ma tête et je l'ai prise pour Grace et j'avais très envie de vous parler mais je n'ai pas osé. Je savais que ce n'était pas vraiment votre fille parce que l'avant-dernière fois où j'ai travaillé pour vous j'ai trouvé votre rapport parce qu'il est tombé quand j'ai pris le Delia Smith. J'ai d'abord été très choquée que vous l'ayez volée et puis quand j'ai vu les photos de ma petite Hannah chérie pleine de bleus j'ai compris qu'en réalité vous l'avez sauvée et que vous aviez bien fait. C'est pour ça que je n'ai rien dit quand je vous ai vue et en plus vous étiez toujours si gentille et si généreuse avec moi ! Alors samedi dernier je me suis cachée à l'endroit habituel et je ne pensais pas du tout à prendre Hannah mais vous êtes rentrée dans la maison d'un seul coup et Hannah est restée seule alors je suis allée lui parler et elle était si contente de me voir que ça s'est fait tout seul.

Je veux vous dire que vous lui avez beaucoup manqué.

Je m'en suis très bien occupée mais elle n'a pas arrêté de réclamer sa maman et son Grabla...

« Oh, non ! » L'exclamation lui a échappé. Elle imagine si bien Hannah, elle la revoit telle qu'elle l'a vue pour la dernière fois, sur la balançoire avec son visage heureux. Plus haut, maman, plus haut.

Je voulais vous la rendre, je vous le jure. J'avais prévu de la ramener et de la laisser devant la maison à un moment où vous seriez à l'intérieur. C'était impossible de la garder chez moi et ma propriétaire était très méfiante et je ne voyais vraiment pas ce que j'allais faire. C'est pour ça que je voulais vraiment la ramener. Mais ce qui s'est passé c'est que Janet Abell habite pas très loin de chez moi et elle m'a vue avec Hannah et elle a appelé la police et alors ils sont venus et ils m'ont trouvée. J'ai dû leur dire que vous n'êtes pas vraiment sa mère parce que je ne veux pas aller en prison mais j'ai tellement honte de moi parce que vous êtes vraiment gentille et maintenant vous ne me pardonnerez jamais ce que j'ai fait, surtout qu'il y avait déjà l'autre fois. On va me juger pour avoir pris Hannah mais on ne me garde pas ici. J'y suis restée presque huit heures mais mon père vient me chercher. Il va être fou. La femme policier qui est sympa m'a dit qu'elle vous donnera ma lettre. J'ai affreusement honte de vous avoir causé des ennuis. J'espère qu'ils vous laisseront partir aussi.

Amitiés.

Sophia.

Elle ôte ses chaussures mais c'est tout. Elle ne se déshabille pas pour se coucher et, de toute façon, pense qu'elle ne pourra pas dormir sur cette planche qui lui sert de lit, à cause de la puanteur des toilettes et des mille idées qui lui tournent dans la tête. Elle doute de tout et élabore un scénario après l'autre. Pourtant, elle est épuisée, physiquement et mentalement. Elle a mal au cou et aux épaules. Elle essaye de se mettre sur le ventre. Un rai de lumière passe par le judas de la porte et semble entrer dans sa tête, presque l'hypnotiser. Elle flotte, comme suspendue. Des faits qui, quelques secondes plus tôt, lui paraissaient bien réels glissent dans l'abstrait. Dans cette chambre qui ne ressemble en rien à une chambre, elle dort bien pour la première fois depuis une semaine.

Elle se réveille peu après sept heures, l'esprit engourdi et la bouche sèche d'avoir ainsi dormi neuf heures d'affilée. Elle fait sa toilette dans le petit lavabo et arrange comme elle peut ses vêtements froissés. Le petit déjeuner lui est apporté par un policier qui, de toute évidence, vient de l'équipe de nuit. Il a le teint livide, à l'exception d'une joue marquée d'une féroce poussée d'acné.

– Ah ! le petit déjeuner au lit, se moque-t-elle quand il pose le plateau sur le banc : une saucisse, un œuf, un toast carbonisé et une louchée de haricots blancs à la sauce tomate.

Il répond par une sorte de grognement étranglé. Il a l'air de détester son travail : un endroit aussi déprimant à une heure pareille !

La vie d'Isabella est rythmée par le bruit de la clé dans la serrure. À quoi cela peut-il ressembler, quand on est là pour des jours, des années ? Elle risque de l'apprendre par elle-même.

Plus tard dans la matinée, le bruit de la clé annonce cette fois Aidan. Elle bondit en le voyant entrer. Il l'embrasse maladroitement, un petit baiser rapide au coin de la bouche. Dans cette minuscule cellule, il évoque encore plus un géant. Il a les traits tirés comme s'il avait passé une nuit blanche.

– Tu as ton air « je me débats avec moi-même », observe-t-elle.

Elle essaye de paraître détendue mais sa tentative de plaisanterie tombe à plat dans ce contexte sordide. La puanteur des toilettes est épouvantable. Elle aurait préféré qu'il ne vienne pas et le lui dit.

Repoussant ses regrets d'un geste de la main, il lui dit qu'il est navré de la voir dans cet endroit, c'est tout. Il lui raconte sa rencontre avec Neil la veille au soir.

– Alors, il t'a tout expliqué.

– Oui... Il m'a montré les photos d'Hannah. C'est terrifiant. Je ne comprends pas qu'on puisse faire ça.

– Moi non plus. C'est exactement ce que j'ai ressenti.

Un silence. Elle attend ses réactions.

– Alors ? demande-t-elle enfin.

– Tu vois, c'est juste que j'estime qu'il y a la bonne façon de faire les choses.

Il évite de la regarder.

– Je ne te demande pas de me soutenir...

Il ne répond pas et elle a soudain très froid.

Il va jusqu'à la petite fenêtre à barreaux. Ses larges épaules interceptent presque toute la lumière.

– Bien sûr que si, reprend-il au bout d'un long moment. Je veux dire que, quand tu l'as prise, tu ne devais pas savoir ce que tu faisais.

– Au début, c'est sans doute vrai. Mais quand j'ai décidé de la garder plutôt que de l'amener à la police, j'étais très consciente de ce que je faisais.

Elle sait que ce n'est pas ce qu'il avait envie d'entendre.

– Écoute, je ne peux pas arranger la vérité pour te faire plaisir, insiste-t-elle alors qu'il lui tourne toujours le dos. J'ai suffisamment de soucis comme ça. Franchement, tout ce qui m'importe est ce qui va arriver à Hannah.

Mais ce n'est pas vrai. Il est, lui aussi, terriblement important pour elle. En ce moment, elle n'a qu'une envie, qu'il la prenne dans ses bras, ses bras solides et possessifs, qu'il lui parle d'une voix pleine de conviction et non pas de doute. C'est trop exiger. Elle représente trop d'ennuis pour lui. Pendant toute la période, relativement courte pourtant, où ils se sont connus, elle ne lui a attiré que des ennuis. Cela semble être d'ailleurs la conclusion à laquelle il est arrivé.

– Est-ce que quelqu'un s'occupe de nourrir Garibaldi ? interroge-t-il soudain.

En même temps, il s'est retourné vers elle avec une expression désespérée.

– J'ai dit à Neil de demander à Joyce.

– Je peux...

– Tu n'as pas besoin de t'inquiéter.

Elle a parlé plus brusquement qu'elle le voulait.

– Excuse-moi, je ne voulais pas le dire de cette façon, reprend-elle aussitôt.

Elle se laisse aller contre le mur, appuie son dos et essaye d'étirer les muscles de la nuque pour en soulager la tension.

Ils se tiennent l'un en face de l'autre, mais de biais. Seuls quelques pas les séparent, comme des soldats qui tombent face à face dans une tranchée et hésitent sur la suite des événements.

– Quel est ton programme pour le week-end ? questionne-t-elle, essayant de maintenir une apparence de conversation normale.

– On a un concert, ce soir.

– Ah ! oui, c'est vrai. J'avais oublié.

Un concert. La vie normale. Sa réalité.

– Je ne peux pas dire que je suis vraiment d'humeur à ça, ajoute-t-il. En plus, mes fils arrivent demain. Ils passeront la nuit chez moi. Mais je peux m'échapper pour venir te voir, s'ils te gardent plus longtemps.

– Pour quoi faire ?

Elle en a la gorge sèche, l'impression que quelque chose est coincé à l'intérieur. Elle toussote pour s'éclaircir la voix.

– Parce que je veux te voir, dit-il d'une voix brisée.

– Tout le village sera bientôt au courant. Dès l'audience de lundi.

Il fait la grimace. Il y a pensé, c'est sûr. Cela le perturbe profondément, un homme secret comme lui et, par-dessus tout, d'une honnêteté totale. Le voilà entraîné malgré lui au cœur d'un scandale. Jugé à cause d'elle. Elle entend déjà les gens chuchoter dans son dos : « Il devait être au courant. » « S'il ne l'était pas, maintenant il l'est ! Et alors qu'est-ce qu'il fait encore avec elle ? » Coupable par contamination. De plus, il a deux fils en âge scolaire. « La petite amie de ton père est une voleuse d'enfants ! »

Elle comprend que cela lui pose des problèmes graves.

Il l'embrasse en la quittant. Pendant quelques secondes merveilleuses, c'est un vrai baiser. Ses yeux gris, légèrement rougis ce matin, cherchent les siens d'un air malheureux. Il toussote, soupire, secoue la tête et finit par sortir d'un pas incertain. Un homme dont la conscience ne peut se contenter de réponses faciles.

Elle s'installe en essayant de lire l'un des magazines mais elle est trop triste pour se concentrer.

Bruit de clé suivant : le déjeuner, de vagues morceaux de poulet flottant dans une sauce couleur de trottoir londonien. Mais comme elle est passée d'une totale absence d'appétit à une faim permanente... Peu importe ce qu'on lui donne. De plus, manger apporte une diversion. Dix minutes pendant lesquelles elle a quelque chose à faire.

Neil vient la voir dans l'après-midi.

– Vous avez l'air étonnamment reposé, remarque-t-il en l'embrassant sur les joues.

Il a une tache sur son gros pull-over en laine d'Aran.

– J'ai du temps pour ça, répond-elle avec une ironie désabusée. Du temps pour me reposer et pour réfléchir.

– Dans un sens positif, j'espère !

Elle lève les mains en l'air, comme quelqu'un qui ne veut pas s'engager.

– Bon, moi aussi j'ai fait travailler ma cervelle.

Il s'assoit à côté d'elle sur le banc.

– Je peux vous garantir que votre rapport m'a ouvert les yeux. Je l'ai pris avec les photos et la lettre de la mère pour mettre le tout en lieu sûr. Mon Dieu, ces photos... Je n'ai aucune honte à reconnaître que j'en ai pleuré.

Il plisse très fort les yeux en disant cela, comme si l'émotion était restée intacte.

– Maintenant, il y a les bonnes nouvelles et les mauvaises.

Isabella sent ses idées noires se dissiper un peu.

– En fait, reprend-il, pour les mauvaises nouvelles, il n'y a rien de plus que ce que nous avions prévu. Ils ont obtenu une prolongation de la garde à vue jusqu'à l'audience de lundi matin. La police essaye de retrouver la mère.

Il remarque son expression déçue et lui pose la main sur le bras.

– Je vous en prie, ne vous découragez pas. Cela n'aura réellement aucune incidence sur la suite.

– Mais comment pourraient-ils la retrouver ?

– Ils n'ont aucune certitude, bien sûr, mais les services sociaux fournissent un point de départ. Maintenant, écoutez, nous devons nous concentrer sur les bonnes nouvelles.

Il tape dans ses mains avec une bonne humeur délibérée.

– Hier, j'ai passé plusieurs coups de téléphone à diverses relations et j'ai obtenu le nom d'un défenseur qui a l'air formidable et qui, en tout cas, jouit d'une excellente réputation.

– Il pratique des honoraires aussi formidables ?

– Elle. C'est une femme. Comme je vous l'ai dit hier, les bons avocats ne sont pas donnés mais elle demande moins que ses homologues londoniens. De toute façon, j'ai pris la liberté de l'appeler chez elle hier soir et je lui ai résumé le dossier. Le cas la passionne et elle est très désireuse de s'occuper de vous. Elle pense comme moi que vous irez devant les assises. L'important, maintenant, c'est d'obtenir votre libération sous caution. Je parlerai au procureur avant l'audience pour qu'il connaisse toutes les circonstances. Et voilà, vous ne devez pas vous inquiéter.

– Non.

– L'autre bonne nouvelle, c'est que j'ai pu emprunter un costume, dit-il en essayant de la faire sourire.

– À qui ?

– Au propriétaire de l'auberge. Nous sommes à peu près de la même taille.

– Pourriez-vous m'apporter des vêtements propres ? J'ai besoin de me changer.

D'une main dégoûtée, elle désigne son pantalon et son long pull informe.

– Bien volontiers, mais je vais d'abord vérifier que c'est autorisé.

De nouveau le bruit de la clé. Il est quatre heures et une femme policier qu'elle n'a pas encore vue lui apporte un gobelet de thé et deux biscuits.

– Est-ce que mon... mon avocat pourrait avoir aussi du thé ?

Isabella se tourne vers lui en souriant et, une fois encore, il est frappé par sa beauté si peu conventionnelle.

– On devrait pouvoir arranger ça.

La femme policier revient quelques minutes plus tard. Elle est très grande, absolument pas féminine, et coiffée avec une grosse frange noire.

– Je vous préviens, dit Isabella à Neil, cela ne ressemble à du thé que de loin !

– Vous feriez mieux de dire que vous avez de la chance d'en avoir, grogne la femme policier en refermant la porte.

– C'est chaud, c'est l'essentiel, dit Neil.

Ils restent silencieux pendant un moment. Isabella prend un biscuit et souffle sur la buée qui s'élève de son gobelet de carton.

– Vous avez écrit quelque chose dans votre lettre, il y a quelques semaines, se souvient-elle. Cela prend une dimension assez humoristique, aujourd'hui.

– Quoi donc ?

– Que j'avais l'air d'une femme dont toute la vie est soigneusement organisée et ordonnée.

– Et c'est vrai. C'est l'impression que vous m'avez donnée.

– Avant, moi aussi, je le croyais. Quand j'ai reçu votre lettre, je commençais juste à me remettre d'un autre traumatisme. Vous avez dû voir ça dans mon rapport. Ou mon journal, appelez ça comme vous voulez.

– Je me demandais si je devais vous en parler ou non. Mais puisque vous le faites... Vous auriez dû porter plainte, Isabella.

– Je ne pouvais pas, pour les raisons que j'ai écrites.

– Peut-être voudrez-vous le faire quand tout cela sera fini.

– Quand tout sera fini, répète-t-elle. Quelle idée merveilleuse...

Un autre silence, plus long.

– Vous savez que j'ai rencontré Aidan, hier soir ? dit Neil. Il est venu au Ship Inn.

– Oui. Il m'a rendu visite ce matin. Il m'a dit que vous lui avez montré les photos et la lettre.

– C'est exact. J'ai estimé que cela pourrait faciliter les choses s'il savait... Enfin, bref. Comment prend-il tout cela ?

– Mal. Non, pas mal. Il ne sait plus où il en est.

– Bien sûr, cela se comprend.

Elle se sent de nouveau la gorge serrée, douloureuse.

– Je l'aime mais il ne peut pas supporter ce que j'ai fait. Vous savez, Neil, je ne me souviens pas d'avoir dit un seul mensonge avant tout ça. Oh ! peut-être pour ménager la sensibilité de quelqu'un, mais jamais un vrai mensonge. Et je vais vous confier une chose. Je suis contente que ce soit fini, ce mensonge... Vous voulez bien me rendre un service ? Vous voulez bien dire à Aidan de ne pas venir demain ? Je ne supporte pas l'idée de le revoir dans cet endroit.

17

Lundi 25 novembre, dix heures du matin. Son affaire passe en premier.

– Tout devrait être expédié en dix minutes, lui dit Neil en remarquant son expression figée. J'ai parlé au procureur. Il n'est pas opposé à une liberté sous caution... Du côté des juges, on devrait avoir l'habituelle bande de vieux schnoques.

Il s'efforce de lui remonter le moral tandis que la femme policier ouvre la porte qui conduit directement au banc des prévenus.

La tension trop longtemps contenue se relâche dans un fou rire qu'Isabella dissimule sous une fausse toux. Neil l'encourage d'une pression sur le bras et elle franchit le seuil.

Elle sent tous les yeux se tourner vers elle. Pendant quelques secondes, elle n'ose guère que fixer le sol, vaguement consciente du silence et du mouvement dans l'assistance. Elle finit par lever les yeux avec hésitation.

Elle se trouve dans une grande salle moderne, longue d'une dizaine de mètres. Du côté de l'entrée principale, trois rangées de chaises à dossier rabattable pour le public. Quelques personnes y sont déjà assises, qu'elle soupçonne d'être venues profiter de la gratuité du spectacle. À angle droit par rapport à elle s'alignent les tables et les chaises des avocats et du ministère public. Pour l'instant, on n'y aperçoit que Neil, à la table la plus proche d'elle, et le procureur. Le long du mur opposé, deux autres rangées de sièges avec une tablette sont réservées aux journalistes. Il y en a quatre, ce matin, en train de gribouiller entre deux regards sur elle. Ils sont certainement en train d'interpréter ses attitudes, de noter son angoisse, ses cheveux auburn et sa pâleur. Elle se sent d'avance furieuse contre eux et passe la langue sur ses lèvres sèches. Un détail qu'ils ne manqueront sans doute pas de signaler également. Les yeux d'Isabella s'attardent ensuite sur le greffier et son bureau surélevé, devant les tables des avocats ; enfin, elle découvre le bureau des magistrats, sur une estrade à quelques pas d'elle. Une femme et deux hommes. La femme est le portrait type de la grand-mère (mais non pas de la grand-mère maternelle d'Isabella, cette vieille rosse égoïste et pleine de fiel). Au milieu, entre les deux autres juges, siège le président du tribunal. Il a le crâne presque chauve et se tient raide comme la justice. Il la dévisage d'un regard glacial. Le cœur d'Isabella s'arrête presque de battre. Elle l'a reconnu instantanément. L'homme rencontré à la réception de la femme du chirurgien.

La remarque piquante de Mary Anne lui revient à l'esprit : *S'il le pouvait, il nous mettrait tous derrière les barreaux.*

Le troisième est un homme en costume gris qui a l'air d'un instituteur à la retraite.

– Première affaire : le ministère public contre Mlle Isabella Mercogliano, Votre Honneur.

Le greffier a trébuché sur son nom, déclenchant chez elle un gloussement hystérique qu'elle réprime avec peine.

Le procureur se lève, petit, avec une calvitie naissante et une bouche inexistante. Il donne quelques papiers au greffier qui les transmet à son tour au président du tribunal. Isabella devine que sa déposition en fait partie. Le procureur explique ensuite aux juges les charges qui pèsent sur la prévenue.

– L'affaire relève de la cour d'assises, dit-il, il n'y a aucun compromis possible.

Il s'emploie ensuite à exposer les grandes lignes du dossier.

Les journalistes écrivent à toute vitesse, leurs mains volent sur leurs blocs-notes. Que concluront-ils du résumé de l'avocat du tribunal ? Que concluront-ils de son attitude à elle ? Mais qui pourrait deviner ses pensées tandis qu'elle regarde fixement devant elle, les yeux dans le vide ?

– ... Enfant abandonnée... Ramenée chez elle... Maltraitée... A décidé de... Loué un cottage... Feint de... Signalé la disparition de l'enfant... Mise en état d'arrestation...

Seuls des fragments de l'exposé des faits lui parviennent. Elle est consciente du regard du président qui se pose sur elle chaque fois qu'il s'arrête d'écrire. Il la fixe par-dessus ses lunettes.

Je n'ai pas honte de ce que j'ai fait. Je n'ai pas honte de ce que j'ai fait, se répète-t-elle sans cesse, de la même façon que la petite fille qui, bien des années plus tôt, a écrit sur des pages et des pages les mots : je suis importante, je suis importante.

– Je vous invite à renvoyer la prévenue devant la cour d'assises sans qu'il soit besoin d'examiner les preuves, conclut le procureur.

Le greffier se tourne vers Neil.

– Êtes-vous d'accord pour considérer que les faits sont établis ?

Neil se lève pour répondre.

– Oui, je suis d'accord.

Et il se rassoit aussitôt.

Le président regarde Isabella.

– Nous vous renvoyons devant la cour d'assises pour y être jugée.

Il parle d'une voix lente et sonore comme s'il la condamnait à être exécutée.

Il doit aimer les pratiques sadomasos, lui avait dit

Mary Anne. À ce souvenir, Isabella doit de nouveau réprimer un rire nerveux et l'effort la fait rougir.

Neil se lève à nouveau pour s'adresser au président.

– Votre Honneur, je vous demande d'ordonner la mise en liberté sous caution de ma cliente. J'en ai parlé avec monsieur le procureur, qui ne s'y oppose pas.

Il se rassoit et l'autre homme se relève à son tour.

– Votre Honneur, il ne semble pas y avoir grand risque de voir la prévenue s'enfuir. Dans ces conditions, le ministère public accepte la liberté sous caution personnelle de la prévenue.

L'archaïsme du langage, la pompe, l'espèce d'ésotérisme de toute cette mise en scène lui paraissent profondément ridicules. Et comme le vieil imbécile se vautre dans tout cela, comme il en jouit ! Votre Honneur ! Son Honneur est en conciliabule avec le greffier, en train de statuer sur son sort. Va-t-il profiter de ses pouvoirs répressifs ?

– Très bien, répond-il. Nous accordons la mise en liberté sous caution.

Il la fixe, l'expression sévère.

– L'audience de la cour d'assises est fixée au mardi 7 janvier. Votre passeport devra être déposé au greffe du tribunal aujourd'hui, au plus tard à deux heures de l'après-midi. Vous devrez vous présenter tous les lundis au commissariat et il vous est interdit d'avoir le moindre contact avec l'enfant, sous aucun prétexte. Si vous contrevenez à une seule de ces conditions, vous pourrez être arrêtée.

Mais pour le moment... elle est *libre* !

Neil l'emmène à la cantine tenue par le WRVS[1]. Installée à une table, avec un homme âgé qui doit être son père, se trouve Sophia, qui se fige en voyant entrer Isabella.

1. WRVS – Women's Royal Voluntary Service, organisation de femmes bénévoles au service de la collectivité. *(N.d.T.)*

– Voulez-vous aller ailleurs ? demande Neil quand Isabella lui glisse à l'oreille de qui il s'agit.
– Non.
Elle n'éprouve aucune animosité. Sophia s'est trouvée entraînée dans un piège dont elle n'est pas responsable. Isabella s'approche de sa table.
– Bonjour, Sophia.
Celle-ci semble vouloir disparaître dans sa chaise. Elle n'ose pas lever les yeux.
– Isabella, je... je...
Elle ne sait pas quoi faire ou quoi dire. L'homme assis à côté d'elle a une mâchoire proéminente qu'il projette plus encore vers l'avant en croisant les bras.
Isabella caresse légèrement la joue de Sophia, une joue livide et maigre.
– Ne vous en faites pas. Ce n'est pas la peine de parler.
Des larmes apparaissent dans les yeux de Sophia.
– Au revoir, murmure Isabella. Bonne chance, Sophia.
Neil et elle vont s'asseoir près de la fenêtre.
– Et maintenant, dit Neil, au travail ! Cet après-midi, je vais déposer votre rapport et la lettre de Sophia chez Eileen ; c'est votre avocate et vous la verrez demain. Elle a bien voulu nous coincer entre deux rendez-vous demain après-midi. Après, je rentre à la maison.
– *Madre*, vous rentrez déjà demain ? Vous parlez de vacances ! Vous ne pouvez pas prendre un jour de plus ?
– Malheureusement, non. En plus, il y a les enfants.
– Oui, c'est vrai. Neil... Je ne sais pas ce que j'aurais fait sans vous.
– Vous auriez trouvé un autre avocat !
– Non. C'est tout le reste. Vous m'avez été d'une très grande aide morale. Vous êtes un ami formidable.
– J'en suis heureux. Nous aspirons à plaire ! déclare-t-il d'un air faussement sérieux.
– Votre femme devait beaucoup vous aimer, murmure Isabella en lui prenant la main.
Il pince les lèvres et son visage se ferme brièvement.

Dehors, les photographes les attendent, prêts à appuyer sur le déclencheur. Surprise, elle n'a pas le temps de se cacher le visage. Neil la prend fermement par le coude et l'emmène d'un pas précipité.

– Et ce n'est qu'un début, je le crains, dit-il.

La soirée est très humide et le cottage ne lui donne plus la sensation d'être chez elle mais chez Timothy Abell. Le froid entre par les fissures autour des fenêtres et de la porte. À l'intérieur, les radiateurs à accumulation nocturne restent assez inefficaces pour lutter contre les courants d'air. Elle allume un feu dans la cheminée, ouvre une bouteille de vin puis s'installe avec Garibaldi pour lui faire un câlin. Le chat s'est réhabitué à elle. Après un accueil enthousiaste, suivi de son habituelle bouderie en pareil cas, il est revenu à son état normal, où il n'accepte les caresses que s'il en a envie. Une couche de poussière obscurcit l'écran de l'ordinateur. Elle doit se remettre au travail dès demain, à commencer par le tri du courrier qui s'est accumulé. Il y a des messages sur son répondeur ; ici comme à Londres. Mais elle se sent amorphe, sans la moindre énergie. Elle ne sait pas par quoi attaquer. Surtout, toute la maison lui parle d'Hannah.

Elle est tout entière tendue dans l'attente d'Aidan. Un coup à la porte, et il est là, vêtu de son sweat-shirt violet. Une ombre de sourire, suivie d'une ombre de baiser. Ses lèvres effleurent à peine celles d'Isabella. Il accepte le verre de vin qu'elle lui offre et ne vient s'asseoir que quand elle le lui propose en tapotant le coussin à côté d'elle. Il a les mains raides de tension. Le dessus de la main gauche porte une entaille assez profonde. Isabella y pose légèrement le doigt.

– Ce n'est pas très joli. Comment t'es-tu fait ça ?

Il baisse les yeux d'un air dédaigneux.

– Je l'ai coincée dans le cric. Ce n'est rien.

– Ce n'est pas l'impression que ça donne.
– Mais non, vraiment.
Ils ne savent plus quoi se dire. Tous les sujets paraissent dangereux. Elle se blottit contre lui, plus seule que s'il n'était pas avec elle. En fait, il n'est pas avec elle. Il lui a passé le bras autour des épaules mais sans l'y poser réellement.
Oui, le concert a bien marché, lui dit-il. Oui, les garçons vont bien. Il les a emmenés au terrain de sport. Oh ! et il a eu une offre pour la Jaguar. C'est formidable, répond-elle, la gorge serrée.
Mais arrive un moment où il ne peut plus éviter le sujet.
– Alors, l'audience a été fixée pour quelle date ?
– Le 7 janvier. J'ai été étonnée qu'ils donnent tout de suite une date mais il paraît que ça fonctionne comme cela, maintenant.
– Au moins, tu sais à quoi t'en tenir.
– Oui.
Silence... Elle ferme les yeux de toutes ses forces, ses cheveux lui cachent le visage. Elle sent sur sa joue le tissu très doux de la manche d'Aidan. Elle appuie les jambes contre ses cuisses si solides.
– Comment... comment te sens-tu ?
– Fataliste. Je dois essayer de me débrouiller avec la situation telle qu'elle est.
Elle songe que leur problème commun, c'est leur manque d'habileté à s'expliquer, à communiquer, à exposer leurs sentiments profonds. De plus, c'est un homme qui n'imagine pas qu'on puisse s'écarter du droit chemin, même en cas de difficulté.
– Si tu veux bien, je voudrais t'expliquer quelque chose, commence-t-elle. Je ne cherche pas à me justifier.
Elle se redresse et s'assoit.
– Je ne voulais pas qu'Hannah subisse ce que j'ai subi.
– C'est pourtant ce qui va lui arriver, maintenant.

La désapprobation implicite met Isabella sur la défensive.

– Tu es un peu intransigeant, tu ne crois pas ?

– Possible, mais c'est ainsi.

Elle donnerait n'importe quoi pour que sa voix devienne un peu moins froide. Elle s'efforce de conserver un ton calme pour lui demander :

– M'aimes-tu encore ?

Il se tourne vers elle, le visage tourmenté.

– C'est bien le problème, oui. Je t'aime.

– Et pour toi, le fait de m'aimer est un problème.

– Je n'ai pas dit ça. Je...

– Mais si. C'est exactement ce que tu dis, non que je puisse te le reprocher.

– Je ne te *connais* pas.

– Non, c'est vrai. Mais personne ne connaît jamais qui que ce soit complètement. Tu connais différents aspects de moi – mieux que quiconque au cours de toute ma vie. Ces parties de moi n'ont pas changé. Et je ne t'ai jamais menti.

– Non, soupire-t-il. En toute honnêteté, c'est vrai. Tu m'as prévenu. C'est moi qui n'aurais pas dû...

– Quoi ? Te lancer dans une relation avec moi ? C'est évident. Aucun de nous n'aurait dû s'impliquer.

– Oh ! je ne sais pas, je ne sais pas... Je te veux si fort ! Je veux que tout redevienne comme avant.

– Moi aussi ; mais c'était faussé.

Il se détend un peu. Le fait de parler semble faciliter la situation. Il se laisse aller dans les coussins, lui caresse les cheveux et le visage avec un toucher d'une légèreté de plume.

– C'était affreux de te voir dans cet endroit. Insupportable de te voir dans une telle déchéance.

– J'ai commis un crime.

Elle le sent se raidir quand elle prononce le mot « crime ».

Il passe la nuit avec elle et ils font l'amour. Mais c'est

comme un adieu et cela ne résout rien. Après, ils sont incapables de s'endormir, allongés côte à côte dans l'obscurité, chacun conscient de l'insomnie de l'autre. Mais aucun ne tend la main vers l'autre.

Isabella revoit sans cesse le graffiti qui l'a tellement marquée, l'inscription en rouge de cette fille de quatorze ans qui en a presque tué une autre. Oh, *madre* ! comme il est facile de faire un faux pas quand le chemin est piégé d'avance. Et Hannah ? Quelles chances a-t-elle de ne pas passer, elle aussi, par pertes et profits ?

Le lendemain matin, ils se lèvent tôt. Elle enfile plusieurs épaisseurs de vêtements pour avoir chaud. Aidan ne prend pas le petit déjeuner avec elle.

– J'ai besoin de réfléchir à tout cela, lui dit-il. Je dois faire le tri entre ce qui est bien, ce qui est mal, pour moi, et ce à mon rythme. J'ai besoin de décider moi-même ce que j'en pense.

– Je m'en rends compte.

– Écoute, je ne suis pas en train de te dire que c'est fini. C'est juste... Je ne suis pas en train de t'accuser mais je ne sais pas qu'en penser. Si je veux être sincère avec toi, je dois d'abord l'être avec moi-même.

– Bien sûr, cela me paraît compréhensible.

Elle tente de sourire mais elle échoue.

– Je suis désolé, dit-il encore.

Ils se quittent en s'embrassant très tendrement. Elle sait que c'est fini.

Et maintenant, elle doit affronter le monde extérieur.

Babs l'accueille très calmement.

– On dirait que vous êtes une info de troisième page !

Elle est effectivement en troisième page de deux grands quotidiens qui titrent : « Une enfant abandonnée et enlevée deux fois ! » et « Dramatique enlèvement d'une enfant ! » Les photos la montrent, surprise, ses cheveux lui balayant le visage tandis qu'elle essaye de détourner la tête, les yeux écarquillés et affolés.

– Oh ! *Madre*...

– Je vous connais trop pour me contenter de jugements à l'emporte-pièce, dit Babs. C'est plus compliqué que ça.

Elles parlent ainsi jusqu'à l'arrivée d'une autre cliente qui ignore délibérément Isabella. Et ce n'est qu'un avant-goût de ce qui l'attend, comme elle va le découvrir au fil des heures.

Joyce la comprend, elle aussi.

– Votre avocat m'a montré les photos de la petite, lui dit-elle. Quand on a vu ça, comment vous blâmer ? Bien sûr, il y en aura toujours pour trouver que vous avez mal agi. Peut-être que c'était mal, aux yeux de la loi. Mais j'ai vu comment vous étiez avec elle. Vous rendiez cette petite heureuse. Je l'ai vue s'épanouir.

Voilà les gens qui comptent pour elle, pense-t-elle.

Mais pas Aidan.

Eileen, l'avocate, a la cinquantaine, des manières énergiques et un haut front bombé comme celui d'Elisabeth Ire. Un énorme philodendron occupe tout un coin de la pièce. Quant à son bureau, il disparaît sous les dossiers. Isabella repère le sien dans une des piles, avec les photos qui en dépassent et les coupures de presse qui la concernent. D'une de ses mains solidement charpentées et couvertes de taches de rousseur, Eileen leur désigne des sièges tandis que, de l'autre, elle sonne pour demander à sa secrétaire d'apporter du café. Après quelques échanges de politesses, elle aborde directement le sujet.

– J'ai lu votre rapport et votre déposition. Compte tenu des preuves, je pense que vous risquez fort d'être reconnue coupable.

Elle tire avec énergie sur un petit cigare. Comme Isabella ouvre la bouche, Eileen lève le doigt pour l'empêcher de l'interrompre.

– Toutefois, il me semble exister de très fortes

circonstances atténuantes en votre faveur et cela m'amène à penser que le procureur pourrait accepter de passer un accord avec nous. Si vous plaidez coupable, cela peut aussi jouer en votre faveur et être pris en considération. Cela vous évitera aussi l'examen des preuves ou les contre-interrogatoires. Mais, bien sûr, je n'ai pas à décider à votre place.

Elle écrase son cigare et en allume un autre.

– Cela mérite réflexion, dit Neil.

– La lettre de la mère est essentielle pour notre défense, ajoute Eileen. Peut-être même plus importante que les photos.

– Est-ce que je risque d'aller en prison ? questionne Isabella.

Attendant la réponse, elle boit une longue gorgée de café sans lever les yeux de sa tasse.

– À mon avis, la sentence la plus vraisemblable sera celle d'une condamnation à une peine non privatrice de liberté.

– Ce qui veut dire ?

– Une condamnation avec sursis. Peut-être dix-huit mois. Quelque chose de cet ordre.

Le rendez-vous ne dure pas plus de vingt minutes.

– Alors, comment la trouvez-vous ? demande Neil.

– Intimidante et efficace.

– C'est exactement ce qu'il nous faut.

– D'après vous, que devons-nous faire ?

– Suivre ses conseils. Et vous, qu'en pensez-vous ?

– Eh bien, je crois que c'est la bonne solution.

Elle se recroqueville dans son manteau. Il fait froid, il bruine, c'est l'hiver. Elle a terriblement envie de se trouver en Italie, en été. Quand tout sera terminé...

– Vous n'en êtes pas certaine ?

Les gens les frôlent en les dépassant dans l'étroite rue pavée. La faible lumière de l'après-midi décline déjà. Les vitrines des magasins débordent de décorations de Noël aux couleurs criardes. Une année s'achève. Pourquoi a-t-elle aussi peur de la mort ? Qu'y a-t-il de si extraordinaire dans la vie ?

– Non, c'est d'accord. Je suis sûre que c'est ce qu'il faut faire. Mais j'aurai un casier judiciaire, alors ?

– Vous prendriez beaucoup de risques en plaidant non coupable, lui objecte-t-il gentiment.

– Bien, on fera ce qu'elle dit, conclut-elle. Ma décision est prise.

Ils retournent à leurs voitures. Neil rentre directement à Londres. Ce qu'ils ont vécu ensemble ces derniers jours les a rendus très proches. Elle sait qu'il va lui manquer. Ils s'arrêtent en premier devant sa Rover.

– C'est tellement bizarre de vivre ici, maintenant ! lui dit-elle.

Il vient de déverrouiller sa portière à l'aide de la commande à distance.

– Je n'ai plus aucune raison de rester... Hannah n'est plus là... et Aidan...

– Je serai toujours au bout du téléphone pour vous. Je ne vous oublie pas.

– Je ne sais plus où j'en suis, vraiment plus. Ni qui je suis, avoue-t-elle d'un ton étouffé.

Il la serre dans ses bras en guise d'adieu. Une étreinte chaleureuse dans laquelle elle se sent entièrement enveloppée d'affection.

Son agent l'appelle. Elle finit par réussir à le calmer. Sally appelle, elle aussi.

– Isa, c'est à moi de t'écouter, cette fois, lui dit-elle.

Mais, d'une façon générale, elle ne prend pas la peine de décrocher le téléphone. Elle se contente d'écouter les messages qu'enregistre son répondeur. Au cas où. Mais ce n'est jamais Aidan.

S'attendait-on qu'elle s'enferme chez elle ? Qu'elle n'ose plus sortir et se montrer ? Les gens du village réagissent de différentes manières. Certains détournent la tête en la croisant. D'autres, mal à l'aise, se conduisent de façon peu naturelle. Elle a quand même des défenseurs : Babs, Joyce, Mary Anne, Janet Abell et, curieusement, Deirdre, la femme du chirurgien. À ce petit groupe s'ajoute Margaret, la responsable du jardin d'enfants. Lizzie change de trottoir plutôt que de la croiser et, si Dick fait mine de vouloir la saluer, Lizzie le tire par la manche d'un air furieux. Un soir où elle s'est aventurée seule au Sun, tout le monde s'est arrêté de parler en la voyant entrer. Les conversations ont peu à peu repris, sur un ton anormalement élevé et Isabella est repartie sans dire un mot.

« Une divorcée de Londres et une jeune Cornouaillaise impliquées dans un enlèvement d'enfant ! » titre le journal régional.

Isabella comprend qu'elle ne peut pas rester ici. Elle demande au tribunal de l'autoriser à regagner Londres.

On est début décembre et c'est sa dernière promenade sur la grève de Tregurran.

Du give, disait Hannah. Non, *carina*, c'est la neige.

C'est la neige, qui tombe par vagues successives et se fond dans le sable. Le ciel est lourd, d'un gris de ciment où disparaît l'horizon mouvant. Les cris aigus des goélands dominent les lamentations de la corne de brume. De temps en temps, retentit le bip-bip d'un détecteur de métal. Un enthousiaste explore la grève en quête de quelque merveille, oubliant le temps maussade. Ils sont seuls, elle et lui, parfaitement indifférents l'un à l'autre. Tout ce qui intéresse le chercheur de trésor, c'est sa future fortune. Elle, elle se souvient de tout ce qui a été presque parfait. Qui a été parfait l'espace d'un instant. Elle aimerait que le temps se lève, qu'elle puisse voir la mer une dernière fois. Le brouillard se lèvera plus tard, dans la journée, mais elle, elle sera en route vers Londres. Elle se sent profondément triste, mais sans le droit de s'en plaindre puisqu'il ne lui arrive rien qu'elle n'ait provoqué elle-même.

Si c'était à refaire, madame Mercogliano, le referiez-vous ? Oui, sans aucune hésitation.

La voiture est chargée à bloc. Elle a entassé tous les jouets qui pouvaient se loger entre ses bagages. Elle laisse sur place tout ce qu'elle avait acheté pour le cottage, y compris le mobilier. « Gardez-le si vous en avez l'usage, a-t-elle écrit à Janet Abell, sinon vendez-le. Merci pour votre gentillesse. » Elle a glissé la clé dans l'enveloppe.

Elle poste une autre lettre, pour Aidan : « *Caro*, l'Isabella que tu ne connaissais pas t'aime comme celle que tu as connue. Souviens-t'en. »

Et elle démarre, s'éloignant de ce qu'elle considérait comme son refuge. Elle traverse le village, abandonne derrière elle les jardins soignés avec leurs nains et leurs couronnes de Noël sur les portes ; les cottages aux volets bleu cobalt ; le bureau de poste de Babs ; les poules qui caquettent... Elle n'a dit au revoir à personne. Elle est partie, ils s'en rendront compte plus tard ; elle les a quittés sans un mot, les laissant traumatisés, avec la sensation qu'elle a abusé de leur hospitalité. La campagne s'ouvre à présent devant elle, brune et blanche. Voici les ruines du vieux monastère, voici les cottages ronds où le diable n'osait pas se montrer... Et le garage d'Aidan, devant lequel elle accélère, désespérée... L'auberge de Dick et l'église... Elle traverse Zerion, puis d'autres villages. Il n'y a plus d'enfant dans le siège à côté d'elle. Qu'est-il arrivé à son lapin en tricot ? L'a-t-elle toujours ? Est-elle redevenue méfiante et s'est-elle de nouveau repliée sur elle-même ? A-t-elle de nouveau ses crises de hurlements ? Où est-elle ? Les larmes obscurcissent sa vision, elle doit donner un grand coup de volant pour éviter un transport de bétail qui arrive en face d'elle. Le conducteur klaxonne longuement et bruyamment tandis que son chargement bêlant est brinquebalé dans la remorque. La neige continue à tomber.

Mme Shastri lui rend sa clé.

– Donc, ce n'est plus la peine que je vienne, dit-elle.

On ne perçoit pas la moindre trace de condamnation dans sa voix chantante. Mme Shastri est l'image même de la sérénité avec son sari bleu turquoise, ses lunettes de lecture pendues à une chaîne d'or. Pourtant, le moindre des journaux exposés sur les présentoirs du magasin parle d'Isabella.

Elle défait ses bagages, se réaccoutume à son appartement. Garibaldi fait un prudent tour du propriétaire. Il s'approche de chaque objet et le flaire avant de s'en écarter d'un bond et de partir dans une course folle. Grâce à Mme Shastri, tout est d'une propreté impeccable. Son ordinateur retrouve sa place, et sa guitare, son coin habituel. On pourrait croire qu'elle ne s'est jamais absentée, qu'il ne s'est pas produit d'interruption. De nouvelles invitations sont arrivées, à exposer sur la cheminée, pour des vernissages, des défilés de mode, des premières, des conférences. Il n'y a qu'elle et Garibaldi dans la maison. Comme si rien n'était arrivé.

Noël approche. Isabella n'envoie pas de cartes et se contente d'empiler celles qu'elle reçoit, avant, dans un geste de défi, de les exposer tout autour de la cheminée et sur le rebord de la fenêtre. Aucune ne vient de *lui*. Dehors : des trottoirs luisants, des pieds pressés, et un ciel qui ne s'éclaire guère que d'un demi-jour. L'Armée du Salut chante des cantiques de Noël. Isabella passe ses journées à travailler, rattrapant son retard dans la traduction du livre. Elle se promène dans le parc ou monte à cheval avec Neil. Mais quoi qu'elle fasse, où qu'elle aille, une terrible impression de vide l'assaille.

Un jour, Neil l'appelle.

– Ils l'ont trouvée.

– Qui ça ? De quoi parlez-vous ?

– La mère. C'est une droguée, apparemment. Elle a un fils de cinq ans qui est en placement et elle a déjà été condamnée pour mauvais traitements à enfant.

Il annonce cela d'un ton satisfait.

– Comment l'a-t-on retrouvée ?

– Les services sociaux se sont inquiétés. Ça faisait un moment qu'ils la surveillaient. Quand l'enfant a disparu du jour au lendemain, ils ont eu des soupçons. Et elle continuait à toucher les allocations !

– Quel âge a-t-elle ?

– Quel âge ? Mais on s'en moque ! Elle a vingt-deux ans, je crois. Bref, il y a une autre excellente nouvelle. Eileen vient de m'appeler. Le ministère public accepte de demander la condamnation la plus légère possible si vous plaidez coupable. On est certain que le tribunal suivra les recommandations du procureur. Le sursis est pratiquement acquis...

Quand elle raccroche, elle se demande ce que cela lui fait. Mais elle n'éprouve rien. Absolument rien.

C'est aux informations de neuf heures. « On vient de découvrir la mère d'une petite fille qui s'est récemment trouvée au centre d'une affaire inhabituelle et complexe. La jeune femme, âgée de vingt-deux ans et dont le nom n'a pas encore été révélé, a un autre enfant, un fils que les services sociaux ont dû lui enlever. On apprend qu'elle a déjà été condamnée pour mauvais traitements à enfant et possession de drogue.

« La petite Hannah, âgée de trois ans, avait été abandonnée par sa mère il y a quatre mois devant un marchand de journaux. Son histoire a ému tout le pays. Quant à Mme Isabella Mercogliano, qui a trouvé l'enfant et constaté les sévices qu'elle avait subis, elle est toujours inculpée d'enlèvement. Rappelons que, par un curieux hasard, l'enfant a été enlevée une seconde fois alors qu'elle vivait avec Mme Mercogliano, que beaucoup de gens commencent à considérer comme sa bienfaitrice... »

Tom l'appelle peu avant minuit, alors qu'elle s'apprête à se coucher.

– Je n'arrive pas à y croire ! Je viens de rentrer du Chili et j'ai pris les infos. Quelle surprise ! dit-il sans prendre la peine de la saluer ni de s'excuser pour l'heure tardive.

Prévisible. Il est si prévisible !

Il veut la voir. Très vite, insiste-t-il comme s'il y avait une urgence.

– Tu es extraordinaire. Je t'adore, Bella. On va te faire une sacrée pub !

Qui est ce « on » ? Elle préfère feindre de n'avoir rien entendu et lui déclare que depuis quinze jours elle a eu assez de publicité pour le reste de sa vie. Qu'elle n'est pas un produit à vendre ! Que la triste situation de l'enfant interdit l'exploitation qu'il veut en faire. Qu'il est très tard, enfin.

Il la traite de bonne sœur, lui dit qu'il la rappellera et raccroche. Pas une seule question sur elle.

Elle s'allonge sous son dessus-de-lit en soie – dans ce lit où les relations sexuelles se déroulaient toujours selon ses conditions, où l'amour n'avait pas droit de cité, mais aussi un lit qu'aucun mécanicien fou n'avait souillé. Elle sait qu'elle ne peut pas rendosser son ancienne personnalité mais n'éprouve pas non plus le besoin de la renier entièrement. Elle se rend compte que son rejet absolu de sa vie passée était excessif, de même que son attachement à la Cornouaille. Quelle part ont eue là-dedans Hannah et Aidan ? Elle ne peut dissocier le lieu et les personnes. Peut-être deviendra-t-elle plus objective, maintenant. Elle n'a pas besoin de fuir un mode de vie pour un autre. Elle n'a pas besoin de condamner un endroit pour en aimer un autre. Un jour, elle retournera en Cornouaille. Les gens s'habituent à tout : à Janet Abell qui s'enfuit de chez elle et porte l'enfant d'un homme marié ; à Joyce qui épouse le frère de son premier mari ; au prêtre qui a découvert la sexualité ; à la femme mariée qui a pris un amant et s'est enfuie avec la femme de celui-ci ; à Mary Anne qui écrit des livres pornographiques et peut admirer de son bureau l'érection statufiée de son mari... Et les jeunes bravaches, eux aussi, ils commettront leurs propres bêtises, tôt ou tard. Il vaut mieux les laisser se remettre du choc. Un jour, elle reviendra au Sun. Ils se tourneront vers elle, muets de surprise, mais les conversations reprendront peu à peu et redeviendront normales. Peut-être même offrira-t-elle sa tournée...

Elle pense à cette mère de vingt-deux ans. *Madre !* Si jeune ! Le type même du cas désespéré qui est condamné, de toute façon, à sombrer toujours plus bas. Elle pense à sa propre mère et à sa volonté inébranlable de briser le cercle infernal de la répétition du malheur. Elle pense à son père, à la façon dont il a influencé sa vie et son attitude envers les hommes. Elle pense à Hannah qui glisse dans un néant où elle ne peut plus l'imaginer ; elle garde son souvenir dans une bulle, pour toujours, l'image du visage rayonnant d'une petite fille sur une balançoire.

« Tout le monde peut demander à accueillir ou adopter un enfant, lit-elle le lendemain matin dans le journal du quartier. Il y a près de chez nous des enfants qui ont besoin d'être accueillis par des familles du même quartier. Nous pouvons vous aider à savoir si vous avez la capacité à devenir un foyer d'accueil ou d'adoption. Nous vous proposons des entretiens, une aide psychologique et financière. Pour recevoir une documentation, appelez le numéro... »

Au début, elle ne réagit pas mais l'information fait lentement son chemin dans son esprit pour, à la fin, la remplir d'espoir.

Tout le monde ? Même avec un casier judiciaire ? Sa relation privilégiée avec Hannah doit sûrement être un atout en sa faveur par rapport à n'importe qui, non ?

Elle a un but, soudain, et cela la remplit d'énergie. Même si cela lui coûte jusqu'à son dernier sou, même si cela l'oblige à harceler l'administration, même si cela l'oblige à aller devant toutes les juridictions du pays, elle n'abandonnera pas sans avoir exploré tous les moyens de parvenir à son but. Elle a un espoir, à présent, et elle va se battre.

C'est le premier événement important de ce samedi 21 décembre.

Le deuxième se produit plus tard, dans l'après-midi. Elle travaille devant son ordinateur, Garibaldi étalé sur ses genoux. Roberto Alagna chante Puccini. Elle se lève pour répondre au coup de sonnette qui vient de retentir, un seul coup bref. Une jeune femme se tient devant elle.

– Excusez-moi de vous déranger. Vous ne me connaissez pas, mais... est-ce que votre père s'appelait Filippo ?

Elle est brune, avec une épaisse chevelure noire. Un nez en bec d'oiseau de proie. Ses yeux. Il n'y a pas à se tromper sur ses yeux. Ce sont les mêmes que ceux d'Isabella.

Elles se regardent sans parler pendant un instant.

– Entrez, dit enfin Isabella.

Elle la fait asseoir et va préparer du thé.

– Quel appartement agréable ! dit la visiteuse, assise sur le canapé blanc cassé.

Elle caresse Garibaldi tout en explorant le salon du regard. Ses yeux se posent longuement sur la table basse en verre, où se trouve un agrandissement photographique, joliment encadré. Hannah sur la grève de Tregurran. Et Aidan qui ressemble à un explorateur.

Elle explique qu'elle a trouvé Isabella grâce aux

articles des journaux mais qu'il lui a fallu un certain temps pour avoir le courage de venir. Elle est secrétaire, répond-elle à la question d'Isabella. Rien de flamboyant. Elle observe Isabella avec une curiosité non dissimulée. Isabella continue de la questionner poliment mais, en elle-même, elle tremble. Le temps semble arrêté. Elle revit son enfance.

– C'était un père extraordinaire, dit la jeune femme.

Cet homme, elles l'ont chacune connu sous un jour différent.

Il est donc mort.

– Il aimait l'opéra.

Sa remarque a été dictée par la musique qui joue toujours, Alagna chantant son amour pour Tosca.

– On lui faisait toujours baisser le son, ajoute-t-elle. Il écoutait la musique tellement fort !

– Vous a-t-il jamais... touchée, violentée ? Je veux dire : sexuellement ?

– Me violenter ? Papa me violenter ? Que voulez-vous dire ? Comment osez-vous ? Vous êtes folle ! J'aurais dû m'en douter, après ce que vous avez fait...

Elle repose sa tasse de thé et se lève. Une silhouette trapue avec une minijupe trop serrée.

Elles se séparent avec froideur. Elles ne se reverront jamais. Elles ont échangé leurs vérités respectives et vont pouvoir les ruminer. Pourquoi moi et pas elle ? Mais l'a-t-il vraiment fait avec moi ? Ne l'ai-je pas imaginé ? Ou bien l'a-t-il fait avec elle et l'a-t-elle oublié ? Peut-être se ment-elle. Pourquoi s'est-elle ainsi empressée de me dire qu'il était extraordinaire ?

Il est mort, laissant chacune libre de croire ce qu'elle veut croire. Laissant Isabella libre de croire ce qu'elle a besoin de croire pour ne pas penser qu'elle a gâché vingt-sept ans de sa vie. Le passé est mort et enterré.

Troisième événement.

Elle met son manteau et sort se promener. Comme

elle met le pied sur le trottoir, elle voit quelqu'un s'extirper d'une voiture quelques mètres plus loin.

Il l'aperçoit au même instant. Il marche lentement vers elle, de son long pas énergique. Il porte son sweat-shirt violet. Son regard brille tandis qu'il s'approche et plonge ses yeux dans les siens. Elle, elle reste immobile, incrédule, incapable du moindre mouvement. Elle essaye de sourire pour ne pas pleurer.

Ce sont les incertitudes de la vie qui nous permettent de conserver l'espoir.